사회인문학총서

정치의 임계, 공공성의 모험

【사회인문학총서】

정치의 임계, 공공성의 모험

김예림 / 김원 / 김항 / 김홍중 / 소영현 / 심보선 / 정승화 / 조문영 공저

혜안

사회인문학총서 발간에 부쳐

또 한 번의 문명사적 전환시대를 맞아 새로운 학문에 대한 요구가 드높다. 이 시대적 요청에 부응해 우리는 '21세기 실학으로서의 사회인문학'이란 과제를 수행하고 있다. 피로감마저 느끼게 하는 인문학 위기담론의 비생산성을 단호히 떨쳐내고, 인문학을 혁신하여 대안적 학문을 실험하고 있는 나라 안팎의 값진 노력에 기꺼이 동참하여 그 한몫을 감당하고자 한다.

사회인문학(Social Humanities)은 단순히 사회과학과 인문학의 만남을 의미하지 않는다. 인문학의 사회성 회복을 통해 '하나의 인문학', 곧 통합학문으로서의 인문학 본래의 성격을 오늘에 맞게 창의적으로 되살리려는 것이다. 학문의 분화가 심각한 현실에 맞서 파편적 지식을 종합하고 삶의 총체적 이해와 감각을 기르는 인문학의 수행은 또한 '사회의 인문화'를 이룩하는 촉매가 될 것이다.

이 의미 있는 연구는 연세대학교 국학연구원 인문한국(HK)사업단이 한국연구재단의 지원을 받아 2008년 11월부터 10년 기획으로 추진하고 있다. 우리 사업단에 참여하는 모든 구성원들은 학문 분과의 경계, 대학이란 제도의 안과 밖을 넘나들며 뜻을 같이하는 모든 분들과 연대하여 사회인문학을 널리 알리고자 한다.

'사회인문학총서'는 우리가 그동안 치열한 토론을 통해 추구해온 세 가지 구체적 과제의 보고서라 하겠다. 인문학이 사회적 산물임을 확인하는 자기 역사와 사회에 대한 이중의 성찰 과제, 학문 간 또는 국내외 수용자와의 소통의 과제, 그리고 제도의 안팎에서 소통의 거점을 확보하되 문화상품화가 아닌 사회적 실천성을 중시하는 실천의 과제, 이를 잘 발효시켜 숙성된 내용으로 한 권 한 권 채워나갈 것이다.

지금 사회인문학의 길에서 발신하는 우리의 전언에 뜻있는 분들의 동참과 편달을 겸허히 기다린다. 관심과 호응이 클수록 우리가 닦고 있는 이 새로운 길은 한층 더 탄탄해질 것이다. 그로써 우리를 더 인간다운 문명의 새 세계로 이끄는 축복의 통로가 될 수 있기를 바란다.

2014년 4월

연세대학교 국학연구원 인문한국사업단장 백영서

책머리에

공공성(Oeffentlichkeit)이란 이념적으로 보자면 유형/무형의 무언가를 '모두의 것(res publica)'으로 사유하고 자리 매김하는 발상과 주장을 뜻하며, 역사적으로 보자면 개인이나 특정집단에게 귀속된 유형/무형의 무언가를 '모두의 것'으로 탈환하여 제도화해온 실천과 제도를 뜻한다. 그것은 도처에서 소유의 불균형을 시정하고 지배의 자의성을 비판하는 힘으로 작용하지만, 노동계급을 최종적 인간 형상으로 내세우지 않는다는 점에서 사회주의나 코뮤니즘과 다르며, 최초의 발의자를 부르주아 계급으로 간주하기는 하지만 그 이념과 실천을 특정 계급에 한정시키지 않는다는 점에서 역사적 주체의 형식으로부터 독립되어 있다. 따라서 공공성이란 어떤 역사적 텔로스나 이데올로기에도, 주체의 형식에도, 그리고 특정 역사적 국면에도 환원될 수 없는 보편적인 이념이지만, 구체적인 상황과 조건 아래에서의 일회적 나타남 외에는 확인할 길 없는 분산적인 실천에 다름 아니다. 즉 공공성이란, 오해를 무릅쓰고 말한다면, 비판과 저항의 순수한 나타남인 셈이다.

물론 이 용어의 역사적이고 이론적인 쓰임새를 감안해보면 위의 진술은 너무나도 자의적이라는 비난을 면할 수 없을 것이다. 국가기구나 법률 등 강제력을 동반한 제도를 통해서도 공공성은 담보되고 실현되어 왔으며, 때로는 그런 제도화된 공공성의 이념이 개개인을 억압하는 지배력으로 작용하기도 해왔기 때문이다. 그러나 아무리 지배하는 힘을 발휘하는 공공성일지라도, 비판과 저항이라는 근원적 흔적을 그 뿌리에서 지울 수는 없다. 왜냐하면 강제력을 동반한 제도로서의 공공성이란 칸트가 말하는 이성의 사적사용과 공적사용의 변증법이 만들어낸 결과물이기 때문이다.

칸트는 '계몽이란 무엇인가'에서 이성의 사적사용과 공적사용을 구분한다. 이성의 사적사용이란 성직자가 자기 교구의 성서해석에 따라 교회에서 설교하는 일, 교사가 교과서나 교과과정에 따라 학교에서 가르치는 일, 군인이 상관의 명령에 따라 무력을 집행하는 일 등이다. 이에 반해 이성의 공적사용이란 성직자나 교사나 군인이 열린광장에서 교구의 성서해석, 교과과정, 상관의 명령에 상관없이 자신의 직분을 포함한 세상 만사의 일을 자유롭게 비판하는 일을 뜻한다.

중요한 것은 칸트가 말하는 이성의 공적사용이 어디까지나 '비판'에 기초해 있어야 한다는 점이다. 그가 말하는 비판이란 인간 지성의 범위가 어딘지 한계지우고, 그 조건이 있기에 자율적인 규범 설정과 그에 대한 복종이 가능케 하는 능력이자 태도이다. 그래서 이성의 공적사용은 언제나 사적사용에 대한 비판으로서만 나타난다. 근대의 계몽, 혁명, 자유가 이 비판을 국가와 법률을 통해 제도화하여 통치의 합리화를 꾀했음은 주지의 사실이다. 그런데 이 통치의 합리화가 여전히 통치인 한에서, 그것은 비판을 지배로 전환시키는 일이기도 했다. 교리와 명령에 대한 비판을 국가와 법률로 제도화하는 일은 '비판=이성의 공적사용'을 제도적으로 보장하는 일이었지만, 동시에 비판을 특정한 규칙 아래에 종속시키는 일이기도 했기 때문이다.

따라서 문제는 공공성을 지배제도로부터 해방시키는 일이 아니다. 정작 중요한 것은 비판이 통치와 지배로 전환되는 근대의 변증법을 직시하는 일이다. 즉 어떤 공공성의 실천이 국가와 법률 차원에서 제도화되는 것을 공공성의 실현이라 사유하는 일과 손을 끊는 사유가 중요한 것이다. 왜냐하면 소유의 불균형과 지배의 자의성을 비판하고 시정하려는 공공성의 실천은 저 근대의 변증법을 끊임없이 추동하는 원동력이기에 그렇다. 그것이 멈췄을 때 세계가 끔찍한 경험을 하게 됨을 20세기의 역사는 잔인할 정도로 적나라하게 보여줬다. 파시즘과 나치즘과 스탈린주의로 대변되는 20세기의 전체주의는 무형/유형의 무언가가 모두의 것이 되었다고 믿은 순간,

즉 공공성이 '완성되었다'는 믿음 위에서 성립한 사상 유례 없는 잔혹한 체제였던 것이다.

그러므로 공공성이란 결코 완성을 모르는 이념이자 실천이다. 그것은 때론 국가와 법률의 형태로 제도화될 수도 있다. 하지만 제도화의 문턱을 넘어선 공공성은 결코 공공성의 순수한 존재양태가 아니다. 공공성의 순수한 존재양태란 인간이 지배에 저항하고 통치를 비판하는 잠재력에 다름 아니기 때문이다. 따라서 제도화와 실현태로 소진될 수 없는 잠재력, 변증법적 지양 과정에서의 잔여, 그것이 공공성이란 이념과 실천인 셈이다.

그런 의미에서 현재 한국사회의 공공성의 위기란 신자유주의가 사회복지국가적 제도를 파괴하는 사태에 국한되지 않는다. 그것은 보다 근원적으로 사람들의 모든 발화와 행위가 국가 혹은 법률로 제도화되고 실현되어야 한다는 기묘한 믿음이며, 이런 흐름 아래에서 정제되지 않고 거칠기 이를 데 없지만 '이렇게는 통치 당하려 하지 않으려는' 비판과 저항의 시도에 침묵을 강요하는 보수성이다. 대안이 뭐냐는 질책, 제도 정치 없는 거리의 정치는 소모적이라는 냉소, 그리고 저들은 사악하고 나만이 정의롭다는 교만이 공공성의 이름으로 공공성의 잠재력을 소진시키는 기묘한 믿음과 보수성에 다름 아니다. 그래서 공공성 연구는 무엇이 공공적이고 어떻게 그것을 실현시킬 수 있는지를 가늠하는 앎의 실천이 아니다. 오히려 그것은 세상 도처에서 적절한 언어와 계보를 찾지 못하는 공공성의 잠재력을 찾아내고 용기를 북돋아주는 앎이어야 한다. 궁지에 몰려 처절하게 제 살 길을 찾는 삶이 세 치 혀로 세상 만사의 온갖 지혜를 갖췄다고 뽐내는 앎보다 먼저라는 사실, 이것이 '공공성 연구의 공공성'인 것이다.

이 책은 이런 고민을 저자들 나름대로의 현장에서 풀어낸 고투의 산물이다. 이론, 운동, 역사, 현재라는 다소 미니멀한 섹션은 구구절절한 설명과 그럴듯한 체제보다는 이 책이 자리하고자 한 공공성 연구의 현장을 꾸밈없이 제시하기 위한 것이다. 각 글에서 어떤 이야기가 다뤄지는지 여기서 세세하게 소개하지는 않겠다. 다만 여기서 다뤄진 사유와 행위와 사태는 모두 공공성의 잠재력과 관련된 것이라는 사실만을 명기해둔다. 어떤 글은 그 잠재력의 생동을, 어떤 글은 좌절을, 또 어떤 글은 소진을, 다른 어떤 글은 포기를 다뤘는지 모르겠다. 다만 중요한 것은 다룬 대상이 이론이든 운동이든 역사든 현재든, 소진될 수 없는 비판과 저항으로서의 공공성이 이 땅에서 단절과 좌절에도 불구하고 도처에서 꿈틀대고 있었고, 있음을 모두 추적하려 했다는 사실이다. 그 다양한 단면들이 불규칙한 다면체를 이뤘다면 하는 바람이다.

다양한 전공영역의 연구자들이 모여 하나의 주제에 관해 통일성 있는 글을 쓰는 것은 어려운 일이다. 그래서 애초에 통일성 따위는 포기했다. 주제나 형식이나 시대 따위를 서로 조정하여 갑갑하게 글을 쓰고 엮는 일은 말이다. 다만 어렴풋한 공통감각을 믿었다. 공공성의 실현이 아니라 그 잠재력이야말로 공공성 연구가 발견해야 하고 주장해야 할 것이라는 공통감각을. 개별 연주가 지휘자 없이도 여운 속에서 조화의 느낌을 남길 수 있음을 보여주고 싶었지만 자신은 없다. 이제 이 책은 열린 공간 속에서 공공적으로 읽힐 터이니 잠재력이 소진되지 않길 바라는 수밖에 없을 듯하다. 부디 울퉁불퉁한 하나의 책으로 읽히길 소망해본다.

함께 책을 만든 이들에게 감사와 우애의 말을 전하고 싶다. 사실 서로가 자주 보거나 친한 것은 아니다. 하지만 공부와 연구의 어떤 국면에서 문득, 그라면, 그녀라면 어떻게 생각하고 썼을까, 그녀가, 그가 읽으면 뭐라 할까, 생각하곤 한다. 그 응답없는 대화가 이 책을 만들었다. 누군가 쓰여진 책은 아직 쓰여지지 않은 다음 책의 서문이라고 했다. 비슷하게 말해보자면, 쓰여진 글은 도착하지 않은 편지에 미리 쓴 답장이지 않을까? 그렇게 어긋난 시공간에서 앞으로도 우애로 가득 찬 작업이 이뤄지길. 마지막으로 많이 애써준 이재동에게 진심으로 감사하다는 말을 전하며 두서없는 머리말을 마무리한다.

만든이 중 김항 씀

차 례

2부 운동

3부 역사

4부 현재

1부

이론

시민의 공공성에서 인간의 열림으로

하버마스와 아감벤을 중심으로

김 항

I.

사적 개인의 자기 이해와 관료적 국가 기구의 강제력으로부터 독립된 '토의하는 공중의 공공영역'의 재창출, 인간 사유를 기초지우는 제1원리의 자리를 차지하려는 논리 실증주의적 과학 인식론에 이의를 제기하는 '인식과 관심' 및 '이론과 실천', 과학 기술을 모델로 삼아 인간 삶의 조직 원리를 기술-기능적으로 파악하고 조율하려는 '이데올로기로서의 기술과 과학' 비판, 민주주의의 끊임없는 재민주화를 위한 규범적 기초를 제공하려는 '커뮤니케이션 행위이론', 그리고 이데올로기 대립의 종식 이후 법치주의 국가의 정당성 기초를 재설정하려는 '사실성과 타당성'에 관한 논구, 한 사상가가 40년 남짓의 세월 동안 세상에 내놓은 작업으로는 믿기지 않을 정도의 두께와 무게이다. 여기에 더해 내용의 난해함과 인용의 해박함이 더해지면 읽기도 전에 독자로서는 두 손을 들 수밖에 없다. 하버마스가 한국에서 그 명성에 비해 폭넓은 독자층을 확보하지 못하고 사려 깊은 이해를 받지 못한 까닭이다. 물론 국제적 차원의 연구와 비춰 봤을 때도 몇몇 뜻깊은 업적들이 있기는 하지만, 한국에서의 하버마스 연구는 '공론장'을 규범적 가치나 역사사회학적 지표로 삼아 '응용'하려는 연구나 난해한 규범-인식 이론을 '더 난해하게' 주석하는 연구가 대부분을 이뤄왔다고 할 수 있다.

이렇게 '응용'과 '주석' 차원에 머물러 있었기에 하버마스 이론의 역사적이고 실천적 맥락이 주목받지 못한 것은 어찌 보면 당연한 일이었다. 1980년대에는 뜨뜻미지근한 민주주의론자로 90년 이후에는 철지난 합리주의자로 치부되었던 까닭이기도 하다. '공론장'이든 '커뮤니케이션 행위이론'이든 '응용'의 측면에서는 언제나 현실의 문제점을 규범적으로 가늠하는 탈역사적 '이상(ideal)'으로 취급됐고, '주석'의 차원에서는 이론 내용의 해설에 치중하여 당대의 역사적 맥락은 무시당하기 일쑤였던 셈이다. 그러나 하버마스는 패전 후 '서독'(이 글에서는 1950~80년대의 역사적 리얼리티를 감안하여 '독일'이 아니라 '서독'이라는 표현을 쓰기 한다)의 지적 장 안에서 누구보다도 전방위의 '논쟁'을 벌인 사상가이다. 아니 사실 하버마스의 이론은 논적과의 논쟁을 위한, 그 속에서 비롯된 '현장의 이론'이다. 물론 커뮤니케이션 행위이론으로 대변되는 그의 난해한 이론을 보면 이런 판단이 터무니없는 억측일 따름이라 생각될지 모른다. 하지만 이 난해함은 오로지 텍스트만을 파고든 결과가 아니라 현실의 정치적, 문화적, 사회적 쟁점에 숨어 있는 지적 논쟁사의 퇴적층을 파헤치려는 의지의 산물이었다. 즉 하버마스는 현실적 사안과 마주하여 단순한 정치적 결단으로 대처한 것이 아니라, 스스로의 정치적 결단까지를 포함한 상황 전체의 역사적이고 철학적인 지층 탐사 위에 '비판'을 기초지우려 한 것이다.

이는 그의 주저가 어떤 상황의 산물인지를 일별하는 것으로 확인된다. 『공론장의 구조변동』은 1950년대 아데나워 정권의 '역주행'(이에 관해서는 후술한다)과 이른바 '47년 그룹'의 대립이라는 상황 속에서 탄생한 저작이고, 『이데올로기로서의 기술과 과학』은 1960년대 서독의 고도성장, 기술관료 지배, 대학의 변질 등에 대항한 팸플릿이며, 『커뮤니케이션 행위이론』은 1970년대 학생반란의 쇠퇴와 뒤이은 반테러리즘-반공 공안 정국의 창궐에 대항하여 민주주의의 민주화를 위해 쓰여진 대작이다. 즉 그의 주저들은 모두 패전 후 '서독'의 정치적-문화적 상황에 대한 개입을 위해 기획된 것으로, 해박한 지성사적 추적과 고도의 이론적 추상능력을 통해 이 상황을 18세기 이래의 '근대의 기획' 속에 자리 매김하는 것이었던 셈이다.

그러나 한국뿐만 아니라 미국, 일본, 유럽 등 서독 바깥에서는 하버마스의 이런 진면목이 평가 받지 못했다. 물론 그가 굵직 굵직한 사안마다 성명을 발표하고 서명을 주도하는 전형적 유럽 지식인임은 널리 알려져 있으며, 이런 공적 활동이 그의 이론과 밀접한 연관 하에 있음도 주지의 사실이다. 그러나 하버마스의 사상적 영위에서는 공적 활동은 물론이고 이론 자체가 이미 하나의 성명 발표이자 서명 추진이다. 두 영역은 실천과 이론이 아니라 모두 하나의 '상황에 대한 개입'이라는 '이론적 실천'인 것이다.

그렇기 때문에 하버마스의 '공론장'이나 '공공성' 논의는 규범적 이상이나 역사사회학적 지표로만 읽을 것이 아니라 하나의 '이론적 실천', 그것도 어떤 상황에 대한 개입으로 읽을 필요가 있다. 그랬을 때 이 개념이 갖는 '현재성(actuality)'이 드러날 것이고, 왜 이 개념이 제시된 50년 이후에 여전히 다뤄야 할 의미가 있는지를 되물을 수 있을 터이다. '공공성'이 탈역사-탈지역적으로 보편 규범을 다루는 고매한 논의가 아니라, 지금 이 땅(결코 국민국가와 동일시 될 수 없는)의 상황에 개입하는 실천성을 지향한다면 말이다. (아래에서 자세하게 논의하겠지만 패전 후 서독의 상황 속에서 하버마스의 공공성 논의가 출발했음은 한반도에서의 공공성 논의에 '외재적'이라기보다는 '내재적'으로 연관되는 역사적 맥락이다. 이는 공공성 논의가 전쟁과 식민지 지배와 학살이라는 역사적 기억과 냉전 체제 하의 반공 내셔널리즘이라는 한반도 '1953년 체제'의 세계성을 담지하고 있음을 말해준다.)

아래에서는 이런 문제의식을 통해 우선 하버마스의 『공공성의 구조변동』을 독해하고자 한다. 결론을 앞당겨 제시하자면 '공공성'이란 1950년대 서독의 정치적 상황에 대한 하버마스의 이론적 개입이며, 이를 뒷받침

한 것은 서독의 역주행을 '공적 장'에서 비판한 47년 그룹을 비롯한 지식인-문화인들의 활동이었다. 그런 의미에서 그의 '공공성'이란 '기본법'(서독에서 성립한 헌법에 준하는 법규, 통일까지는 헌법이라는 말을 쓰지 말자는 합의 하에 결정된 명칭) 체제의 정당성을 수호하기 위해 체제 비판적인 저널리즘적 활동에서 그 원천을 찾으려는 시도였으며, 이를 위해 그는 18세기까지 거슬러 올라가 자유주의 체제와 사회국가 체제의 변증법적 발전의 궤적을 모험적으로 논증했던 것이다. 그리고 현재적 상황에 대한 개입이 공공성 논의의 목적임은 1990년도 서문에서도 확인될 수 있다. 그러므로 하버마스에게 공공성 논의란 이미 언제나 당대 현실 상황에 대한 개입이라는 측면을 갖는 것이며, 이것이야말로 하버마스의 이론적 실천으로부터 추출해야 할 공공성 논의의 일차적 의의이다. 그렇다면 이 의의가 갖는 함의란 무엇일까? 이를 가늠하기 위해 일단 1945년 패전으로부터 50년대에 이르는 서독의 정치-문화적 상황으로 시계추를 돌려보자.

II.

승전국, 패전국, 식민지를 막론하고 제2차대전 이후 세계의 전 지역에서는 하나의 정치적 열병이 돌았고 지금도 돌고 있다. 프랑스에서는 '협력'으로 한국에서는 '전향'으로 지칭되곤 하는 정치적 입장 변경과 역사 기억의 문제이다. 나치 부역자이든 친일파이든 전쟁 시기 개인의 처신이 국민국가의 역사 기억과 정당성 기초의 문제와 맞물리면서, 또 여기에 냉전 체제의 구축으로 인한 이데올로기 대립까지가 가세하면서 때로는 피비린내 나는 참살로 때로는 과도한 상징투쟁으로 사람들의 몸과 마음을 치유 불가능할 정도로 갈기갈기 찢어버린 것은 주지의 사실이다. 그런 의미에서 1945년 이후 역사 기억은 세계적 차원에서 국민국가를 넘어 고통스럽게 연동하는 투쟁의 장이다. 이런 관점에서 보자면 20세기 이후 본격적으로 시작된 서구 이론의 유입은 단순히 수입–적용–응용이라는 틀거리가 아니라 고통스러운 역사기억의 연동이라는 측면에서 재고될 필요가 있다. 예컨대 푸코나 데리다의 이론이 한국 상황을 설명할 수 있다거나 없다거나 하는 문제가 중요한 것이 아니라, 제2차대전을 경유한 유럽-프랑스의 역사기억에서 비롯된 이들의 이론이 한국의 역사기억과 어떻게 연동되어 있냐를 살펴봐야 하는 것이다. 그랬을 때 푸코나 데리다의 텍스트에서 드러나는 프랑스 식민주의의 기억이 한국의 역사기억과 연동되는 계보를 그려낼 수 있고, 이는 인문학의 국제화가 기하학적 팽창과 지역적 위계성의 재생산으로 나아가지 않을 하나의 길이라 할 수 있다. 하버마스의 '공공성' 논의 또한 이런 맥락에서 읽어볼 필요가 있다.

이를 위해 우선 패전 직후 서독의 풍경을 살펴보도록 하자. 20세기 초의 대역사가 마이네케가 '완전히 불타버린 분화구와 같은 무력정치의 결말'이라 묘사했던 베를린의 모습은 한국전쟁으로 폐허가 된 한반도와 다를 바가 없는 상황이었다. 1936년 독일에서 성년의 1일 섭취 칼로리가 3075kl였던데 비해 1947년에는 1300kl였고, 1주당 1인 육류 섭취량은 3700g이었던데 비해 400g으로 극감했던 실정이었으니 말이다. 이 때 유행하던 신조어에 'fringsen'이라는 동사가 있다. 이는 쾰른의 추기경 프링스(Frings)에서 유래한 동사로 그가 패전 직후의 절도나 약탈을 보며 "살아남기 위해 하는 짓이니 도둑질이니 죄라고 할 수도 없다"고 발언한 데서 온 말이다. 이 추기경의 이름 뒤에 동사형 어미 -en을 붙여 '프링스 식으로 한다', 즉 '배고프니 어쩔 수 없이 훔쳐도 된다, 추기경도 용서했으니'라는 함의를 갖게 되었다. 이런 속에서 패전 후 독일의 복구는 시작되었다. 나치즘과 전쟁으로 시달리던 인민들은 이제 생활고에 신음하게 되었던 것이다. 그러나 이 생활고는 구체제와 나치즘에 대한 강력한 거부와 뼈저린 반성이라기보다는 기묘한 은폐와 회고로 정치-문화적 심성을 이끌게 된다. 다소 길지만 당시 인민들의 나치즘에 대한 회고를 인용해보자.

> 아무도 나치 따위는 아니었습니다. 옆 마을에는 몇 명 있었을지 모르지만요. 20킬로 정도 떨어진 이 지역 중심 도시가 나치즘의 온상이었음은 틀림없습니다. 하지만 사실을 말하자면 이 마을에는 공산주의자가 많았어요. 우리는 언제나 빨갱이라 불렸습니다. 유태인이요? 이 지역에는 원래 유태인이 그렇게 많지 않았어요. 두 명 정도였나요? 여섯 명이었나? 그들은 끌려갔습니다. 나는 유태인 한 명을 6주간 숨겨준 적도 있어요. 나는 유태인들과 잘 지냈어요. 나치는 돼지 새끼들이죠. 그런 정권은 넌저리가 납니다. 우리도 힘들기 그지 없었습니다. 공습이 있었지요. 몇 주씩이나 지하실에 갇혀 살았어요. 미국은 대환영입니다. 우리는 미국에 아무런 불안도 느끼지 않습니다. 우리는 나쁜 짓 따위는 하지 않았으니까요. 우리는 나치가 아니었으니까요.(엔첸스베르거, 『폐허 속의 유럽』)

전후 독일을 대표하는 비평가 엔첸스베르거는 이 독일인을 인터뷰한 미국인 저널리스트의 말을 덧붙인다. "어쩌면 좋을까? '우리는 나치가 아니었으니까요'라니. 이 문장은 곡으로 만들어서 독일인 모두가 후렴으로 부르면 좋겠다. 모두 똑같은 말을 하고 있으니. 그렇게 모두가 싫어했다면 어떻게 나치 정권이 5년반이나 전쟁을 계속할 수 있었던 것일까? 독일인 단 한 사람도 이 전쟁을 단 한 순간도 환영한 적은 없다고 한다. 우리는 어떻게 반응해야 할지 모른 채 경멸스런 표정으로 그저 서 있을 수밖에 없었다." 이렇듯 나치의 기억은 잊고 싶은 것이라기보다는 덮어 버리고 싶은 것이었다. 이런 반응은 당시 대다수 독일인들의 것이었으며 나치와 전쟁의 책임과 반성보다는 독재와 공습의 고통스러운 경험을 의식의 전면에 내세우는 분위기였던 셈이다. 그래서 패전 직후의 생활고는 나치체제에 대한 엄중한 책임 추궁을 연합국의 전범 재판에 미뤄 놓은 채 몸과 마음의 평온함을 추구하도록 사람들을 추동했다. 즉 생활고는 패전 자체라기보다는 나치와 전쟁에서 비롯된 오랜 기간의 것이며, 독일 인민은 십수년 전부터 고통에 시달려왔으니 협력자라기보다는 피해자라는 발상이 사람들의 머리를 지배했던 셈이다.

여기에는 미국 점령지구에서 행해진 비나치화 처리 방법도 크게 일조했다. 프랑크푸르트와 뉘른베르크가 속한 미국 점령지구에서 점령군은 각 개인마다 나치시대에 당원이었는지 어떤 직업을 가졌는지를 조사하여 일정 기준 이하일 경우 '비나치화'된 것으로 간주하여 일반시민으로 복귀시켰다. 이를 통해 상당수의 사람들이 과거의 심성과는 무관하게 민주주의 신봉자로 거듭날 수 있었다. 당시 이 조치를 두고 유명 세제 "페르지르"에 빗대어 비나치화 증명서를 "페르지르 증명서"라 야유하는 일이 유행했을 정도로 기계적이고 형식적 조치였음은 말할 필요도 없다. 이렇게 내부적으로도 외부적으로 나치의 기억은 쉽게 덮어 버릴 수 있는 분위기가 조장되었고, 이는 패전 후에 불어닥친 괴테나 쉴러 열풍, 즉 독일적 교양주의에 대한 동경과 회고로 이어지는 정치-문화적 분위기로 이어진다.

이런 분위기를 예고한 일이 헤르만 헤세의 1946년 괴테상 수상이라 할 수 있다. 헤르만 헤세는 제1차대전이 시작될 무렵부터 로맹 롤랑 등과 함께 반전운동을 일으켜 독일 국민들에게 공분을 샀으며 이후 스위스로 이주하여 삶을 영위했다. 물론 제2차대전에 대해서도 강한 거부감을 나타냈고 나치 독일에 협력한 독일 지식인층에게 혐오의 말을 쏟아낸 것은 말할 필요도 없다. 그런 헤세와 교류하는 것은 나치 시기 독일 지식인들에게는 매우 부담스러운 일이었기에 아무도 그와 말을 나누려고 하지 않았으나 전쟁이 끝나자마자 헤세에게 '줄을 서는' 서독 지식인이 폭발적으로 늘었다. 헤세와의 교류를 통해 '반나치'의 증표를 얻고 싶었던 것이다. 그러나 헤세는 이런 분위기에 노골적인 반감을 표현하면서 서독 지식인들의 위선적 자기변명을 비난했다.

그러나 헤세에게 1946년 괴테상이 돌아간 것은 망명자의 이런 통렬한 비판 때문이 아니었다. 패전의 폐허 위에서 괴테상이 상징하는 '독일의 순수한 정신'을 헤세의 '무해한' 순수교양주의형 인간상으로 재건설하자는 것이 헤세 수상의 이유였기 때문이다. 이미 같은 해 노벨문학상을 수상함으로써 '평화와 순수'의 아이콘으로 자리매김 된 헤세가 패전 독일의 정신적 재건을 위해 더할 나위 없는 인물로 떠올랐던 셈이다. 이는 19세기 프로이센, 바이마르 공화국, 그리고 나치라는 혼돈의 근세사가 아니라 18세기 칸트와 쉴러의 계몽주의 시대의 평온함으로 새로운 독일을 재건하려는 의지의 표명이었다. 즉 피비린내 나는 전쟁과 학살을 정면으로 받아들여 냉철한 자기 성찰에 기초한 국가 재건이 아니라, 나치를 독일 정신사의 이탈현상으로 치부하여 그 실상을 은폐함으로써 '시인과 철학자의 나라'로서의 독일을 되찾으려는 것이 패전후 서독의 문화적 분위기였던 것이다.

이런 맥락 속에서 1947년 프랑크푸르트의 괴테 하우스 재건 사업이 논의된다. 공습으로 파괴된 괴테 하우스를 재건하려는 것은 이해가 안가는 일도 아니지만 위에서 말했듯이 인민들의 곤궁이 극에 달한 시점에서 거액의 돈을 들여 괴테 하우스를 재건하겠다는 의지는 '순수 독일'의 재건에 대한 열망이 그만큼 컸다는 것을 의미한다. 이 사업을 둘러싸고는 다양한 논의가 전개되었는데 바이마르의 바우하우스 계열 건축가들은 고색 창연한 18세기 풍의 건물을 재건하자는 시 당국의 계획에 반대했다. 그 까닭은 왜 조국이 폐허가 되었는지를 깊이 반성한다면 무엇보다도 인민의 생활세계 속에 괴테 하우스가 녹아들어가야 함에도, 당국의 계획은 18세기의 건축물을 재건함으로써 독일의 무구하고 순수한 정신성을 박물관의 유물처럼 전시하려 한다는 데에 있었다. 물론 사업은 주거 아파트를 중심으로 한 괴테 하우스의 재건(바우하우스의 계획)이 아니라 당국의 계획대로 실현되었다. 현재 프랑크푸르트의 관광명소인 괴테 하우스는 이렇게 패전 후 독일의 역사 기억의 망각과 연관되어 있는 셈이다.

나치를 이렇게 망각함으로써 서독은 미국의 마셜플랜 하에 비약적인 경제발전을 이룩할 수 있었다. 아데나워 내각은 나치 시대의 정치가나 관료를 다시 국가 경영의 중추에 위치시킴으로써 이를 뒷받침 하게 했다. 물론 나치 시대에 대한 통렬한 반성으로 성립된 '기본법'도 아데나워 내각에서 성립한 것이지만, 이 정권은 반공, 재군비, 자본주의적 시장자유주의를 채택함으로써 냉전 체제의 최전선으로 서독을 자리 매김했다. 물론 나치에 대한 반성이라고 하지만 실제 당시의 아데나워의 연설문을 읽어보면 주어가 대부분 '우리 유럽인'임을 알 수 있다. 그는 서독 기본법이 유럽의 이상을 드러내는 것이라 여겼으며, 이는 서독이 공산주의로부터 유럽을 방어함으로써 전쟁의 폐허를 극복하는 국가라는 인식의 발로였다. 그래서 아데나워 내각은 나치의 망각에 기초하여 프로이센－제1차대전－바이마르 공화국까지를 역사 기억으로부터 추출하는 '역주행'을 감행했던 셈이다. 그리하여 패전 직후 서독에서는 스스로를 '0시'라 지칭했다. 모든 것이 새로 출발하는 시각으로 스스로의 역사 시간을 되돌림으로써, 과거의 참담한 기억들은 은폐된 채 삶이 영위될 수 있었던 것이 패전 후 서독의 상황이었던 것이다.

III.

패전 후 서독의 비판적 지식인들은 바로 이런 상황 속에서 스스로의 사유와 글쓰기를 전개해야 했다. 그들은 왜 나치 같은 참사가 벌어졌을까 하는 물음과 함께, 이런 일을 가능케 한 심성 구조가 왜 지금까지 남아 있으며 최고의 민주주의 헌법과 어떻게 동거할 수 있는 것일까를 묻지 않으면 안됐다. 또한 이런 모순된 심성 구조가 일상의 의식이나 태도 속에서 끈질기게 잠복하고 있는 병원(病源)을 어떻게 극복할 수 있을까를 고민해야만 했다. 1929년 태생인 하버마스가 스스로의 지적 경력을 시작했던 것은 바로 이런 상황 아래에서이다.

1953년 하버마스는 한 편의 글을 *Frankfurter Allgemeine Zeitung*에 게재한다. "하이데거에 의해, 하이데거에 대항하여 생각한다(Denken Bei Heidegger, gegen Heidegger)"(하버마스, 『철학적 정치적 프로필』(1971)에 재수록)라는 제목의 글로, 하이데거의 1935년 강의가 『형이상학입문』이라는 제목으로 1953년에 출간된 데 대한 것이었다. 나치에 협력했다는 이유로 공직에서 추방당한 하이데거는 패전 직후부터 오랫동안 칩거했다. 서독과 동독에서 그의 철학이 '공적인 장'에서 논의되는 일이 드물었으며, 그를 전후 유럽에서 복권시킨 것은 프랑스였다. 1947년 장 보플레에게 보낸 『휴머니즘에 관한 편지』가 전후 하이데거의 첫 번째 공식 글이었는데, 이 글의 출간은 하이데거의 영향력이 유럽에서 여전히 막대함을 증명하는 것이었다. 조국 독일이 아니라 프랑스에서 복권되었다는 것이 서글펐겠지만 서독과 동독에서도 하이데거의 영향은 여전히 막대한 것이었다. 대학과 저널리즘 세계에서는 하이데거의 제자나 애독자가 활약을 펼쳤고, 나치에 대한 협력은 그의 철학적 작업과 무관한 것으로 여겨지는 분위기였다. 아니 철학자의 정치적 과오를 은폐하고 몰래 독서에 탐닉하는 일을 넘어서, 하이데거 철학의 신비롭고 고매한 실존주의적 경향은 순수정신으로의 회귀를 지배적 경향으로 삼던 서독 문화계에서 숨은 경전 역할을 할 정도였다.

그런 하이데거의 나치 시기 강의가 최초로 간행된 것이 바로 1953년의 『형이상학입문』이었고, 약관 24세의 하버마스를 일약 유명한 논객으로 만든 것도 바로 이 간행이었다. 아마도 하버마스의 이 기고문은 패전 후 서독에서 이뤄진 최초의 본격적인 공개적 하이데거 비판으로(야스퍼스가 자신의 일기에 신랄하게 비판한 수고나 마르쿠제의 서한이 있긴 했지만), 하이데거의 나치 시기 언설이 그대로 간행된 데 대한 강력한 이의제기였다.

이 글에서 하버마스는 이 강의의 한 구절을 문제삼으며 하이데거 철학을 지렛대로 하여 패전 후 서독의 문화적 분위기를 신랄하게 비판한다. 그 구절이란 "이 운동의 내면적인 진리와 위대함(혹성적 의미를 갖는 기술과 새로운 시대의 인간과의 만남)"으로, 여기서 '운동'이 바로 '나치즘'을 가리킴을 하버마스는 지적한 후, 패전 후에도 여전히 하이데거는 나치에 대한 자신의 생각을 바꾸고 있지 않음을 비판한다. 물론 하이데거가 단순히 나치에 대해 찬동한다는 것은 아니다. 그는 이미 1935년 이후에는 나치로부터 멀어졌으며 이 강의는 그 시기에 열린 것이다. 하버마스가 비판하는 것은 하이데거가 자신의 협력을 되돌아보지 않고 어디까지나 관조자의 입장에서 나치즘을 '존재의 역사'라는 스스로의 사색으로 포섭하고 있는 점이며, 자신의 중요한 철학적 개념이나 용어가 전혀 다른 상황에서도 유의미함을 주장할 수 있는 파렴치함이다. 즉 하이데거는 인간의 역사가 아무리 요동쳐도 꿈쩍하지 않고 정신과 사색의 순수성 속에서 세계를 관조하는 고매한 위치에 서 있다는 것이 하버마스의 비판의 요점인 셈이다. 그리고 그것은 결국 '역사 기억'의 문제로 집약된다.

> 몇 백만 명의 인간이 계획적으로 살해되었음을 오늘날 우리는 알고 있다. 그러나 이 일 또한 숙명적인, 어쩔 수 없는 오류로서 존재사 속에서 이해되어야 하는 것일까? 이런 살해는 일정한 책임 하에 그것을 실행한 사람들의 실제 범죄가 아니었는가? 그리고 민족 전체의 양심의 아픔 아닌가? 예전에 있던 것, 우리가 예전에 그랬던 것과 애써 대결하려는 어려움을 받아들이기 위해 우리는 항복 이래 8년의 세월을 보낸 것이 아니었던가? 과거의 책임 있는 행위를 해명하고 이에 대해 알 수 있는 일을 보존하는 것은 사려 깊은 이들의 고귀한 사명 아니었던가?

하버마스가 보기에 하이데거는 스스로의 철학을 인간 역사 속에 내던져 투쟁하기보다는, 인간 역사를 스스로의 철학 체계 속으로 끌어들여 자기변명으로 일관하는 인물이다. 그것은 결코 '고귀한 사명'을 완수하려는 '사려 깊은 이들'의 행위가 아닌 것이다. 하버마스의 비판이 향하는 곳이 결코 하이데거에게 국한되지 않음은 말할 필요도 없다. 하버마스의 하이데거 비판은 고스란히 패전 직후 서독의 문화적 분위기와 정치적 상황에 가닿는 것이었기 때문이다.

이런 관점은 1964년에 간행된 아도르노의 『본래성이라는 은어—독일 이데올로기에 관하여(*Jargon der Eigentlichkeit-Zur deutschen Ideologie*)』를 선취하는 관점으로, 본래성이라는 애매모호한 말을 통해 역사의 참상을 은폐하고 호도하려는 하이데거 및 교양주의 비판과 공명하는 것이며 패전

후 서독의 분위기를 비판하는 이들의 공통된 톤이었다. 특히 1940년대 후반부터 서독 문학계를 중심으로 아데나워의 역주행을 비판한 47년 그룹은 이런 관점을 저널리즘적 실천으로 옮긴 대표적 집단이었다. 귄터 그라스, 하인리히 벨 등이 주축이 된 이 문학자 그룹은 잡지 『외침』을 중심으로 정치적 급진성을 표방했으며, 전방위에 걸쳐 패전 후 서독의 현상을 비판했다. 특히 그들의 작품 속에 등장하는 포르노에 가까운 외설적 표현은 괴테로부터 헤세에 이르는 독일 교양주의에 대한 비판을 함축하고 있으며, 반공주의에 침윤되어 이데올로기적 자유에 속박되어 있던 서독 지역민들의 정치적 각성을 촉구하는 것이었다. 아도르노와 하버마스, 그리고 47년 그룹의 비판은 결국 역사의 망각과 민주주의가 어떻게 공존할 수 있는가를 고민한 이들의 실천적 자기표출이었고, 하버마스의 『공공성의 구조변동』은 이런 비판 속에서 제시된 독일 정치-사상-문화사에 대한 재해석이었다. 이제 몇 가지 논점에 주목하여 이 책을 독해해보도록 하자.

IV.

본격적인 독해로 들어가기 전에 지적해두어야 할 사항이 있다. 아래에서 전개되는 독해는 기존 연구와는 다소 주목하는 지점이 다르다는 사실이다. 위에서도 지적했듯이 기존 연구는 크게 두 가지 경향으로 나뉘는 듯하다. 한 편에서 '공론장'이 과연 실재했는지, 실재했다면 서구 이외의 지역에서도 그랬는지, 18세기 부르주아 시대를 넘어서도 존재했는지, 부르주아 공론장 이외의 대안적 공론장은 없었는지, 이 모델은 어디까지 적용 가능한지 등을 묻는 역사사회학적인 경향이 있다. 이 경향의 연구들이 해당 사회의 역사적 경험 속에서 민주적 근대화의 경로를 묻는 과정에서 등장했고, 부르주아 민주주의의 한계를 넘어서는 대안적 민주주의의 가능성을 역사 속에서 타진하는 속에서 수행되었음은 주지의 사실이다. 하지만 과연

'공론장'이 그렇게 역사사회학의 지표나 모델이 될 수 있는 것일까? 과연 하버마스는 공론장을 그렇게 응용 가능한 '모델'로 생각했던 것일까? 오히려 하버마스의 공론장이란 해당 사회의 '당대적' 상황에 따라 형식도 내용도 달라지는 실천적 개입의 개념이 아닐까?

다른 한 편에서 '공공성' 개념은 이미 성립된 근대의 민주주의적 국민국가 체제를 전제로 하여 민주주의의 민주화를 위한 규범으로 이해된다. 행정학을 위시한 '공공정책학'에서의 '공공'이나 언론 등을 공공성의 담지자로 보는 관점이 이를 나타낸다. 이 경향의 연구들은 주로 사회과학에서 이뤄진 것으로, 행정학의 경우 국가의 행정권력이 어떻게 공공성을 규범적 가치로 삼아 정책을 입안할 것인지, 또한 세금으로 이뤄지는 공공재(공사, 공공사업, 복지 등)의 분배와 활용을 어떻게 할 것이지를 '공학적으로' 연구하는 조류가 있고, 언론학 등을 중심으로 언론이 제대로 된 정부에 대한 감시와 시민의 의견을 담아내는지를 연구하는 방향성이 있다. 이들 연구의 특징은 '공공성'을 하나의 규범으로 '전제'하여 현실의 실태를 거기에 빗대어 가늠한다는 점이다. 이는 현재 사회과학의 규범적 연구가 취할 수 있는 유력한 하나의 방법이기도 하다. 그러나 과연 이 때 '공공성'이란 무엇인가? 과연 공공성이 그렇게 전제될 수 있는 '정태적인 것'인가? 공공성이 그렇게 전제된다면 오히려 공공성이 이미 사회에 존재한다는 허상을 만들어내는 이데올로기적 경향을 띠게 되지 않을까? 재정 집행이 이미 공공적이라기보다는 재정 집행을 '어떤 공공성에 기초해서, 어떻게 공공적으로 수행할 것인가'를 묻는 것이야말로 공공성 연구가 아닌가? 마찬가지로 언론이 이미 공공성의 담지자인양 보는 것이 아니라 해당 사회의 역사 속에서 언론이 과연 공공성의 담지자로서 기능해왔는지를 계보적으로 따져묻는 것이 중요한 것 아닐까?

이상의 막연한 물음에 답하기 위해서는 '공론장/공공성' 개념을 '동태적으로' 재파악할 필요가 있다. '공론장/공공성'이 서구의 특정 시대의 부르주아에 국한된 것도 아니며, 추상적인 보편 규범의 지표도 아니라고 한다면,

이 개념은 결국 당대 현실과 역사 기억을 조우시키는 속에서 민주주의를 폐쇄화시키는 권력 작용에 대한 역사적인 '열림(Oeffen)'의 형식을 계보적으로 추출하는 '실천적 작업'을 내포하는 것이라 할 수 있다. 그래서 공론장/공공성의 최소 정의는 '폐쇄적 권력에 대한 민주주의적 열림의 계보학'이다. 하버마스의 『공공성의 구조변동』 자체가 이미 "사회학과 역사학의 방법을 동시에" 사용할 수밖에 없었던 까닭이 여기에 있다. 당대 서독 대학 속에서 이 논문이 파격적이었던 이유는 내용은 물론이고 어디에도 소속할 수 없는 논문의 체제에 있었기에 그렇다. 이것이 말해주는 바가 무엇일까? 하버마스가 역사사회학이나 사상사에 매몰되어 역사적 지표나 규범적 이상을 찾는 데 목적을 두었다면 그런 방법론은 불필요했을 터이다. 어디까지나 하버마스는 공시적 사회의 동태분석을 통시적 역사의 시각으로 파악하려 했기에 이런 방법론을 요청했던 것이다. 그런 의미에서 공론장/공공성이란 공시적 상황과 통시적 통찰의 십자로에서 드러날 수 있는 민주주의 이론인 셈이다.

이를 확인하기 위해 『공공성의 구조변동』 제23절 '자유주의적 법치국가로부터 복지국가로의 변형과정에서의 정치적 공공성'을 독해해보자. 이 절의 중심 주장은 다음과 같다.

> 사회복지적 법치국가가 자유주의적 법치국가로부터 구별되는 것은 "어떤 국가체제가 사회적 조직 체제까지를 특정한 기본원리에 의해 확정하려는 법적 구속력을 내세운 슬로건을 갖고 등장함으로써"가 아니다. 오히려 사태는 거꾸로이다. 사회복지국가는 그야말로 자유주의 국가의 법적 전통을 계승하여 사회적 관계의 계획설계로 나아갈 것을 강제 당하고 있기에 그렇다. 왜냐하면 자유주의 국가도 국가 및 사회의 전체적 법질서를 확립하려고 하기 때문이다. 국가가 점차 스스로 사회질서의 담지자가 되면 국가는 자유주의적 기본권의 금지 명령적 규정에 그치지 않고 복지국가적 개입을 통해 '정의'를 어떻게 실현할 것인지를 적극적으로 지시하고 확정할 수밖에 없게 된다.

여기서 하버마스는 사회복지적 법치국가와 자유주의적 법치국가를 구분하는 종래의 논법을 부정한다. 종래의 지배적 관점에 따르면 양자는 전혀 다른 원리와 전제 위에서 성립하는데, 전자는 법률에 의한 사회조직의 규제에서, 후자는 법률의 사회조직에 대한 불간섭에서 비롯되는 것으로 인식되어 왔다. 그러나 하버마스는 여기서 다소 '혁명적'이라 할 만한 해석을 내놓고 있다. 그것은 자유주의적 법치국가의 자기이해가 사회복지적 법치국가로 변증법적 발전을 이룬다는 해석이다. 이는 당대의 학설에 비춰봤을 때 매우 이질적이고 도발적인 것으로, 다음과 같은 하버마스의 해석에 근거를 둔다.

> 자유주의적인 기본 인권의 금지명령적 성격은 … 법적 교섭의 일반적 규칙에 구속되는 민간인에게 원칙적으로 보류되어야 할 여러 영역에 대해 국가의 개입 간섭을 거부하는 것이다. 그런데 당시(프랑스 혁명 당시) 헌법 제정자들이 염두에 두었던 사회적 기능에서 보자면 기본권은 결코 "개입 금지"적으로만 기능하는 것이 아니었다. 왜냐하면 이 정치적 질서의 기본 발상에서 보자면 이 기본권은 사회적인 부와 공론 모두의 생산과정에 대한 기회 균등한 참가를 적극적으로 보증하는 것으로 유효하게 기능해야만 했기 때문이다. 그러나 당시 사람들이 전제했던 사회적 교류의 틀 내에서는 … 이 기회균등의 보장은 국가적으로 집중된 권력에 대한 자유권이나 안전권의 보증에 의해 간접적으로 확보될 수밖에 없었다. 따라서 기본권의 적극적 활용은 금지명령적 효력을 통해 확보되어야만 했던 것이다. 그렇기에 사회학적인 입장에서 보자면 법률가 사이에서 통용되는 유력한 관점과 반대로 자유주의적 법치국가의 체제는 처음부터 국가 자체와 사회에 대한 관계에서의 국가만이 아니라, 사회적 생활 연관 전체를 질서지우는 것이었다. 그렇기에 기본권으로 확정된 공공 질서는 민법 질서도 내포하는 것이었던 셈이다.

다소 난삽한 인용문이지만 하버마스의 요지는 간단하다. 하버마스의 주장은 프랑스 혁명 당시 헌법 제정의 정신에 따르면 자유주의적 기본권은 개인의 생활영역에 국가권력이 개입하는 것을 금지하는 수동적인 것이라기보다는, 시장과 공론장에서의 기회균등을 보장하기 위한 적극성을 내포했다는 것이다. 달리 말해 자유주의적 법치국가가 개인의 자유를 보장한다는 스스로의 이념을 지키기 위해서는 사적 권리의 방어가 아니라 권리의 적극적 주장과 법제화라는 발전경로를 택한다는 주장인 셈이다. 이 주장이 당시 얼마나 도발적이고 참신한 것이었는지를 가늠하기란 쉽지 않다. 하지만 50년대 서독이 반공주의와 자유민주주의를 국시로 삼아 시장경제를 기본법 이념에 충실한 유일한 시스템으로 구축하려 했음을 감안한다면, 자유주의 법치국가가 사회복지국가로 자기발전한다는 하버마스의 주장의 참신함은 아무리 강조해도 지나치지 않는다. 이미 사민당이 계급정당으로서의 성격을 벗어던지고 국민정당화하고 있었으며, 반공 이데올로기로 인해 복지국가적 정책이 공산주의로부터 비롯된 것이라 공격을 당하던 때였다. 이런 상황에서는 기본법에 명시된 사회복지국가적 정책의 전개가 불투명한 것은 말할 필요도 없다. 하버마스는 이런 상황 속에서 사회복지국가의 정당화를 위해 이 체제가 자유주의적 법치국가의 자기 변증법의 결과라는 논리 구조를 역사적 계보화를 통해 증명했던 것이다(물론 그의 이런 전망은 더할 나위 없는 암울한 전망으로 끝을 맺고 있지만).

그의 '공론장/공공성' 논의는 이렇게 당대 현실에 대한 개입이었으며, 그 개입을 역사 기억의 해박하고 광범위한 연구를 통해 학문화했던 셈이다. 따라서 그의 '공론장/공공성'이란 무엇보다도 먼저 당대 현실에 대한 실천적 개입을 위한 개념이다. 그가 사회복지적 법치국가의 정당성 기초를 자유주의적 법치국가에서 찾을 때 변증법적 매개 역할을 한 것이 바로 이 개념이기 때문이다. 사적 개인들의 자유가 열린 장에서의 토의를 통해 관료적 국가권력으로 매개될 때 자유주의적 법치국가는 사회복지적 국가로 자기발전한다는 논리인 것이다. 그리고 이는 위에서 논의해온 나치에 대한 기억의 망각과 깊은 연관을 가지고 있다. 하버마스는 토의하는 공중을

50년대 서독의 상황 속에서 제기함으로써, 나치에 대한 기억을 은폐하고 순수 독일로 회귀하려는 심성구조를 비판하고 있기 때문이다. 그런 의미에서 하버마스의 개입은 두 가지 의미를 가진다. 한 편에서 하버마스는 기본법의 사회복지국가 이념이 아데나워 정권의 자유주의와 대치하는 것이 아니라 그로부터 비롯된 귀결이라는 점을 예리하게 지적함과 동시에, 다른 한편에서 나치에 대한 기억을 은폐하고 넘어가는 고요하고 순결한 서독인의 심성구조를 토의하는 공중상을 통해 비판했던 것이다. 이것이 바로 하버마스의 공론장/공공성 개념이 갖는 당대의 실천적 함의였다. 이제 이 함의가 1990년대에 어떻게 변주되는지를 살펴볼 차례이다.

V.

여기까지 살펴본 공론장/공공성 개념의 보편성과 맥락의존성을 정리해 보자. 한 편에서 공론장/공공성은 이미 존재하는 국가권력의 강권(프랑스 혁명 당시에는 왕권을 계승한 공화국 권력)으로부터 사적 개인의 자유를 보호하는 '정지'의 기능을 담당하는데, 다른 한 편에서는 이 보호의 수동적 기능을 적극적인 법제화의 길로 이끄는 적극적 기능까지를 담당한다. 서구 부르주아 사회에서는 이 두 기능의 상호전환이 자유주의 법치국가에서 사회복지적 법치국가로의 자기전환을 이끌지만(물론 이 과정에서 공론장/공공성의 재봉건화가 나타나며 이를 어떻게 극복할 것인지가 이후 하버마스의 중요한 실천적 과제가 된다), 중요한 지점은 공론장/공공성이란 국가권력의 정지와 공론의 법제화/제도화 사이의 지대라는 사실이다. 즉 공론장/공공성은 사적 개인과 국가권력 사이의 식별불가능한 지대를 지시하는 셈이다. 그런 의미에서 자유주의로부터 복지국가로의 이행은 서구 부르주아 사회의 공공성/공론장 이해(맥락의존성)이며, 국가권력을 멈춤으로써 생겨나는 사적 개인들의 자유로운 공간이야말로 공공성/공론장의 보편성을 뜻하는 셈이다. 그렇다면 과연 이 중간지대란 자유의 보호로부터 자유의 제도화로 연속되어 발전하는 것일까? 공론장/공공성을 왜곡하는 노이즈(재봉건화)만 제거한다면 공론장/공공성은 부르주아 자유주의의 변증법적 발전을 담지할 수 있는 것일까?

하버마스에 의한 1990년의 서문은 이 물음에 대해 모호한 대답을 내놓는다. 우선 그는 다음과 같이 지적하면서 1960년대 초 당대의 맥락이 퇴조하여 실천적 함의가 약화되었음을 인정한다. "사회과학 연구는 스스로의 시야까지를 동시대의 경험의 지평으로부터 획득하는데, 학문에 외재적인 이 맥락도 아데나워 정권이 종언을 향해 갔던 저 시대 이래 변해버렸다." 그러나 다른 한 편에서 "우리 눈앞에서 펼쳐진 중앙 유럽과 동부 유럽의 '뒤늦은 혁명'이 공론장/공공성의 구조변환에 현재성을 부여"하여 "오늘날 중요성을 더한 민주주의 이론"에 기여할 수 있음을 타진한다. 따라서 하버마스의 의중은 변화한 맥락 속에서 공론장/공공성 개념의 현재성을 확보하기 위해서는 모종의 수정이 요청된다는 것이리라.

여기서 변화한 맥락이란 바로 중앙/동부 유럽에서 이뤄진 뒤늦은 혁명이며, 1년 뒤의 소련 붕괴까지를 추가할 수 있을 것이다. 이는 공론장/공공성 개념이 애초에 내포하던 실천적 함의, 즉 서독 기본법의 정당성 확보와 나치의 기억과 마주하기라는 과제를 다른 식으로 전개할 수밖에 없음을 말해준다. 그런 맥락 하에 이 서문에서 하버마스는 지역차나 계급차나 성차에 기반하여 다양한 공론장/공공성 연구가 가능함을 인정한다. 공론장/공공성에 대한 다양한 상상력과 역사적/사회학적 논증이 그 실천적 함의를 새로운 맥락 속에서 계승할 수 있으리라는 전망 하에서 말이다. 또한 하버마스는 TV를 위시한 전자 미디어의 발전과 민주주의 이론 사이의 관계에도 언급한다. 그것이 공론장/공공성 연구에 어떤 본질적인 변경을 초래할지를 물으면서 말이다(참고로 1962년도에 하버마스는 TV를 한 번도 본 적이 없었다). 그러나 이렇게 논의를 진행시킨 하버마스의 결론은 모호하기 짝이 없는 것이다. "만약 오늘날 다시 한 번 공공성의 구조변동 연구에 매진하더라도 그것이 민주주의 이론에 어떤 결과를 가져올지 나는 모르겠다."

스스로의 작업 및 후속 연구들에 대한 차분한 리뷰와 당대 상황에 대한 단상들에 뒤이은 결론이다. 그러나 이는 하버마스의 책임은 아닐 것이다. 1990년이라는 시대를 생각해보면 하버마스의 이런 유보적 태도는 매우 성실한 연구자의 자세라고까지 해야 한다. 한 치 앞도 못 내다보는 상황 속에서 국가권력의 정지와 사적 개인의 자유를 위한 지대가 어떤 역사의 계보학을 탄생시킬지 아무도 모를 것이었기에 그렇다. 그러나 이후 하버마스의 행보는 명확한 것이었다. 하버마스는 냉전 종식 후의 세계정세 속에서 그가 전망했던 칸트의 세계정부(1962년판의 결론 부분)를 향한 길을 구체화시키기 시작했으며, 유럽 통합을 적극 지지함으로써 사회복지적 국가체제의 탈국민국가화(결코 국민국가 폐기 주장이 아니다)를 주장했기 때문이다. 이 때 하버마스는 '유럽적 공론장'을 매개로 삼아 개별 국민국가의 주권을 넘어서는 자유주의의 자기이해에 기반한 변증법적 발전을 시사한다. 1990년에 잠시 주춤했던 그의 공론장/공공성 이론은 이후 여전히 당대의 상황 속에서 실천적 개입을 가능케 하는 개념인 셈이다(냉전 체제의 붕괴와 미국 일극주의에 대한 비판).

그러나 1990년 이후의 세계에서 하버마스의 공론장/공공성 개념은 여전히 자유주의적 자기이해의 변증법적 매개로 기능할 수 있는 것일까? 작금의 상황을 감안한다면 미세한 수정 혹은 판단정지가 있어야 하리라. 왜냐하면 현재 전세계를 강타하고 있는 국가와 시장의 실패는 자유주의적 자기이해가 사회복지 체제로 이행하리라는 공론장/공공성 이론의 타당성을 의심하게끔 만들기 때문이다. 이런 상황 속에서 공론장/공공성 이론의 현재성을 다시금 가늠해보기 위해서는 위에서 말한 이 개념의 보편적 함의를 숙고해야만 한다. 바로 '국가권력에 대한 정지'와 '사적 개인의 자유의 열림'이라는 함의 말이다. 이를 서구의 역사적 계보에 대한 재독해를 통해 제시하는 이론가가 바로 조르조 아감벤이다.

> 소비에트 공산당의 붕괴와 자본주의-민주주의 국가에 의한 전지구적 차원의 노골적 지배는, 우리 시대에 필요한 정치철학의 재탈환을 저해하고 있던 두 가지 주요한 이데올로기적 방해물을 제거해주었다. 스탈린주의와 진보주의-제헌적 국가가 그것이다. 따라서 사유는 처음으로 그 어떠한 환상도 변명도 없이 본연의 임무와 마주하게 된 것이다. … 주권, 권리, 네이션, 인민, 민주주의 그리고 일반의지와 같은 용어들은 지금 예전에 그것들이 지칭해온 것들과 아무런 상관없는 현실을 지칭하고 있다. 그리고 이 용어들을 무비판적으로 계속 사용하는 이들은 사실 자신들이 무엇에 관해 말하고 있는지 알지 못한다. … 역사에서 살아남은 국가, 또 자신의 역사적인 텔로스를 성취한 이후에도 여전히 살아남은 국가 주권이 의미 없지만 유효한 법이 아니라면 과연 무엇이란 말인가? … 오늘날 국가의 종말과 역사의 종말을 동시에 사유하면서 전자를 후자에 맞세울 수 있는 사유만이 우리의 과제에 적합한 것이 될 것이다.

사실 1990년에 하버마스의 결론이 모호한 채 끝난 것도 더 이상 역사의 텔로스가 무엇인지 가늠하기 힘든 상황이 되었기 때문일 것이다. 현실 사회주의의 붕괴로 더 이상 '인류' 차원의 '역사적' 사명이 사라졌음은 명백했기 때문이다. 물론 여전히 피비린내 나는 전쟁과 학살과 빈곤이 존속되고 있지만, 그것은 미래를 향한 역사적 사명이라기보다는 '개선'되어야 할 '낙후'일 따름이기에, 이에 대한 사변은 결코 역사의 목표나 집단의 사명이 될 수 없다. 그래서 난해해 보이는 아감벤의 말은 매우 간단한 의미를 담고 있다. 즉 역사의 목표와 집단의 사명을 담고 있던 근대의 정치적 이념이 텅 빈 기표가 되었지만, 그렇다고 역사의 종말이라는 사변적 상황에 우리 삶이 내던져진 것은 아니라는 말이다. 즉 이념적 지표 없는 싸움과 살육이 1990년 이후 전개되는 세계 정치의 상황이라는 것이 아감벤의 주장인 셈이다.

여기서 호모 사케르나 예외상태나 신학적 알레고리로 점철된 그의 논의를 세세하게 살펴볼 여유는 없다. 다만 그의 정치사상이 하버마스의 공론장/

공공성 개념과 밀접한 연관을 가지며, 이를 사고할 때에 중요한 시사점을 준다는 지적에 그치도록 한다. 그 함의란 아감벤이 『열림(*Aperto/ das Offene*)』에서 전개한 논의이다. 그에 따르면 인간이란 존재가 인간으로 정의되어 온 것은 다양하고 오래된 영역에서 인간과 동물을 구분해온 언설 덕택이며, 인간은 스스로를 동물과 구분함으로써 사물들의 자연을 인간 세계의 열림으로 지각하고 경험해왔던 것이다.

이는 단순한 사변적 철학이 아니다. 그는 인간과 동물이라는 대척점을 놓고 신학에서 현대 생물학에 이르는 계보를 탐색하지만, 그의 실천적 관심은 그가 '생명정치 혹은 통치성'이라 부르는 현대의 기술관료적 인간 통제이기 때문이다. 그가 보기에 인간은 현대에 들어 동물과의 자기구분이라는 영위를 스스로의 동물화에 기반한 자기관리로 이관시켰다. 이는 프랑크푸르트 학파가 말하는 '도구적 이성'에 의한 인간 지배와 마찬가지 사태를 지칭한다. 기술관료적으로 규정된 집단의 사명에 종속된 인간들은 스스로의 열림(세계에 대한)을 구성하고 경험할 가능성을 박탈당한다. 그래서 아감벤에게 인간과 동물의 구분은 단순한 사변적 철학이기보다는 가장 시급한 정치적 과제이다. 그의 다음과 같은 말은 그래서 공론장/공공성 논의의 근원적 지점을 적시해준다.

> 플룻 연주자, 조각가 혹은 모든 전문가들의 훌륭함과 행위, 그리고 일반적으로 일정한 기능과 일정한 행위를 수행하는 이들이 자신에게 고유한 기능(ergon) 안에 머물러 있는 것처럼, 인간의 훌륭함과 행위도 그의 고유한 기능 속에 있다고 볼 수 있다. 그래서 이렇게 말할 수 있지 않을까? 즉 목수나 제화공이 고유한 기능과 행위의 영역을 가지고 있는 반면, 인간으로서의 인간은 아무것도 가지고 있지 않다고, 즉 아무런 기능 없이 무위(argon)의 훌륭함만이 본성적으로 남아 있는 것이라고 말이다.

아감벤은 아리스토텔레스를 인용하면서 인간의 정의를 동물성의 소거나 어떤 실정적 기능에서 찾지 않는다. 인간의 훌륭함이란 바로 '무위'에 있다는 것이다. 그런데 이 무위는 단순히 아무것도 하지 않음이 아니다. 그것은 하버마스가 말한 공론장/공공성 자체이며, 이는 칸트의 이성의 공적사용과 사적사용에 대한 설명에서 확인되는 사실이다. 칸트는 이성의 공적사용이란 사적사용을 멈추고 열린 광장으로 나오는 데에서 시작한다고 말한다. 즉 교회에 봉직하는 목사는 교리에 따라 설교를 한다는 의미에서 이성을 사적으로 사용하는 것이지만, 그가 이 교리를 비판하기 위해 열린 광장으로 나와 자유롭게 의견을 피력할 때 이성을 공적으로, 즉 열린 채로 사용한다는 것이다. 따라서 아감벤의 무위란 칸트가 말하는 이성의 공적사용이며, 이는 하버마스의 공론장/공공성 개념과 정확히 일치하는 것이라 할 수 있다.

아감벤이 말하는 이 인간의 열림은 현재의 공론장/공공성 연구에 큰 함의를 준다. 하버마스가 이미 80년대에 '새로운 불투명성'이라 부른 세계의 불확정성은 여전히 우리 시대를 규정하고 있다. 현대를 수놓았던 수많은 서구 근대의 정치적 이념들은 미국의 파렴치한 일국 지배 속에서 그 규범적 함의를 탈취당했고, 사회복지적 국가체제는 신자유주의적 금융자본에 의해 무참히 파괴되었다. 그럼에도 세계 곳곳에서는 국가권력을 정지시키고자 하는 몸짓과 표현이 강력하게 등장하고 있다. 아감벤의 실천적 함의는 이 몸짓과 표현을 어떤 목적에 복속시켜온 해석과 선동을 비껴가자는 것일 터이다. 즉 수많은 운동들이 어떤 귀결을 낳을 것인지, 낳았는지에 사유와 논의를 집중시키는 것이 아니라, 이 운동들로부터 역사 기억의 계보를 끊임없이 재해석 하자는 주장인 것이다. 달리 말하자면 역사 상 존재해왔던 국가권력을 정지시키는 운동이 무엇을 실현시켰는지에 주목하기보다는, 이 운동들의 잠재성의 계보학을 구축하는 것이 논의의 과제인 셈이다. 그것은 공론장/공공성을 사회복지 체제라는 집단적 사명으로 환원하는 하버마스의 '시민의 공공성'에서, 국가권력의 정지와 사적 개인의 자유의 지대를 창출하는 '인간의 열림'으로 공론장/공공성 논의를 전환시키는 일을 뜻한다. 이런 관점 하에서 역사 속에서 흩어져 있는 '비평'과 '실천'은 새로운 역사적 계보 속에 자리 매김될 수 있을 것이다.

사회로 변신한 신과 행위자의 가면을 쓴 메시아의 전투

김홍중

I. 사회적인 것의 종언

1978년에 보드리야르는 『침묵하는 다수의 그늘에서』를 출간한다. 책이 나오기 일 년 전인 1977년, 유럽은 일련의 충격적 폭력사태를 체험한다. 독일에서는 기업가 한스-마르틴 슐라이어가 적군파에게 납치되어 살해됐고, 며칠 뒤에 적군파 일원들인 안드레아스 바아더, 얀-칼 라스페, 구드룬 엔슬린이 슈탐하임 교도소에서 사망한다. 이탈리아에서는 붉은여단이 운동을 시작하여 봉기들이 잇달았다. 폭동, 폭발, 테러는 체포와 구금으로 이어졌다. 같은 해 런던에서는 펑크 뮤직이 태어났다. 그들은 "미래가 없다"고 노래한다.[1] 보드리야르는 이 모든 정치-문화적 격변들이 더 이상 리얼리티에 뿌리내리고 있는 '사회적' 현상이 아님을 직감한다. 사건은 '스펙터클'의 형식으로 매스미디어를 통해 전파되고 있었다. 시민사회는 침묵했고, 시민들은 거리나 현장이 아닌 거실에서 기호화된 폭력을 소비했다. 보드리야르가 이 책의 부제로 "사회적인 것(le social)의 종언"이라는 표현을 명기하고, 사회학을 포기한 것은 그리하여 우연이 아니다.[2]

＊이 글은 「사회로 변신한 신과 행위자의 가면을 쓴 메시아의 전투 : 아렌트의 '사회적인 것'의 개념을 중심으로」, 『한국사회학』 47-5(2013)을 재수록한 것이다.

1) '비포'(F. Berardi 'Bifo'), 강서진 옮김, 『미래이후』, 난장, 2013, 79쪽.

'사회적인 것'은 근대적 통치성의 대상 영역으로 구축된, 시민사회의 조직과 원리와 가치를 가리킨다. 그것은, 자본주의적 시장의 파괴적 효과로부터 인간 삶의 기초를 이루는 공통 조건들을 보장받기 위해서 19세기 후반부터 20세기 중반까지 유럽인들이 창출했던 사회보험, 연대, 공화주의, 인간적 교제/관계의 모든 형식들을 포괄하는 개념이다. 요컨대 사회적인 것은 복지국가의 가치이자 원리로 기능했던 현실-담론의 복합적 구성물이다.[3] 사회적인 것이 종언을 고했다는 것은, 복지국가와 조직 자본주의가 제공했던 직업안정성, 삶의 서사의 연속성, 각종 리스크에 대한 집합적 안전망이 사라졌다는 사실을 의미한다. 또한 이념적으로 그런 삶이 바람직한 것이라는 생각도 소멸했다는 것을 암시한다.

사실 1970년대 이후 사회적인 것의 위기를 경고하고, 그 종언의 불안을 표명한 사회과학자들은 비단 보드리야르 뿐이 아니다. 투렌은 "사회가 사라졌다"라는 도발적인 언명으로 시작하는 자신의 일기모음집의 제목을 '보이지 않는 사회(société invisible)'라 명명한다.[4] 그는 인간이 이제 '사회적' 존재로 정의되어야 하는 역사적 상황이 종언을 고했다고 보며, 사회학의 대상으로서의 사회라는 것이 더 이상 존재하지 않는 시대, 즉 "사회 없는

---

2) "사회과학은 이 사회적인 것의 명백함과 영원성을 인정하기에 이르렀다. 그러나 우리는 그 어조를 바꾸어야 한다. 사회적인 것이 없는 사회들(societies without the social)이 있었다. 그것은 역사가 없는 사회들이 있었던 것과 마찬가지이다. 다른 극점에서, 우리의 '사회'는 아마도 사회적인 것에 종언을 고하는 과정의 한 가운데 있는지도 모른다. 사회적인 것을 자신의 시뮬라시옹 아래에 파묻는 과정 말이다."(Baudrillard, Jean, *In the Shadow of the Silent Majorities,* 1978, trans. P. Foss, J. Johnston, P. Patton, and A. Berardini, Semiotext(e), 2007, p.80).

3) Foucault, Michel, *Sécurité, territoire, population*, Paris: Seuil. 1977-8 ; Terrier, Jean, *Visions of the Social*, Leiden·Boston, Brill, 2011 ; Donzelot, Jacques, *L'Invention du social*, Paris: Seuil, 1994 ; Gordon, Daniel, *Citizens Without Sovereignty*, Princeton, New Jersey, Princeton University Press, 1994 ; Dean, Mitchell, *Governing Societies*, Open University Press, 2007 ; Deleuze, Gilles, "L'ascension du social", 1979, in Jacques Donzelot. *La police des familles,* Paris: Minuit, 2005 ; Steinmetz, George, *Regulating the Social,* Princeton University Press, 1993.

4) Touraine, Alain, *La société invisible*, Paris: Seuil, 1977.

사회학(sociologie sans sociétés)"의 시대를 선포한다.[5] 로장발롱은, 사회적인 것의 제도적 토대인 복지국가의 위기가 근원적인 의미에서 "사회적 상상력"의 좌초에 기인함을 지적한다. "사회적인 것의 해체(désagrégation)"의 원인이 되는 사회적 상상력의 약화는, 그에 의하면, 진보된 미래를 표상할 수 있는 집합적 능력의 위기이다.[6] 볼탄스키와 치아펠로는 사회적인 것의 위기를 그들이 "갱신된 자본주의(capitalisme régénéré)"라 부르는 새로운 유형의 경제 체제의 도래와 연결시킨다. 1970년대 이후 서구에서 등장하기 시작하는 '갱신된 자본주의'는 금융 부분의 진화, 다국적 기업들의 확장, 노동 유연화 등으로 특징지어지는데, 이는 결과적으로 사회적 영역의 현저한 약화를 가져오고, 빈곤과 불평등을 심화시켜 삶의 안정성을 침해함으로써, 19세기 후반부터 20세기 중반까지 오랜 역사적 과정을 통해 형성된 '사회적인 것'을 위기에 빠뜨리고 있다고 본다.[7] 로저는, 푸코가 1970년대 후반에 시도했던 '사회적인 것의 계보학'을 확장시키면서, 신자유주의적 통치성의 핵심을 "사회의 통치 없이 통치하기(govern without governing societies)"로 파악한다. 환언하면, 1980년대 이후 새롭게 등장한 통치성은 사회적인 것의 실재와 가치를 부정하면서(대처리즘), 가족과 공동체 그리고 개인화된 자기통치를 통해 사회를 통치하는 일련의 테크닉과 이데올로기를 창출하고 있다고 본다. 그는 이런 '통치의 탈사회화(de-socialization)'가 결국 '탈사회적 시대(post-social age)'의 도래로 연결된다고 본다.[8]

이처럼 사회적인 것이 문제가 되는 시대에, 우리는 사회적인 것을 가장 선구적인 방식으로 이론적 핵심 개념으로 설정하고, 이를 비판적으로 탐구했

5) Touraine, Alain, "Une sociologie sans societe", Revue francaise de sociologie. numero special n° 22. juin, 1981, p.177 ; Touraine, Alain, "Can we live together, equal and different?", European Journal of Social Theory(2), 1998.

6) Rosanvallon, Pierre, *La crise de l'etat-providence*, Paris: Seuil, 1981, p.36.

7) Boltanski, Luc & Chiapello, Eve, *Le nouvel esprit du capitalisme*, Paris: Gallimard, 1999, pp.21~28.

8) Rose, Nikolas, "The Death of the Social?: Re-figuring the Territory of Government", *Economy and Society*(25-3), 1996, p.328.

던 정치철학자인 아렌트(1906~1975)의 논의에 주의를 기울이지 않을 수 없다. 아렌트는 '사회'라는 명사 대신, 형용사에 정관사를 붙인 '사회적인 것(the social)'이라는 용어를 사용한 최초의 사상가이다. 아렌트는 사회적인 것이 어떻게 근대적 삶의 공간에서 하나의 객관적 실재로 등장하게 되었는지, 그에 대한 지식체계들이 어떤 방식으로 사회적인 것을 포착하고 있는지, 그리고 이런 현상과 더불어 발생하는 '공적인 것(the public)' 혹은 '정치적인 것(the political)'의 퇴조가 어떤 의미를 갖고 있는지를 포괄적으로 사고하였다. 흥미로운 것은, 이와 같은 아렌트의 입장이 앞서 소개한 사회이론의 일반적 이해들과 날카롭게 대립하고 있다는 사실이다. 사회이론이 자신 사유의 핵심에 두고 있는 '사회적인 것'은 문제의 원천인 동시에 문제 해결 가능성의 지평을 이룬다. 사회적인 것은 수호되거나, 재구성되거나, 확장되어야 한다. 그것이 소위 진보적 사회과학의 입장이다.[9] 그러나 아렌트의 정치철학적 입장에 의하면, 사회적인 것은 문제의 원천에 불과할 뿐 그 해결 가능성과는 무관하며, 문제 해결의 가능성은 오직 '정치적인 것' 혹은 '공적인 것'에서 찾아져야 한다. 이런 경우 사회적인 것은 이론적, 실천적 가능성을 전혀 갖고 있지 않은 문명사적 숙명(어두운 근대성의 한 징후)에 불과한 것으로 간주된다. 과연 아렌트에게 사회적인 것은 무엇을 의미하는가? 사회적인 것에 대한 아렌트의 이 선구적 논의가, 그것의 종언을 목도하고 있는 우리 시대에 갖는 함의는 무엇인가?

이런 문제의식을 바탕으로 이 논문은 다음의 논의들을 중심으로 진행될 것이다. 첫째, 아렌트의 사회적인 것의 의미론을 근대성의 영역, 통치성, 삶의 형식이라는 세 차원에서 각각 분석한다. 둘째, 아렌트가 설정한 사회적인 것과 정치적인 것(공적인 것)의 대립을 '사회적 상상'의 수준에서 분석한다. 이를 통해서 우리는 사회 그 자체를 섭리의 주체로 파악하는 '사회신학'적 상상과 인간의 행위에서 근원적 가능성을 찾는 '행위신학'적 상상의

9) Rose, 1996, p.328.

대립을, 그것을 뒷받침하는 사회풍경과 메타포들을 분석하면서, 심층적으로 드러내고자 한다.

II. 사회적인 것의 의미론

아렌트에게 사회적인 것의 개념은 복합적인 의미를 갖는다. 그것은 우리가 흔히 '사회'라 부르는 것과 정확하게 일치하지 않는다.[10] 사실 다양한 연구자들이 이 개념을 의미론적으로 분류하여 이해를 도모해 온 바 있다.[11] 이들의 논의를 참조하되, 이 연구는 해당 개념을 세 가지 상이한 분석적 차원으로 구분하여 접근하는 방식을 시도한다. 이에 의하면, 아렌트의 사회적인 것은 근대적 사회 공간에 출현한 새로운 '영역'이자, 근대 사회의 새로운 '통치 대상'이자, 근대 대중 사회에 지배적인 '삶의 형식'이라는 세 가지 의미로 구성된 복합체이다.

---

10) 사회 개념에 관해서는 다음을 참조할 것. 프리스비(D. Frisby) & 세이어(D. Sayer), 김철수, 박창호 옮김, 『사회를 어떻게 볼 것인가』, 한국광보, 1992(원출, 1986) ; Elliot, Anthony & Turner, Bryan S., *On Society,* Polity, 2012.

11) 벤하비브에 의하면, 사회적인 것은 i) "자본주의적 상품 교환 경제", ii) "대중사회", iii) "시민사회와 시민적 연합들에서의 삶의 질"을 동시에 가리킨다(Benhabib, Seyla, *The Reluctant Modernism of Hannah Arendt*, Rowman & Littlefield Publishers, 2000, p.23). 캐노반에 의하면, 아렌트의 이 개념은 "확장된 오이키아로서의 사회"라는 의미와 "자신의 매너와 악덕을 갖고 있는 상류사회, 인구의 오직 작은 부분으로 구성된 사교계"라는 의미를 동시에 갖는다(Canovan, Margaret, *The Political Thought of Hannah Arendt*, New York and London: Harcourt Brace and Jovanovich, 1974, p.105, 108). 피트킨은 아렌트의 사회적인 것이 '경제'와 등치된다고 파악하며, 그 안에 "규율적 규범화, 지배 가치에 대한 억압적 순응, 개인성의 말살" 등 부대 현상들이 암시되어 있다고 본다(Pitkin, H. Fenichel, *The Attack of the Blob. Hannah Arendt's Concept of the Social*, Chicago and London: The University of Chicago Press, 1998, pp.16~17).

1. 영역으로서의 사회적인 것

고대 그리스 이래 서구의 정치사상은 인간의 집합적 삶을, 두 상이한 공간에서 각기 다른 논리를 통하여 영위되는 것으로 파악해 왔다. 한편에는 이성/언어(Logos)를 중심으로 펼쳐지는 공적 영역(polis), 즉 자유의 공간이 있다. 다른 한편에는 생물학적 생산/재생산이 이루어지는 사적 영역(oikia), 즉 필연의 공간이 있다. 전자는 국가로 후자는 가정으로 대표되는데, 인간 생명에 대한 개념도 이 두 영역의 차이에 기초하여 구분된 채 형성되었다. 단순한 생물학적 목숨인 조에(zoē)는 사적 영역에 뿌리내린 삶의 형태를 지칭하고, 정치적 삶을 의미하는 비오스(bios)는 공적 영역에서 획득되는 생명의 형태를 가리켰다. 아리스토텔레스가 인간을 '정치적 동물(zōon politikon)'이라 정의한 것에서 볼 수 있듯이, 인긴에게 인산의 자격을 부여하는 것은 조에가 아닌 비오스의 원리였으며, 그런 점에서 인간 본성은 '사회적인 것'이 아닌 '정치적인 것'과 깊은 연관을 맺고 있었다.[12] 이런 관점에서 말하자면, 고대 그리스에는 현실적으로나 개념적으로나 근대적 의미의 '사회'는 존재하지 않았던 것으로 볼 수 있다. 정치와 구분되는 것으로서의 사회가 등장하게 되는 것은 16세기 이후 유럽에 근대성이 실현되는 점진적 과정에서 발생한 개념사적 사건이다. 오랜 기간 인간 활동 공간의 기본적 위상학을 규정하던, 공적 영역과 사적 영역의 이분법은 새로운 제3영역의 발생에 의해 불가피한 재구조화를 겪게 되는데, 아렌트는 바로 이것을 '사회적인 것'이라는 명칭으로 부르고 있다.

사회적인 것은, 가족과 국가 사이에 형성되어 펼쳐지는, 국민경제(Volkswirtschaft)의 영역이다. 국민경제는, 인간 필연성의 충족 기능을 수행

---

12) 희랍어 '정치적 동물(zōon politikon)'을 라틴어 '사회적 동물(animal socialis)'로 오역한 것은 세네카였다. 이 오역으로부터 인간본성과 군집성 사이의 거짓 친화력이 생겨났다. 아렌트에 의하면, 인간본성은 결코 서로 모여 산다는 것에 있지 않다. 그것은 곤충이나 동물들에게도 발견된다. 인간은 그가 정치적 존재라는 점에서 동물과 구별된다고 아렌트는 말한다(한나 아렌트, 이진우, 태정호 옮김, 『인간의 조건』, 한길사, 1996(원출 1958), 74~75쪽).

하던 경제(가족경영)가 공통적 삶의 공간인 네이션으로 확장된 형태를 가리킨다. 그것은, 경제라는 점에서는 사적인 것이지만, 그 규모와 범위에 있어서는 공적인 것이라는 복합성을 갖는다. 즉 사회적인 것은 과거의 사적/공적 영역 구분으로 포착되지 않는, 양자가 혼융되고 뒤섞인 새로운 공간으로 출현한다. 아렌트는 이에 대하여 다음과 같이 상술하고 있다. "사적인 영역도 공적인 영역도 아닌 사회적 영역의 출현은 엄격히 말하자면 비교적 새로운 현상이다. 이 현상의 기원은 근대의 출현과 일치하며 민족국가에서 그 정치적 형식을 발견한다. 지금 우리에게 중요한 것은 우리가 이러한 발전 때문에 공론 영역과 사적 영역, 폴리스의 영역과 가정, 가족의 영역, 끝으로 공동세계에 연관된 활동과 생계유지에 연관된 활동의 단호한 구분을 이해하기가 매우 어렵게 되었다는 것이다. … 이런 발전에 상응하는 과학적 사상은 더 이상 정치학이 아니며 '국민경제', '사회경제' 또는 민족경제이다. 이 모든 표현들은 일종의 '집단적 살림(collective housekeeping)'을 지시한다. 경제적으로 조직되어 하나의 거대한 인간가족의 복제물이 된 가족집합체를 우리는 '사회'라 부르며 사회가 정치적 형태로 조직화된 것을 '네이션'이라 부른다."[13] 사회적인 것은 이처럼, 전통적 의미의 공적 영역과 사적 영역 사이에서 돌출해 나온 "신기하고 다소간 하이브리적인 영역", "사적인 이해에 공적인 의미를 부여하는 특이한 중간영역", 그리고 "단지 살기 위해서 상호 의존한다는 사실이 공적인 의미를 획득하고, 단순한 생존에 관련된 활동이 공적으로 등장하는 곳"으로 정의되고 있다.[14] 이를 좀 더 분석적으로 풀어 정식화하면, 사회적인 것은, 서유럽의 근대화 과정에서 등장하여, 국가에 의해 규제되고, 분업 시스템에 의해 조절되는, 근대 초기의 자본주의적 시장을 가리킨다고 볼 수 있다.

아렌트가 분석하는, 이와 같은 사회공간의 위상학은 사실, 헤겔에 의해

---

13) 한나 아렌트, 위의 책, 1996, 80~81쪽.

14) 아렌트, 홍원표 옮김, 『혁명론』, 한길사, 2004(원출 1963), 214쪽 ; 아렌트, 위의 책, 1996, 87, 99쪽 ; Terrier, 2011, p.xii.

체계적으로 정립된 '시민사회론'과 그 맥을 같이 한다. 주지하듯, 헤겔에게 인륜성(Sittlichkeit)의 두 원천은 가족과 국가이다. 그러나 근대에 접어들면서 양자 사이에 새로운 인륜성의 영역이 발생하는데, 그것이 바로 두 영역의 차이로서 등장하는 시민사회이다.[15] 시민사회는, 권력과 교회로부터 해방된 개인이 자유롭게 자신의 욕구(이해관계)를 추구하지만, 이를 위해서는 역설적으로 타인에게 전적으로 의존해야 하는(분업), 독특한 공간이다. 이런 이중성을 표현하는 헤겔의 개념이 '욕구의 체계(System der Bedürfnisse)'로서의 시민사회이다.[16] 욕구와 체계는 일견 상호 배타적인 의미를 갖는다. 하지만, 헤겔은 양자의 독특한 결합을 근대성의 특징으로 파악하는 통찰력을 보여준다. 근대 시민사회에서 살아가는 인간들의 욕구는 오직 체계 안에서, 상호 의존적인 방식으로, 더 정확히 말하자면 '사회적'인 방식으로만 충족될 수 있다는 것이다. 따라서 헤겔의 이 개념에 암시된 시민사회적 주체의 이미지는, 자유로우며 의존적이고, 독립된 개체로서 노동하지만 타인의 노동을 필요로 하고, 특수한 존재인 동시에 공동성을 갖고 있는 이중체의 형상을 하고 있다.[17] 헤겔은, 애덤 스미스를 연상시키는 논리를 구사하면서 개인의 이기심과 공동체의 욕구충족 사이에 묘한 조화

---

15) 리델(M. Riedel), 황태연 옮김, 『헤겔의 사회철학』, 한울, 1983(원출 1969), 48~49쪽.

16) 헤겔(F. Hegel), 임석진 옮김, 『법철학』, 한길사, 2008(원출 1821), 357쪽. 근대 시민사회를 욕구의 체계로 이해했다는 것은, 헤겔이 애덤 스미스, 퍼거슨, 흄을 비롯한 소위 스코틀랜드 계몽주의자들에 의해 탐구된 근대사회의 구성에 대한 통찰들과 더불어 세이나 리카도 등의 정치경제학의 통찰들을 자신의 철학체계에 성공적으로 수용했다는 사실을 의미한다(헤겔, 같은 책, 367쪽 이하 ; Rosanvallon, *La crise de l'état-providence*, Paris: Seuil, 1981, p.164 ; 나종석, 『차이와 연대』, 길, 2007, 331쪽).

17) 헤겔이 파악한 근대 시민사회의 이 역설은 고전 사회학이 제기했던 가장 중요한 질문들 중의 하나를 이룬다. 우리는 이를 뒤르켐의 『사회분업론』의 서문에서 다시 발견한다. "이 책을 쓰던 초기에 내가 가졌던 질문은, 개인의 인격과 사회적 연대의 관계의 문제였다. 이는 현대 산업사회에서 개인들은 어떻게 더 자율적이 되면서 동시에 사회에 더 의존적이 될 수 있는가의 문제였다. 어떻게 개인이 더 개인적이면서 동시에 서로 더 많은 연대감을 가질 수 있는가?"(뒤르켐(E. Durkheim), 민문홍 옮김, 『사회분업론』, 아카넷, 2012(원출 1893), 69쪽)

의 가능성이 시민사회에 존재한다는 사실을 역설한다. "이상과 같이 노동과 욕구의 충족이 상호의존적으로 관계하는 가운데 주관적인 이기심이 만인의 욕구 충족에 기여하는 것으로 전화한다.—특수한 것이 보편적인 것에 의해 매개된다는 이 변증법적 운동 속에서 각자가 자기를 위하여 취득하고 생산하고 향유하는 행위가 동시에 타인의 향유를 위하여 생산하고 취득하는 것이 된다."[18]

애덤 스미스에게 네이션이 "분업의 외연에 의해 규정되고 욕구의 사회경제적 시스템에 의해 추동되는 자유로운 교환 공간"이었던 것과 마찬가지로, 헤겔에게 시민사회는 "전면적인 상호의존의 체계(ein System allseitiger Abhängigkeit)"로 규정된다.[19] 다만, 시민사회가 보이지 않은 손의 작용에 의해 조화로운 질서를 획득할 것으로 기대했던 애덤 스미스와 달리, 헤겔은 시민사회를 사치와 빈곤의 증대, 노동의 기계화와 소외의 문제, 부와 빈곤의 대립 등 인륜성의 부패 위험을 내포하고 있는 영역으로 파악했다. 이를 보완하기 위해 헤겔은 시민사회가 단순한 '욕구의 체계'일 뿐 아니라, 소유권을 보호하는 '사법(Rechtspflege)'과 시민사회 내부에 존재하는 적대와 빈곤의 문제를 관리하는 '경찰행정(Polizei)'과 '조합(Korporation)'으로 구성되어 있다는 사실을 지적하지 않을 수 없었다. 그럼에도 불구하고, 헤겔의 사회철학에서 시민사회는 궁극적으로는 인륜성의 최고 단계인 국가에 의해 지양되는 것으로 이해되고 있다. 이런 점에서 헤겔은 복지국가의 기초 개념을 오래 전에 선취하고 있었던 것으로 보인다.[20]

이처럼 아렌트의 '사회적인 것'은 다소 낯선 명명에도 불구하고, 18세기 이후 서구 사회철학이 이론적으로 해명해야 하는 가장 중요한 대상으로 설정했던 바로 그 공간을 정확하게 지칭하고 있음을 알 수 있다. 그것은

---

18) 헤겔, 앞의 책, 376쪽(강조는 필자).

19) Rosanvallon, Pierre, *Le capitalisme utopique*, Paris: Seuil, 1979, p.69 ; 헤겔, 위의 책, 357쪽.

20) Avineri, Shlomo, *Hegel's Theory of Modern State*, Cambridge University Press, 1974, p.101 : 나종석, 앞의 책, 2007, 410쪽 재인용.

애덤 스미스가 네이션이라 부른 것이며, 그 네이션의 통합 원리로 기능했던 자본주의적 시장 시스템이기도 하며, 더 나아가 애덤 퍼거슨과 헤겔이 시민사회라 부른 것이기도 하였다. 그것은 또한 인구(population)이기도 하며, 국민-국가에 의해 보호되고, 규제되고, 관리되어야 하는 것으로 상정된 국가 내부의 특정 영역이기도 했다. 사회적인 것은 이렇게 정치적인 것과 경제적인 것의 중첩 속에서 하나의 야누스적 형상을 띤 채 탄생한다.

2. 통치 대상으로서의 사회적인 것

그렇다면 '사회적인 것'은 어떻게 통치되는가? (가족에서와 같이) 가부장의 도덕적 권위에 의해서 통치되는가? 군주, 국가, 정부, 정당, 계급과 같은 정치적 기관들에 의해 통치되는가? 아니면 '말하는 입들'[21]이 민주적으로 토의하고, 논쟁하고, 투쟁하여 획득되는 공론에 의해 통치되는가? 아렌트에 의하면, 사회적인 것은 어떤 특정한 주관, 즉 '누군가'에 의해 통치되지 않는다. 굳이 말하자면, 사회적인 것을 지배하는 주체는 '아무도 아닌 자(nobody)'이며, 사회적인 것의 통치는 "아무도 아닌 자에 의한 지배(rule by nobody)"에 다름 아니다.[22] 아무도 아닌 자는 인간 행위자의 수준을 초월하는 어떤 체계의 존재를 암시하고 있는 표현이다. 개별 행위자들의 의지, 원망, 성취를 넘어선, 익명적 시스템에 의해 사회적인 것 전체가 생산/재생산 될 때, 우리는 그 질서를 유지하는 통치의 인격적 주체를 식별하기 어렵게 된다.

사회적인 것의 통치는 '주체 없는 과정'이다. 인간 행위의 역할은 그 과정에 별다른 의미를 갖지 못한다. 행위의 장소인 공적 영역의 자리 또한 의미 있는 방식으로 존재하지 않는다. 사회적인 것은 스스로가 스스로

---

21) '말하는 입들'이라는 메타포는 김항의 저서 『말하는 입과 먹는 입』(새물결, 2009)에서 빌려온 것이다. 말하는 입은 언어/이성을 가지고 토론하고 논쟁하는 공론장의 행위자들과 행위능력의 메타포이다.

22) 아렌트, 김정한 옮김, 『폭력의 세기』, 이후, 1999(원출 1970), 66~67쪽.

를 통치한다. 외부로부터 질서가 부과되는 것이 아니다. 사회는 자기-조절적 체계를 이루고 있기 때문에, 사실상 사회적인 것의 통치주체는 가시화할 수 없다. 이처럼 이해되는 사회적인 것은 후일 사회과학이 '시스템'이라 부르게 되는 것과 매우 유사한 무언가로 표상된다(뒤르켐, 파슨스, 루만). 그것은 독자적이며(sui generis), 자기지시적(self-referential), 자기생산적(autopoietic), 자기조직적(self-organizing)이다. 가령 근대 자본주의 시장은 국왕에 의해 통치되지 않는다. 특정 상품의 가격은 주권자의 명령에 의해 정해지는 것이 아니기 때문이다. 자연법칙과 흡사한 어떤 수요/공급의 법칙이 거기에 항상적으로 작용한다. 그 유사자연적 법칙 앞에서 인위적 법률이나 권력의 자의적 명령은 무용하고 무기력한 것으로 변모한다. 시장이 스스로를 통치하는 이런 방식을 수식하는 가장 대표적인 메타포가 '보이지 않는 손'이다.

> 사회가 모든 영역을 장악하기 위해서는, 그것이 어떤 종류든 상관없이, '공산주의적 픽션'을 항상 필요로 한다. 이 허구의 현저한 정치적 특징은 사회는 '보이지 않는 손', 즉 익명에 의해 지배된다(rule of nobody)는 것이다. 우리가 전통적으로 국가 또는 정부라 부르는 것은 여기에서 단순한 행정으로 대체된다.[23]

위의 인용문에 언급된 "공산주의적 픽션"이라는 표현은, 전통적 마르크스주의적 관점이 경제적인 것의 논리에 결정성을 부여하면서, 정치적인 것의 기능, 역할, 가능성을 축소시켜왔던 경향을 비판적으로 암시한다. 그러나 경제적인 것을 통치성의 중심 기제로 삼음으로써 정치적인 것을 소거하려는 야망의 기원은 마르크스주의가 아니라 사실 자유주의 고전경제학자들이 품고 있던 시장 유토피아적 발상에 뿌리내리고 있었다는 사실을 아렌트 자신도 이미 알고 있었다.[24] 로장발롱의 표현을 빌려 말하자면,

---

23) 아렌트, 『인간의 조건』, 97쪽.

마르크스는 (고드윈, 프루동, 프리에, 바쿠닌, 생-시몽과 더불어) 애덤 스미스의 비판자인 동시에 사실상의 계승자였다. 또한, 애덤 스미스의 사상을 통해 선명하게 표상된 자유주의적 유토피아는 마르크스주의가 이론적으로 정립했던 사회주의적 유토피아와 심오한 상응관계를 맺고 있었다.[25] 외면적으로 대립되는 이 두 사상은, 심층적인 수준에서는 부인할 수 없는 공통점을 갖고 있는데, 그것은 양자 모두 정치의 적극적 역할을 통해 사회적인 것을 정초하려는 시도를 포기하고, 시장의 자율적 운동 과정에서 형성될 것으로 기대되는 자발적 질서(시장의 조화, 자본주의의 해체)를 통해 사회적인 것을 제어하고자 기도하는 새로운 통치양식을 상상했다는 점이다. 아렌트가 위의 인용문에서 '국가나 정부가 행정에 의해 대체된다'고 주장할 때, 그녀는 근대 사회가 스스로를 통치하는 방식에 매우 획기적인 변화가 일어났음을 지적하고 있는 것이며, 바로 이것이 자신이 말하는 '사회적인 것'의 한 핵심을 구성하고 있다는 사실을 명시하고 있는 것이다. 그것은 시장을 통한 통치, 즉 자유주의적 통치를 의미한다.

1977년부터 1979년까지 콜레주 드 프랑스에서 행한 강연에서 유럽 근대 통치성의 계보학을 재구성하면서 푸코는, 1970년대 중반 이래 자신이 활용했던 권력의 분류법(주권권력, 규율권력, 생명권력)에 기초하여, 그가 자유주의적 통치성이라 부르는 특정 통치기예의 등장을 흥미롭게 추적하고 있다.[26] 이에 의하면, 유럽에서 18세기 후반에 등장한 새로운 권력유형은

---

24) 아렌트, 위의 책, 96~97쪽 ; 아렌트, 『혁명론』, 140~141쪽.

25) Rosanvallon, 1979, p.223, 226 ; Foucault, Michel, *Naissance de la biopolitique*, Paris: Seui, p.95.

26) 푸코는 통치성의 개념을 '사람들의 행동을 통솔하는 방식(la manière de conduire la conduite des hommes)'으로 정의한다(Foucault, 1978~9, p.192). 통치성은 타자들의 행동을 통솔하는 방식 뿐 아니라 자기 지배의 테크놀로지를 내포한다(푸코, 이희원 옮김, 「자기의 테크놀로지」, 『자기의 테크놀로지』, 동문선, 1997(원출 1988), 36쪽). 법적 합리성에 기초한 주권권력과, 현실의 보완물로 기능하는 규범의 합리성을 매체로 작동하는 규율권력과 달리, 생명권력은 현실의 현상적 법칙성을 수용하면서, 그 안에서 가능한 정상성을 찾아나가는 새로운 합리성을 발견해 나간다. 생명권력은 사법장치나 파놉티콘과는 다른 소위 안전장치를 가동시키는데, 바로

자신의 통치 대상을 법이나 규범으로 제한함으로써 다스리는 것이 아니라, 최소한의 통치를 통해 통치대상의 자기조절을 유도하는 방식을 취한다. 말하자면 자유주의적 통치성은 "어떻게 지나치게 통치하지 않을 것인가"의 문제를 중심으로 회전한다.[27] 통치에 있어서 최소한의 통치를 통해 최대한의 효과를 발휘하다는 전략은, 국가가 더 이상 개입할 수 없는 혹은 개입해서는 안 되는 것으로 여겨지는 새로운 영역의 발견과 동시적으로 이루어졌다.[28] 그것이 바로 시장이다. 푸코에 의하면, 시장은 중세로부터 17세기까지는 '정의의 장소(lieu de justice)'로 알려져 있었다. 시장은 복잡한 규제가 부여된 장소였고, 분배적 정의, 적정 가격, 그리고 사기의 방지로 특징지어지는, 모종의 정의가 구현되어야 마땅한 장소로 여겨졌다.[29] 그러나 18세기에 이르면 상황은 달라진다. 시장은 더 이상 정의의 장소가 아니라, 소위 '진리발화의 장소(lieu de véridiction)'로 전환된다. 진리발화의 장소로 이해되는 시장은 도덕적 정의의 구현이라는 사회적 책무에서 해방된다. 시장은 인위의 정의가 시행되어야 하는 당위의 공간이 더 이상 아니다. 그것은 특정 법칙들에 의해 운용되는 자연적 시스템이다. 따라서 정치적, 법적, 규범적 통치성은 시장에 대해 어떤 진리도 발화할 수 없다. 이제 시장의 진리는 시장 스스로 밖에는 말할 수 없다. 적정 가격은 시장이 발화하는 자신의 실재에 대한 진실이다.[30]

18세기 정치경제학자들에 의해 소묘된 이런 시장의 개념은, 인위적 개입 없이도 질서가 형성되고 조화가 이루어지는 이상적 사회상을 제공하였다. 이와 더불어 한 세기 전 유럽의 정치이론이 다각적으로 상상했던 '사회계약'의 원초적 장면들(로크, 루소, 홉스)은 이제 그 현실성을 상실한

이 안전장치가 자유주의적 통치성의 주요한 권력 형식을 이룬다(Foucault, 1977~8. p.7 이하).

27) Foucault, 1978~9. p.15.

28) Foucault, 1977~8. p.112.

29) Foucault, 1978~9, pp.31~32.

30) Foucault, 1978~9, pp.33~34.

다. 사회는 계약으로, 계약을 통해 이루어진 주권의 양도와 정치조직의 설립으로 구성되는 것이 아니다. 사회의 질서는 이제 시민들의 협약을 필요로 하지 않는다. 시민협약의 결과 양도된 권리를 위임받은 통치기구들도 이제 필요하지 않다. 질서는 '보이지 않는 손'의 조정력(아렌트의 표현을 빌려 말하면 '아무도 아닌 자의 지배'), 사회의 자기조직 능력을 통해 자연스럽게 달성된다. 이처럼 사회의 설립과 유지는 행위자들의 행위(특히 정치적 행위)로 환원되지 않는 시스템의 논리에 의해 자동적으로 실현되는 것으로 이해된다.[31] 자유주의적 통치성이 시장사회의 개념을 중심으로 새로운 통치기획을 제시할 때 붕괴하는 것은 이와 같이 '정치적인 것'의 역할과 기능 그리고 존재가치이다. 이런 점에서 마키아벨리에 의해 열린 근대의 '정치적' 상상력은 애덤 스미스에 의해 폐쇄된다. 애덤 스미스야말로 가장 강력한 반 마키아벨리주의자라 불려도 무방한 것이다.[32]

3. 삶의 형식으로서의 사회적인 것

사회적인 것의 세 번째 의미론은 '문화적' 차원과 긴밀히 연관되어 있다. 아렌트는 자신의 첫 저서 『라헬 파른하겐』에서 이미 '사회' 혹은 '사회적인 것'이라는 용어를, 상류사회와 그에 고유한 사회성(sociability)의 내용들을 지칭하기 위해 사용하고 있다.[33] 이 경우 사회적인 것은 "인간 상호작용의 패턴들, 의복, 식사, 레저, 그리고 일반적으로 라이프 스타일에서의 취향의 양태들, 미학, 종교, 그리고 시민적 매너와 외양에서의 차이들, 결혼, 우정, 지인관계들 그리고 상업적 교환을 형성하는 패턴들"을 모두 포함하는 소위 '삶의 형식' 일반을 가리키게 된다.[34]

31) Rosanvallon, 1979, p.47 이하.

32) Rosanvallon, 1979, p.57.

33) 아렌트, 김희정 옮김, 『라헬 파른하겐』, 텍스트, 2013(원출 1973) ; Pitkin, 1998, p.31.

34) Benhabib, Seyla, *The Reluctant Modernism of Hannah Arendt,* Rowman & Littlefield Publishers, 2000, p.28.

이처럼 문화적 의미로 이해되는 사회적인 것의 기원은, 엘리아스의 연구가 잘 보여주는 것처럼, 18세기 프랑스 상류사회가 창조하고 전파한 '매너의 체계'이다. 매너는 인간 행태를 표준화/규범화함으로써 문명화에 기여하지만 이와 동시에 "다양성을 부정하고 하나의 관점을 강요하는 척도"를 부여하는 효과 또한 갖고 있다.[35] 궁정과 살롱에서 통용되던 이 '척도'들은 20세기 대중사회에서는 "대중적 행태에 대한 동화와 적응을 위해 행사되는 순응주의적 압력"으로 변환되어 개인들을 압박한다.[36] 아렌트는 루소가 혐오했던 상류사회의 위선적 분위기와 아도르노와 호르크하이머가 비판한 대중문화의 천박하고 텅 빈 속성을 모두 '사회적인 것'의 개념으로 묶고 이를 부정적으로 응시한다.[37] 이런 '강경한' 태도의 배후에는 아렌트의 지적 원천을 이루는 하이데거(마부르크), 후설(프라이부르크), 그리고 야스퍼스(하이델베르크)의 실존주의 철학의 지적 분위기가 존재한다. 실존주의가 사유의 거점으로 삼는 것은 추상적 인간 존재가 아니라 '나'의 실존이다.[38] 인간 실존은 세인(世人)적 일상에서 그 본성을 드러내는 것이 아니라, 야스퍼스가 이야기하는 "죽음, 죄, 운명, 우연" 등의 한계상황에서, 그런 상황이 야기하는 절대적 고독 속에서 자신의 진면목을 개방한다. 그런 경우 진리는 객관적인 것이 아니라 지극히 주관적이고 내면적인 것으로 인지된다.[39]

이런 관점에서 보면, 두 가지 상이한 삶의 형식들이 서로에 맞서 대립하고 있다. 한편에는 단지 "사라져가는 것"으로서 인지되는 무의미한 일상이 있다. 일상에서 행위자는 자신에게 부과되는 '사회적인 것'의 규범에 충실하

---

35) Arendt, 1979, p.317 : 김선욱, 「한나 아렌트의 정치 개념」, 『철학』 67, 2001, 230~231쪽 재인용.

36) Jalusic, Vlasta, "Between the Social and the Political", *The European Journal of Women's Studies* 9-2, 2002, p.112.

37) 아렌트, 『인간의 조건』, 93쪽 ; 아렌트, 서유경 옮김, 『과거와 미래 사이』, 푸른숲, 2005(원출 1968), 265쪽 이하 ; 한센(P. Hansen), 김인순 옮김, 『한나 아렌트의 정치이론과 정치철학』, 삼우사, 2007(원출 1993), 183쪽.

38) 아렌트, 이진우, 태정호 옮김, 『이해의 에세이』, 한길사, 1996(원출 1946), 285~286쪽.

39) 아렌트, 위의 책, 91, 289, 290쪽.

며, 사회가 요구하는 기능을 수행하며 산다. 그러나 다른 한편에는 이와 대립하는 상황 즉, "진정한(authentic)[40] 자아를 경험하고 인간의 상황 그 자체의 불안정성을 인식하는 몇몇 순간"이 존재한다. 이때 행위자는 타자와의 관계로 환원되지 않는 단독자로 스스로를 정립하며, 바로 그 자리에서 자신의 "진정한 실존"을 체험한다.[41] 사회적인 것은 진정성과 대립한다. 진정한 삶을 살고자 하는 자는 '사회'와 싸워야 하고, '사회'와 충돌해야 하며, '사회'를 넘어서야 한다. 진정성은 '나'를 주어로 사유하게 하는 힘이다. 그러나 '사회적인 것'의 문법은 '나'라는 주어를 알지 못한다.

바로 이런 맥락에서 아렌트의 '정치적 실존주의'는 사회적인 것을 대상으로 하는 제도적 분과학문인 사회학에 대한 일관된 비판의 입장을 수반한다.[42] 아렌트가 보기에 사회학은 단독자가 영위하는 진정성의 세계, 한계상황적 체험들을 탐구할 수 있는 인식론적, 방법론적, 윤리적 도구들을 갖고 있지 못하다. 도미 이후 미국에서 만난 사회학자들이 수행한, 나치즘과 절멸 수용소에 대한 연구들은 물론이거니와, 만하임, 마르크스, 베버 등 고전 사회학 거장들의 연구들 역시, 아렌트에 의하면, 그 대상이 향유하는 개체적 특이성을 배제하거나 억압한다. 사회학은 기능주의적 관점을 지나치게 중시하며, 통계적 정상성과 이념형에 집착하며, 일상적 인간의 삶을 실존의 전형으로 삼음으로써, '전례 없는 것'의 새로움과 대면할 학문적 능력을 구비하고 있지 못하다는 것이다. '분노도 열정도 없이(sine ira et studio)'라는 표현은 아렌트가 사회학의 이런 경향을 지적할 때 사용하는, 사회학의 방법적 원칙이다. 여기에 표현된 객관주의와 유형론 또한 비판의 대상이 된다.[43] 그것은 사회학이 (삶의 형식으로서의) 사회적인 것에 깊이

40) 하이데거의 'Eigentlichkeit'를 이 논문에서는 진정성으로 번역한다. 철학계에서는 진정성보다는 본래성(本來性)으로 번역되어온 관행이 있다.

41) 아렌트, 『이해의 에세이』, 91~93쪽.

42) Jay, Martin, "The Political Existentialism of Hannah Arendt", *Hannah Arendt. Critical Assessments of Leading Political Philosophers. vol.III*, ed. G. Williams. London & New York: Routledge, 1978.

침윤되어 있기 때문이다. 아렌트의 사회 비판은 이 지점에서 자신의 정점에 도달한다. 사회적인 것은 인간 행위자의 행태를 규정하는 '아비투스'의 무의식적 차원, 문화적 차원, 습속의 차원으로까지 하강해 있기 때문이다.

III. 사회라는 신과 행위하는 메시아의 싸움

1. 사회적 상상

아렌트가 사회적인 것의 등장을 서구 근대성의 가장 중요한 사건으로 파악하면서, 이를 정치적인 것(공적인 것)과 선명하게 대립시켰지만, 후일 스스로가 부분적으로 시인하고 있듯이, 양자 사이에 명확한 분리선을 긋는 것이 항상 가능한 것은 아니다.[44] 번스타인에 의하면, 사회적인 것과 공적인 것의 이런 구분을 통해 근대를 분석하는 아렌트의 논의는 "도발적인 동시에 불편한 것"이며, "불안정하고 심오한 긴장을 노정"한다. 그 배후에는 근대에 대한 아렌트의 "경멸적 배음"이 함축되어 있다. 따라서 그는 사회적인 것과 공적인 것(정치적인 것)의 구분이 폐기되어야 한다고 주장한다.[45] 벤하비브의 견해도 이와 유사하다. 이에 의하면, 아렌트가 말하는 사회적인 것과 정치적인 것(공적인 것)은, 그것을 구현하는 제도의 수준이나 그것이 지칭하는 구체적 내용의 수준에서도 쉽게 구별할 수 없다. 다만, 양자의

---

43) 아렌트, 이진우, 태정호 옮김, 『이해의 에세이』, 한길사, 1996(원출 1946), 580쪽, 619쪽 이하 ; Baehr, Peter, "Identifying the Unprecedented. Hannah Arendt, Totalitarianism, and the Critique of Sociology", *American Sociological Review* 67-6, 2002, p.806 ; 강정민, 「아렌트의 사회학과 사회학비판」, 『담론201』 15-4, 2012 ; 프린츠(A. Prinz), 김경연 옮김, 『한나 아렌트』, 여성신문사, 2000(원출 1998), 164~165쪽.

44) Arendt, Hannah, "On Hannah Arendt", in *Hannah Arendt : The Recovery of the Public World*, ed. Melvyn A. Hill. New York. St. Martin's Press, 1979, p.315 이하.

45) Bernstein, Richard J., "Rethinking the social and the political", *Hannah Arendt. Critical Assessments of Leading Political Philosophers. vol.III*, ed. G. Williams, London & New York: Routledge, 1986, pp.238, 241, 248.

차이는 그것이 내포하는 어떤 '태도'의 수준에서 노정된다. 사회적인 것은 '경제적 생존'을 중시하는 태도를 내포한다. 그러나 공적인 것(정치적인 것)은 공통의 과제의 해결과 공적 명예 등을 그보다 더 중시한다.[46] 스피박과 버틀러는, 아렌트가 사회적인 것을 경제와 동일시하고 이를 정치에서 배제함으로써 '경제 정의'나 '노예제 비판' 등, 경제적 영역(사회적인 것) 안에서의 정치적 가능성을 차단시키고 있다는 사실을 지적한다. 이 경우 역시 사회적인 것과 정치적인 것을 근본적으로 구분하는 것이 불가능하다는 사실이 암시되고 있다.[47] 그러나 이런 견해들은 아렌트의 사회적인 것과 정치적인 것(공적인 것)의 구별이 단순한 개념적 수준의 차이가 아니라, '사회적 상상'의 차이에 뿌리내리고 있다는 사실을 간과한다.[48] 사회적 상상(imaginaire social)은 "동시대인들이, 그들이 그 안에서 살면서 유지하는 사회들을 상상하는 방식"이자 사회에 대한 "심층의 규범적 개념과 이미지들"이다.[49] 사회란 리얼리티이기 이전에 개념적 구성물이며, 개념적 구성물이기 이전에 하나의 상상이다. 상상으로 이해되는 사회는 그에 고유한 이미지, 표상, 혹은 풍경(socio-scape)을 갖는다.[50] 아렌트가 사회적인 것과 정치적인 것(공적인 것)을 대립시킬 때, 근원적으로 충돌하고 있는 것은 사회적인 것의 풍경과 정치적인 것의 풍경에 다름 아니다.

풍경의 수준에서 말하자면, 양자의 차이는 결코 피상적인 것이 아니다. 그것은 보이지 않는 손이 지배하는 사회 풍경과 말하는 입들이 토론하는 사회 풍경 사이의, 지울 수 없는 차이이다. 전자는 유기적 조화와 섭리가 지배하는 어떤 세계의 이미지이며, 후자는 다원적 세계를 구성하는 다수

46) Benhabib, 2000, pp.139~141.

47) 버틀러(J. Butler) & 스피박(G. Spivak), 주해연 옮김, 『누가 민족국가를 노래하는가?』, 산책자, 2008(원출 2007), 25~29쪽.

48) Castoriadis, Cornelius, *L'institution imaginaire de la société*, Paris: Gallimard, 1975.

49) 테일러(C. Taylor), 이상길 옮김, 『근대의 사회적 상상』, 이음, 2010(원출 2004), 17, 43쪽.

50) 김홍중, 「문화사회학과 풍경의 문제」, 『사회와이론』 6-1, 2005.

인간들의 행위를 통해 공통의 문제들이 숙의되는 또 다른 세계의 이미지이다. 전자의 신비는 그 섭리의 비가시성에 있다. 후자의 신비는 이 세계의 항상적 변화가능성에 있다. 전자의 경우 신은 '사회적인 것'을 감싸고 들어와 그 안에 새로운 세속적 세계 구성 원리로 변신해 있다. 전자는, 칼 슈미트의 용어를 활용하여 말하자면, '사회신학'을 구현하고 있다.[51] 신은 이제 사회 그 자체가 되거나, 혹은 사회의 질서와 조화를 유지하는 은밀한 원리로 변화한다. 반면에 말하는 입들의 사회 풍경의 경우, 신은 추상적인 통치원리, 영역, 삶의 형식에 머물지 않는다. 신은 보이지 않는 손이 아니다. 신은 구체적 인간의 행위에, 언어에, 공적 활동에 메시아의 형상으로 깃들여 온다. 아렌트는 독일 사회학의 건조한 행위 개념을 신학화하여, 인간 행위의 탄생성, 즉 새로운 세계를 열어 낼 수 있는 잠재력에 주목한다. 요컨대, '사회신학'에 대응하는 아렌트의 이론적 전략은 바로 '행위신학'이었다. 아렌트는 행위신학으로 사회신학을 극복하고자 했던 것이다.

2. 사회로 변신한 신—사회신학의 논리

아렌트가 분석하는 사회풍경의 핵심에는 보이지 않는 손이라는 근본 은유가 존재한다. 앞서 통치성의 한 형식으로 이해되는 사회적인 것의 개념을 분석할 때 드러난 것처럼, 사회적인 것의 통치는 인간 주체에 의한 개입을 넘어선 곳에서 자기생산적으로(보이지 않는 손에 의한 것처럼) 수행된다. 사실 보이지 않는 손의 메타포는, 아렌트 자신이 지적하고 있듯이,

---

51) 칼 슈미트는 정치신학(politische Theologie)의 개념을 통해서 정치철학의 다양한 개념들 속에 신학적 개념들이 잔존하고 있음을 섬세하게 보여준다(슈미트 C. Schmidt, 김항 옮김, 『정치신학』, 그린비, 2010(원출 1934), 54쪽). 그러나 이는 비단 정치철학의 영역에서 뿐 아니라 근대 경제학과 사회철학에서도 발견되는 현상이다. 즉 '경제신학'과 '사회신학'이 그것이다. 밀뱅크는 신학적 사유가 자유주의, 실증주의, 변증법 등의 사회사상에 어떤 영향을 주었는지를 포괄적으로 탐구한 바 있다(Milbank, John, *Theology and Social Theory,* Blackwell, 2006).

플라톤까지 거슬러 올라가는 오랜 역사를 갖는다. 인간사의 무대 위에서 벌어지는 수많은 현상들이 무작위적이거나 우연적으로 발생하는 것이 아니라 소위 "무대 뒤의 보이지 않는 행위자(invisible actor behind the scene)"의 조종에 의해 이루어진다는 플라톤적 관념은 "신, 보이지 않는 손, 자연, 세계정신, 계급이해" 등의 개념들이 암시하는 어떤 사회풍경의 전조를 이룬다.[52] 이 비가시적 행위자는 그에게 선험적으로 부여된 초월적 지성과 능력을 가지고, 현상계의 사건들을 조정하고 조율한다. 유일신교의 관념에서는 '신'이, 범신론적 관념에서는 '자연'이, 그리고 헤겔의 역사철학에서는 '역사적 이성'이나 '세계정신'이, 마르크스주의적 사적 유물론에서는 '계급이해'가, 그리고 자유주의의 사회적 상상에서는 '보이지 않는 손'이 그와 같은 역할을 수행한다.

이들은 특히 다음의 두 질문에 대한 해답을 제공하는 기능을 수행한다. 첫째, '질서'의 문제이다. 즉 '세계 혹은 사회에 어떻게 해서 질서가 가능한가'라는 질문이다. 둘째, '악'의 문제이다. 즉 '세계 혹은 사회에 왜 악이 존재하는가'라는 질문이다. 이 두 질문에 대한 해답이 바로 보이지 않는 행위자(신)의 존재이다. 전능하고 전지한 존재인 보이지 않는 행위자가 선험적으로 가정되면, 그 존재를 알지 못하는 무지의 시선에는 악에 불과한 것으로 나타날 현상계의 카오스는, 사실 세계 혹은 사회의 전체적 선(질서)에 기여하는 질료로 이해될 수 있다. 가령 다음의 두 가지 대표적 설명도식이 그런 논리 위에 구축되어 있다. 첫째는 역사철학적 도식이다. 이 경우 문제가 되는 것은 특정 시점 A에서 체험된 악이 그 후의 특정 시점 B에 이르러 선으로 전환되는 경우이다. 이 모델이 주로 해결하고자 하는 아이러니는 '악으로 체험된 행위가 어떻게 최종적으로는 선에 봉사하는냐'라는 문제이다. 역사 전체의 이성을 이해하지 못하는 '무지'의 눈으로 보면, 역사는 악(재난, 고통, 시련)의 연속이다. 그러나 역사의 이성이 지향하고

52) 아렌트, 『인간의 조건』, 246쪽.

운동하는 그 방향 자체가 선하다는 믿음과 이에 기초한 역사적 사건들의 의미에 대한 해석을 거치면, 특정 시점에서의 악은 결과적으로 역사이성의 선에 복무하는 것으로 인지될 수 있다(성숙을 위한 시련, 발전을 위한 고통, 구원을 위한 타락). 이성의 간지(헤겔)는 그렇게 움직이다. 모순의 심화가 모순의 지양의 전제가 되는 유물론적 원칙(마르크스) 또한 이를 정확히 포착하고 있다.[53] 둘째는 기능주의적 도식이다. 이 경우 문제가 되는 것은 기능적 부분체계의 수준에서 체험된 악이 이를 포함하는 전체체계에서 선으로 전환되는 경우이다. 이 모델이 주로 해결하고자 하는 아이러니는 '부분체계에서의 악이 어떻게 전체체계에서 선이 되는가'라는 문제이다. 뒤르켐에게 '범죄의 정상성'이 바로 이런 논리 위에 구축되어 있다.[54]

세계 혹은 사회의 운동을 상상하는 이런 방식 속에서, 우리는 머튼이 '행위의 의도치 않은 결과'라 불렀으며 부동이 '사악한 결과(effets pervers)'라 부른 근대 사회이론의 한 핵심 테마를 만나게 된다.[55] 잘 알려진 것처럼, 홉스 이래 근대 사회사상은 사회 질서의 근본 원리를 탐구하는 데 상당한

53) 불교적 사유는 이런 역설들로 가득하다. 『원각경』에는 이런 구절이 있다. "일체장애구경각, 득념실념무비해탈(一切障碍究竟覺, 得念失念無比解脫)". 모든 장애가 궁극에서는 깨달음이니, 생각을 얻건 잃건 해탈이 아님이 없다는 의미이다. 이 메시지는 "진흙에서 연꽃이 피어나는" 풍경을 연상시킨다. 진흙은 연꽃이 피기 위해서 반드시 필요한 질료이다. 진흙이 없으면 연꽃도 없다. 악은 최종 깨달음의 경지에 이르면 선으로 전환된다. 선과 악의 경계가 허물어지는 이 한 순간의 극적 조명에 비추어보면, 모든 악은 사실 악이 아니라 은폐된 선이었음이 드러난다. 일본 가마쿠라 불교의 대표 고승인 신란(親鸞)의 『단니쇼(歎異抄)』에 나오는 저 유명한 구절, "선인(善人) 조차도 극락왕생을 한다. 하물며 악인(惡人)이야"는 이런 사고방식의 가장 통렬한 경지를 보여준다고 볼 수 있다(스에기 후미히코(末本文美士), 이시준 옮김, 『일본불교사』, 뿌리와이파리, 2005, 180쪽). 다른 맥락이긴 하지만, 정신분석학이 말하는 '승화(Sublimation)'도 이와 크게 다르지 않은 아이디어 위에서 가능한 개념이다. 육욕의 질료인 리비도의 진흙탕이 없다면, 그것이 형질 변환을 거쳐 연꽃처럼 피어날 철학, 예술, 종교도 있을 수 없는 것이다.

54) 뒤르켐(E. Durkheim), 박창호, 윤병철 옮김, 『사회학적 방법의 규칙들』, 새물결, 2002(원출 1895), 125쪽 이하.

55) Merton, Robert, "The Unanticipated Consequences of Purposive Social Action", *American Sociological Review* 1-6, 1936 ; Boudon, Raymon, *Effets pervers et ordre social*, Paris: PUF, 1993.

정열을 쏟아 왔다. 자신의 맹렬한 이해관계를 추구하는 파편화된 개체들로 구성된 시민사회에 어떻게 질서가 가능한가? 서로가 서로에게 늑대로 등장하여 각축하는 개인들이 모여 어떻게 공통성을 창출하고 공존의 원리를 구현할 것인가? 이런 질문들에 대한 해답으로 제시된 것이 바로 리바이어던과 같은 정치적 구조물 혹은 계약을 통해 구성된 정부이다. 이런 발상은 사회계약론의 전통을 관통해 나간다. 이 경우 사회적인 것은 정치적인 것(주권적인 것)의 개입을 통해 규제된다. 그런데, 잘 알려진 것처럼 18세기 중, 후반 이후 등장하는 자유주의적 전통은 사회 질서의 구성에 있어 이런 정치적인 것(주권적인 것)의 필요성을 과감하게 제거한다. 자유주의적 사유가 해결해야 했던 퍼즐은, 정부의 존재를 가정하지 않고 사회에 내재하는 요소들 속에서 자발적이고 자연스런 질서와 조화의 원리를 찾아내는 일이었다. 포프, 몽테스키외, 맨더빌, 파스칼, 비코, 칸트 등은 이와 같은 사회사상의 퀴즈를 '욕망과 조화의 변증법'이라는 해답을 통해 풀어내고자 하였다. 욕망과 조화의 변증법이란 무엇인가? 그것은, 개체의 자기애(self-love)가 공동체의 구성과 대립되는 것이 아니라는 발상, 공동체가 구성되기 위해서는 차이나 갈등과 같은, 특정한 반(反)공동체적 질료들이 요청된다는 역설적 사고를 가리킨다. 이에 의하면, 자기애와 자기이득을 추구하는, 이기심으로 가득 찬 행위자들의 '악덕'은, 행위의 의도하지 않은 결과로서, 사회전체의 복리로 이어진다. 이런 점에서 "자기애와 사회적인 것은 동일한 것이다"라는 포프의 간명한 주장은 시대정신의 한 차원을 정확하게 집약하고 있다.[56] 프랑스의 대표적 자유주의자 중의 한 사람인 몽테스키외는 『법의 정신』에서, 행위자 개개인들이 추구하는 "특수한 이해관계들(intérêts particuliers)"이 최종적으로 "공동선(bien commun)"으로 귀결되는 아이러니를 발견한다.[57] '개인의 악덕이 사회의 이익'이라는 명제로 유럽 지성계에

56) Pope, Álexandre, *An Essay on Man*, ed. Frank Brady, New York, London: The Library of Liberal Arts, 1965(원출 1733~4), p.55.

57) Montesquieu, *De l'esprit des lois. tome1*, Paris: Flammarion, 1993(원출 1748), p.149.

스캔들을 일으켰던 맨더빌은 『꿀벌의 우화』에서, 악이나 범죄가 사회 전체의 조화에 기여한다는 미묘한 역설을 다음과 같이 풍자적으로 표현하고 있다.

> 이리하여 모든 구석이 다 악으로 가득한데
> 그래도 전체를 보면 낙원이었다. …
> 이것이 이 나라의 축복이니
> 저들의 죄악이 저들을 위대하게 만든 것이었다.[58]

파스칼은 『팡세』의 단상 403에서 "그릇된 욕망에서 이처럼 훌륭한 질서를 추출해 냄으로써 실제의 이성은 인간의 위대함을 입증한다"고 쓴다.[59] 비극적 세계관으로 근대의 도래를 어둡게 응시하던 이 경건한 사상가에게서 마저, 욕망과 질서는 서로 대립하는 것이 아니라 '신비롭게' 결합하는 것으로 이해되고 있다. 비코는 『신과학』에서 사회적 악이 법의 매개를 통해 사회적 행복으로 전환될 수 있음을 보여주고 있다. 그리고 바로 이 전환이 신의 실재를 증명한다고 주장한다.[60] 칸트 역시 「세계시민적 관점에서 본 보편사의 이념」에서 소위 '반사회적 사회성(ungesellige Geselligkeit)'의 개념을 제출한다. 칸트는 사회적 질서의 원인으로, 놀랍게도, 인간들 상호간의 적대를 지목한다. 즉 폭력, 전쟁, 범죄 등의 반사회성을

58) Mandeville, Bernard, *The Fable of the Bees and Other Writings*, abridged and edited by J. Hundert, Hackett Publishing Company, Inc., 1714, p.28.

59) Pascal, Blaise, *Pensées*, Paris: Garnier-Flammarion, 1976, p.158.

60) "132. 법률이란 있는 그대로의 인간을 인간 사회에 유용하도록 고찰하는 것이다. 예를 들면, 모든 인간이 공통으로 가지고 있는 3악 즉 흉포, 탐욕, 야심을 가지고 군대, 산업, 궁정을 만들어 나라의 힘과 부와 지혜를 갖추는 것 따위이다. 이렇게 하면 지상의 인류를 멸망시킬 수도 있는 이들 3악으로 사회적 행복을 창출할 수 있는 것이다. 133. 이 공리는 신의 섭리가 실재함을 증명한다. 각자가 사리에만 몰두해 있다면 야수 못지않은 고립상태에서 살아갈 수밖에 없는 인간의 정념으로부터, 인간적 사회생활을 가능하도록 사회질서를 창출하는 신성한 입법정신이야말로 신의 섭리가 아니고 무엇이겠는가?"(비코(G. Vico), 이원두 옮김, 『새로운 학문』, 동문선, 1997(원출 1725), 82~83쪽).

내용으로 하는 행위들이, 사회적 수준에서 바람직한 것으로 작용하게 된다는 것이다.[61]

18세기의 사회사상에 포착된 사회는 거대한 역설이 발생하는 공간이다. 욕망, 탐욕, 이기심의 덩어리에 다름 아닌 인간은 저돌적 이윤추구자이자 악덕에 사로잡힌, 잠재적 갈등의 촉발자의 풍모를 띠고 있다. 그러나 조화가 부서진 근대 시민사회의 이 정글과 같은 공간이, 보이지 않는 손이라는 섭리의 주체(신)에 의해 은밀하게 조율되고 있다는 사고의 단초들이 형성되고 있었다. 이에 의하면, 사회적인 것은 그 외면적 갈등 상황, 혼돈 상황에도 불구하고 '최종심급에서는' 정상적 균형을 달성한다. 개인과 사회 사이에, 부분과 전체 사이에, 욕망과 질서 사이에 어떤 신묘한 변환장치가 존재한다. 개인 행위 수준의 악이, 그 의도하지 않은 결과가 구성하는 사회 수준의 선으로 변환되는 마술이 이루어지는 것이다. 하여 좋은 사회는 좋은 인간들로 구성될 필요가 없다. 좋은 사회에는 오히려, 보이지 않는 손에 의해 그 의미와 기능이 변화될, 악인들의 악덕이 필요하다. 따라서 좋은 사회를 만들기 위해서 개인들의 도덕적 능력을 제고하는 것, 개인들이 더 훌륭한 덕성을 갖춘 인간이 되는 것이 꼭 필요한 것은 아니다(가령 애덤 스미스의 『도덕감정론』이 동감의 테마로부터 이해관계의 테마로 전환하는 것은 이 때문이다). 네이션, 즉 사회는 시장에서 자기의 이익을 극대화하기 위해 노력하는 사람들의 이기심을 동력으로 부를 축적한다. 우리가 매일 식사를 할 수 있는 것은 빵집 주인의 자비심 때문이 아니라, 그가 추구하는 이해관계, 즉 이기심 때문이다.[62] 네이션을 가득 채운 이 이기심들의 총화(總和)를 이뤄내는 것은 보이지 않는 손이다.

따라서 각 개인이 최선을 다해 자기 자본을 본국 노동의 유지에 사용하고,

---

61) 칸트(I. Kant), 이한구 편역, 「세계 시민적 관점에서 본 보편사의 이념」, 『칸트의 역사철학』, 서광사, 1992(원출 1784), p.29.

62) 스미스(A. Smith), 김수행 옮김, 『국부론』, 비봉, 2007(1776), 17쪽.

노동생산물이 최대의 가치를 갖도록 노동을 이끈다면, 각 개인은 필연적으로 사회의 연간 수입이 가능한 한 최대의 가치를 갖도록 노력하는 것이 된다. 사실 그는, 일반적으로 말해서, 공공의 이익을 증진시키려고 의도하지도 않고, 공공의 이익을 그가 얼마나 촉진하는지도 모른다. 외국 노동보다 본국 노동의 유지를 선호하는 것은 오로지 자기 자신의 안전을 위해서였고, 노동생산물이 최대의 가치를 갖도록 그 노동을 이끈 것은 오로지 자기 자신의 이익을 위해서였다. 이 경우 그는 다른 많은 경우에서처럼, 보이지 않는 손에 이끌려서 그가 전혀 의도하지 않았던 목적을 달성하게 된다. 그가 의도하지 않았던 것이라고 해서 반드시 사회에 좋지 않은 것은 아니다. 그가 자기 자신의 이익을 추구함으로써 흔히, 그 자신이 진실로 사회의 이익을 증진시키려고 의도하는 경우보다, 더욱 효과적으로 그것을 증진시킨다. 나는 공공이익을 위해 사업한다고 떠드는 사람들이 좋은 일을 많이 하는 것을 본 적이 없다.[63]

보이지 않는 손은 사회적인 것을 경제적인 것으로 치환, 번역, 대체하는 것을 가능하게 한다. 사회적인 것은 더 이상 정치적인 것이나 법의 논리가 작용하여 산출되는 상태가 아니다. 폴라니와 정확하게 반대의 의미에서, 애덤 스미스의 사회(네이션)는 언제나 '시장'에 배태되어 있다. 사회적인 것을 조절하는 시장의 법칙은 개인들의 의도, 지식, 희망을 벗어나서 존재하는 '유사 자연적' 법칙이 된다. 시장은 인위가 개입하기 어려운 신적 섭리 공간으로 탈바꿈한다.[64] 경제 법칙 속에서 이윤은 경쟁을 통해 균형에 도달되며 자동적으로 조절된다. 임금은 인구의 함수이며, 지대는 사회의 확장에 비례하여 지주에게 돌아간다. 자연의 물리적 법칙이 그러하듯, 사회적인 것을 주재하는 경제적인 것은 개인의 행위/의식이 전혀 개입할 수 없는 초월 공간을 구성한다. 개인 수준의 악(이기심)을 사회의 선(국부)으

---

63) 스미스, 위의 책, 499~500쪽 ; Cf. 스미스(A. Smith), 박세일, 민강국 옮김, 『도덕감정론』, 비봉, 1996(원출 1759), 331쪽.

64) Latour, Bruno & Lépinay, V. Antonin, *L'économie. Science des intérêts passionnés*, Paris: La Découverte, 2008, pp.112~117.

로 전환시켜주는 변환자가 바로 시장이다.[65] 애덤 스미스는 이처럼 사회적 상상의 중심에 시장을 배치하고, 그 안에 보이지 않는 손이라는 강력한 메타포를 장착시킴으로써, 기왕의 자유주의적 사유 속에 맹아적이고 파편적인 형태로 잔존해 온 사회변신론(辯神論, sociodicée)[66]의 흐름들을 종합한다. 애덤 스미스 이후, 호모 에코노미쿠스들이 구성하는 사회적인 것은 "인간들의 공유된 실존에 고유한 자연성", 즉 자연 법칙으로 기능하는 수많은 법칙들이 작용하는 공간으로 이해되기 시작한다.[67] 이 모델은 사실 고전파 경제학의 영역을 훨씬 뛰어넘는다. 수많은 비판에 노출되었음에도 불구하고, 보이지 않은 손이라는 메타포의 힘은 강력하다. 그것은 시장을 넘어서 정치와 시민사회를 조직하는 원리로 파악되기도 하며,[68] 생명현상, 공간현상, 도시현상 등에서도 논의되고 있다.[69]

더욱 흥미로운 것은 보이지 않는 손이라는 비유의 힘이 단지 경제적 자유주의자들의 사회적 상상에만 국한된 것이 아니라는 사실이다. 시장이 야기하는 문제들을 '사회보험'을 통해 통제하려는 집합적 시도의 결과로 등장한 서구의 복지국가, 사회국가, 혹은 보호국가 또한 보이지 않는 손의 원리와 결코 무관하지 않다. 복지국가의 기초에는 19세기 후반 서유럽에 등장하는 사회보험의 논리가 존재한다. 사회보험은, 사회에서 발생하는 수많은 사고들을 리스크로 파악함으로써, 자신과 타자에게 일어날지도 모르는 불운, 비극, 사고, 우연에 대한 대비책을 집합적으로 확보하는

65) 하일브로너(R. Heilbroner), 장상환 옮김, 『세속의 철학자들』, 이마고, 2008, 164쪽 ; 테일러, 앞의 책, 2004, 111쪽 이하.

66) 사회(socio)와 변신론(辯神論, théodicée)의 결합어이다. 원래 변신론은 신의 정당함을 주장하는 이론으로서, 신이 전지전능하다면 왜 이 세상에 '악'과 '고통'이 있는지에 대한 해명에 집중한다. 사회적 변신론은 사회(지배, 질서, 헤게모니)의 존재의 정당함과 불가피성을 주장하는 이론/담론을 가리킨다.

67) Foucault, 1977~8, p.357.

68) Karlson, Nils, *The State of State. Invisible Hands in Politics and Civil Society*, New Brunswick & London: Transaction Publishers, 2002.

69) 크루그먼(P. Krugman), 박정태 옮김, 『자기조직의 경제』, 부키, 2002(원출 1996).

테크놀로지이다. 개인 행위자들은 자신에게 닥칠 가능성이 있는 미래의 불행에 대한 보장을 위해서, 급여의 일부를 보험금으로 공납하고 필요한 순간 이를 수혜할 권리를 획득한다. 사회보험은 사회 구성원들 전체를 공동운명체로 만든다. 시민사회가 '욕구의 체계'였다면, 사회보험이 재구성하는 사회는 일종의 '리스크 체계'를 이룬다.[70] 리스크를 개인들의 신중함(prudence)을 통해 통치하는 자유주의적 경향을 근본적으로 수정하면서 등장한 이 연대의 원리는, 인간에게 닥치는 악을 '사회로 변신한 신'이 예방하고 보상해주는 집단적 섭리시스템을 창출하게 된다. 프랑스에서 복지국가를 섭리-국가(état-providence)라 부르는 것은 바로 이 때문이다. 이런 맥락에서 보면, 사회는 신과 동일한 임무와 권능을 갖는다. 사회의 이름으로 규합된 시민들의 실존적 불행을 '신=사회'가 책임지기 때문이다.[71] 보이지 않는 손의 비유는 이처럼 시장의 전유물인 것만은 아니다. 복지국가도 '보이지 않는 손'이다.

> 이 관점에서 보면, 보험의 메커니즘은 보이지 않는 손의 메커니즘과 모순되지 않는다. 결국에는 보험의 테크놀로지는 하나의 보충으로서, 보이지 않는 손의 한 변이에 불과하다. 두 경우 모두, 개인적 이해관계의 추구라는 유일한 토대 위에 전체적 질서가 생산된다. 보험은, 보이지 않는 손처럼, '확실한 호의'와 같은 효과를 갖는다. 리스크 앞에서 보험을 들고자 할 때, 사람들은 그 자신의 이해관계만을 생각한다. 그러나 그 결과로 개별적 사건에 대한 집합 회계가 도출된다.[72]

복지국가도 시장처럼 개인들 사이의 거대한 인터페이스로 존재한다.

---

70) Ewald, François, *Histoire de l'état providence*, Paris: Grasset, 1986 ; Ewald, "Two Infinities of Risk", *The Politics of Everyday Fear*, ed. B. Massumi. Minneapolis, London: University of Minnesota Press, 1993, p.227.

71) Ewald, "Insurance and Risk", Burchell, G., Gordon, C., and Miller, P. (eds.) *The Foucault Effect*, Hemel Hempstead, Harvester Wheatsheaf, 1991, p.208.

72) Rosanvallon, 1981, p.26.

복지국가는 행위자들에게 하나의 "주어진 소여이자, 자율적 시스템이자, 그들과 무관한 독립적인 것"으로서 나타난다.[73] 근대는 두 개의 보이지 않는 손을 발명했다. '섭리시장(marché-providence)'과 '섭리국가(état-providence)'가 그것이다.[74] 아렌트가 '사회적인 것'의 대표 제도로 파악한 시장과 복지국가는 모두 '사회로 변신한 신'에 다름 아니었다. 신은 죽지 않았다.[75] 아렌트가 공적인 것의 범주를 통해서 비판하고자 했던 것은 바로 이런 사회신학의 진면목이다. 마술처럼 스스로를 통치하는 비가시적 초월성의 사회적 육화를 이루는 근대 시장과 복지국가에 대한 비판의 근거는 바로 거기에 있다.

3. 행위자의 가면을 쓴 메시아－행위신학의 논리

사회적인 것은, 이기심에 추동된 개인들의 이윤추구행위를 전체적으로 조화롭게 조절하는 보이지 않는 손이 지배하는 사회 풍경을 이루고 있다. 거기 신은 숨어 있다. 신은 보이지 않는다. 그러나 이 은폐된 신은 쉼 없이 활동하는데, 그것이 바로 악을 선으로, 갈등을 통합으로, 혼돈을 질서로 변화시킨다. 아렌트의 비판은 사회로 변신한 이 신의 존재를 겨냥하

73) Rosanvallon, 1981, p.41.

74) Rosanvallon, 1981, p.21.

75) 후일 신과 사회를 이론적으로 동일시하기에 이르는 뒤르켐의 사회학은 사회적인 것의 상상계의 중요한 요소들이 '신학적' 기원을 갖는다는 사실을 가장 여실히 보여준다는 점에서, 근대적 사회신학의 정점을 이룬다. 뒤르켐에게, 개인의식을 초월하여 창발하는 집합 의식, 집합 열광, 연대, 도덕 등의 '사회적인 것'은 그 자체로 섭리에 의해 조절되는 사회학의 보이지 않는 신이다. 사회적인 것은 신적인 것이며, 그리하여 운명적 힘을 발휘한다. 뒤르켐 사회학의 출발에 자살의 분석이 존재한다는 것은 그리하여 우연이 아니다. 뒤르켐은 사회적인 것을, 인간 의지를 넘어서는 외재성과 강제성을 부여받은, 초월적이고 객관적인 역능으로 이해했다. 그것은 통계적 정상성의 논리이며, 인류학적 구조의 논리이다. 개인의 힘으로 거역할 수 없는 거대한 힘이 작용하는 차원을 가리키는 이 사회적인 것은 살게 하고, 죽게 하고, 자살하게 하고, 자살하지 않게 한다. 사회적인 것은 중력처럼 행위자들의 안과 밖을 넘나들면서 작용한다.

고 있다. 하지만, 자본주의 시장의 파행과 위기로 점철된 19세기, 그리고 홀로코스트와 세계 대전을 체험한 20세기에도 과연 선한 신이 존재하는가? 자기 파괴와 문명 멸절의 위협감을 불러일으키는 이 '어두운 시대'에도 역사와 사회를 주재하는 최종 의미와 신의 뜻이 존재하는가? 사회신학은 지배적 규범과 척도를 물신화하여 이를 통해 인간 행위로 구성된 사회 세계를 도리어 오인하게 하는 이데올로기적 효과를 갖고 있는 것이 아닌가? 아렌트의 정치철학은 18세기 자유주의자들이 발명한 시장 유토피아적 사회신학의 폐허를 바라보며, 사회적인 것의 현실과 담론에 내재되어 있는 이 믿음의 구조를 비판하고자 한다.

이런 관점에서, 아렌트에게 중요한 질문은 '개인의 악이 어떻게 사회의 선으로 변환되는가?'가 아니었다. 나치즘과 전체주의의 발흥을 고통스럽게 체험하면서, 아렌트는 정확하게 그 반대의 상황에 집중하면서 다음과 같은 질문을 제출한다. 즉, 어떻게 선한(적어도 평범한) 개인이 특정 사회적 상황, 조직, 환경 속에서 악의 구현자로 변환되는가? 이 질문에는 인종대학살과 같은 근본악의 현상을 통해 적나라하게 드러난, 악의 평범성(banality)에 대한 문제제기가 내포되어 있다. 나치 전범 아이히만의 재판에 대한 유명한 리포트에서 아렌트는 사회신학의 역설(개인의 악덕이 사회의 행복)을 통렬하게 전도시킨다. 아이히만의 극악했던 악행은 그 자신의 이기심이나 악마성에서 비롯된 것이 아니다. 그는 평범하고 소박한 인간이었다. 그는 내적 갈등 없이 주어진 명령을 실행했고, 자신에게 부여된 사회적 기능을 성공적으로 수행했다. 다만 나치 이데올로기, 나치 조직, 나치의 명령체계, 즉 나치가 강제하는 사회적인 것 앞에서, 그는 저항하지 못했을 뿐이다. 아이히만은 자신에게 부과된 명령들의 도덕적 의미를 깊이 성찰하지 못한 무사유성(thoughtlessness)에 노출되어 있었다. 이런 관점에서 보면, 악의 뿌리는 개인의 마음에 존재하는 것이 아니라, 사회의 시스템에 내재하고 있다. 악인은 악하지 않다. 그는 평범하다. 악은 악인의 악덕에서 나오는 것이 아니라 그의 무사유성에서 나온다. 정식화하자면, 악은 "사회화에 저항할 도덕적 책임"의 부재 혹은 사회적인 것이 부과하는 공인된 규범과의 윤리적 대결의 부재에서 발생한다.[76]

애덤 스미스에게 보이지 않는 손은, 메피스토펠레스의 대사를 빌려 말하자면, '항상 악을 원하면서도 항상 선을 창조해 내는 힘'[77]으로 움직였다. 그러나 아이히만의 경우, 보이지 않는 손은 '항상 선을 욕망하면서도 결국 악을 창조하는 힘'으로 움직였다. 사실 20세기 사회사상에는 '보이지 않는 손'의 이런 전도된 형태들이 다수 존재하는 것이 사실이다. 막스 베버의 합리화 테제, 아도르노와 호르크하이머의 계몽의 변증법, 울리히 벡의 위험 사회론 등이 그것이다. 이들은 공히 역사철학적 지평에서, 어떻게 특정 시대의 성공(선)이 다음 세대에게 고통, 위기, 리스크 등 악의 형식으로, 더구나 '의도하지 않은 결과로서', 되돌아오는가에 주목한다. 아렌트 또한 모더니티를 어둡게 각인시키는 마성적 논리의 작동에 대한 인식을 공유하고 있었다. 그러나 아렌트는 이와 같은 역사적 힘을 사회, 역사, 세계를 움직이는 '섭리'로 상상하는 것을 거부한다. 즉, '사회적인 것'에 고유한 상상계에 내포된 자기조직적 세계의 이미지를 부정한다. 대신 아렌트가 주목하는 것은 '내적 대화'로서의 사유의 공간, 사유로부터 솟아나오는 의지의 공간, 그리고 이를 통해 새로운 현실을 만들어내는 행위의 공간이다[78]. 만일 아이히만이 학살의 명령에 내포된 도덕적 의미를 깊이 사유하고, 무고한 살해를 중지할 것을 의지했다면, 그리고 그것을 어떤 방식으로든 행위로 옮겼다면, 그는 절대악의 실행자가 되지 않았을 수도 있었을 것이다. 인간이 집합적 '행위'를 통해서 자신들의 운명을 책임지고 세계를 재구성하

---

76) 바우만(Z. Bauman), 정일준 옮김, 『현대성과 홀로코스트』, 새물결, 2013(원출 1989), 298쪽 ; 아렌트, 김선욱 옮김, 『예루살렘의 아이히만』, 한길, 2006(원출 1965).

77) 파우스트 : … 그건 그렇고, 자넨 대체 누군가?
메피스토펠레스 : 항상 악을 원하면서도 항상 선을 창조해내는 힘의 일부이지요 (괴테(J. W. Goethe), 정서웅 옮김, 『파우스트1』, 민음사, 1999, 80쪽).

78) 아렌트에게 사유는 내적 대화로서, 그 자체로 공적 공간을 이룬다(준이치, 사이토, 윤대석, 류수연, 윤미란 옮김, 『민주적 공공성, 하버마스와 아렌트를 넘어서』, 이음, 2009(원출 2000), 47쪽).

는 '공적' 공간의 창출이 바로 아렌트가 말하는 '정치'에 다름 아니라면, 아이히만의 '악'의 본질은 공적인 것(정치적인 것)의 부재와 교란으로 규정될 수 있다.[79]

아렌트는 이런 방식으로 사회신학과는 근본적으로 상이한, 사회에 대한 특정 상상계를 가동시키고 있다. 이에 의하면, 악을 선으로 전환시키는 변환자는 인간 행위를 초월한 시스템적 자기조절 속에 존재하는 것이 아니다. 사실, 그런 변환자를 상정하는 것은 오직, 역사, 사회, 세계가 제작되는 것(made)이라는 특수한 관념이 존재해야 비로소 가능한 것이다. 제작되는 것이기 때문에 제작자가 있어야 하는 것이고, 그것이 보이지 않는 행위자로 나타나는 것이다. 그러나 아렌트에 의하면, 다수의 인간들이 참여하여 형성해 가는 역사는 이처럼 누군가에 의해 '만들어지는' 것이 아니다. 실제 인간 세계에는 '보이지 않는' 제작자의 자리가 존재하지 않는다.[80] 비가시성 속에 웅크리고 있는, 사회신학이 가정하는 신의 고유한 자리 즉 현상계 너머의 초월적 영역을 아렌트는 이론적으로 단호하게 봉쇄한다. 대신, 아렌트에게 사회는, 그리스의 폴리스를 원형으로 하는 공적 공간의 이미지, 즉 '말하는 입들의 사회'로 나타난다. 이 상상에 의하면, 인간 세계는 그들이 스스로 참여하여, 담화하고, 숙의하여, 만들어 나가는 공통의 열린 공간이다. 사회적인 것의 은폐성과 대립하는 이 공적인 것의 개방성은 "누구나 볼 수 있고, 들을 수 있으며, 그러므로 가능한 가장 폭넓은 공개성"을 함축한다.[81] 공적 공간에서는 모든 것이 드러나고 나타난다. 숨거나 은폐되어서는 안 된다. 공적 공간은, 한 인간이 다른 인간 앞에 나타나는 현상 공간(space of appearance)이다. 공적 공간에 나타남으로써, 행위자는 자신을 '공통존재'로 정립한다.[82] 공적 공간에 나타나지

---

79) Parekh, Bikhu, "Hannah Arendt's Critique of Marx", in Hannah Arendt, *The Recovery of the Public World,* ed. Melvyn A. Hill, New York: St. Martin's Press, 1979, p.76.

80) 아렌트, 『인간의 조건』, 247쪽.

81) 아렌트, 위의 책, 102~103쪽.

82) Parekh, 1981, p.84 ; Tassin, Etienne, "La question de l'apparence", *Politique et pensé,*

못하는 자는 존재하지 않는 것과 같다. 왜냐하면 존재는 현상과 동일한 것이기 때문이다.[83] 공적인 것의 핵심에는 이처럼 가시성(visibility)의 요청이 선명히 인각되어 있다.[84] 그리고 이것은 보이지 않는 손의 비가시성과 날카롭게 대립한다.

이처럼 인간이 자유로운 존재가 되는 것은, 특정 목적이나 내면에 숨겨진 동기를 넘어서 공적 공간의 중요한 가치들(원칙들)을 자기목적적으로 추구하는 행위를 통해서이다.[85] 아렌트는 막스 베버 이래 현대 사회사상에서 가장 중요한 개념 중의 하나로서 확립된 '행위(Handeln)' 개념을 심도 있게 확장시키고 있다.[86] 아렌트에게 행위는 목적 합리성의 문법을 훨씬 벗어난 신학적 맥락을 부여받는다. 아렌트는 행위에서 '기적'을 본다.[87]

Paris: PUF, 1989, p.68.

83) 아렌트, 홍원표 옮김, 『정신의 삶 1』, 푸른숲, 2004(원출 1971), 38쪽 ; Fuss, Peter, "Hannah Arendt's Conception of Political Community", *Hannah Arendt. The Recovery of the Public World*, ed. Melvyn A. Hill, New York: St. Martin's Press, 1979, p.164.

84) Hansen, 1993, p.126 ; Lefort, Claude, "Hannah Arendt et la question du politique", *Essai sur le politique*, Paris: Seuil, 1986, p.72. 이런 점에서 공적 공간에서 이루어지는 정치적 행위는 무대 위에서 관객을 위해 기예(virtù)를 뽐내는 공연 예술과 흡사한 점이 많다. 댄서, 연극배우, 음악가들처럼, 행위자는 자신의 탁월함과 기교를 보여주기 위해 타인의 현존을 요구하며, 또한 공적으로 조직된 공간을 필요로 한다. 무언가를 창조하여 그 산물을 작품으로 남기는 창조예술(creative arts of making)과 달리 공연예술은 그 자신의 가시적 수행 이외의 어떤 결과물도 남기지 않는다. 공연이 끝나면 텅빈 무대만 남는다. 행위는 행위의 수행 그 자체일 뿐, 행위자가 자신의 마음에 품고 있는 동기나 목적으로 환원되지 않는다(아렌트, 『인간의 조건』, 269쪽). 동기나 목적과 다른, 행위의 이 외적 추동력을 아렌트는 원칙이라 부른다(아렌트, 『과거와 미래 사이』, 208쪽).

85) 아렌트, 『과거와 미래 사이』, 209쪽.

86) 막스 베버는 행위를 다음과 같이 정의한다. "행위란, 단수의 행위자나 복수의 행위자들이 자신의 행태(Verhalten)에 주관적인 의미를 결부시킬 경우의 그리고 그러한 한에서의 인간의 행태 … 를 뜻한다고 하겠다"(베버(M. Weber), 박성환 옮김, 『경제와사회1』, 문학과지성, 1997, 118~119쪽). 사회과학에서 논의된 다양한 행위개념에 관해서는 다음을 볼 것(Rubinstein, David, "The Concept of Action in the Social Sciences", *Theory of Social Behavious* 7-2, 1977 ; 요아스(H. Joas), 신진욱 옮김, 『행위의 창조성』, 한울, 2002(원출 1996)).

87) 아렌트, 『인간의 조건』, 312쪽.

왜냐하면 행위란 언제나 전혀 예상하지 못한 일을 발생시키기 때문이다. 행위는, 일어날 가망이 별로 없어 보이는 것들이 구성하는 세계, 자연의 세계, 즉 "무한한 비개연성(infinite improbability)"에 지배되는 세계의 내부에 아무도 예상하지 못한 새로움을 창발시킨다.[88] 행위하는 인간이 있기 때문에 역사가 가능한 것이다. 예측할 수 없고, 예견할 수 없는 무언가를 개시하는 힘은 행위로부터 나온다. 그것이 기적이다.[89] 행위가 존재하지 않는다면 세계의 오늘은 세계의 어제와 거의 같을 것이다. 그러나 인간은 이 동일성을 파괴하면서 새로움을 세계에 도입한다.[90] 인간은 무언가를 시작하는 힘을 갖고 있다. 인간은 자연 법칙의 숙명적 권능을 뚫고 새로운 것을 세계에 던지는 행위능력을 갖고 있다. 아이히만에게 결여 되어 있던 것이 바로 이 행위능력이다. 아렌트의 행위 개념은 아우구스티누스의 신학을 만나 '사회신학'을 해체하는 '행위신학'으로 전환된다. 아우구스티누스에 의하면, 인간이 세계에 등장하는 것, 그가 존재하기 시작했다는 것은, 우주가 창조되는 것과 비견할만한 중대한 사건이다.[91] 인간으로 태어난다는 것, 세계 속에 하나의 새로움으로, 가능성으로 등장한다는 것, 이 탄생의 사실은 모든 행위에 내포된 새로운 시작의 가능성의 원천이 된다.[92] 태어난다는 생물학적 사실이 인간 세계의 공적 변화를 예견하게 하는 모든 가능성의 기초로 인지되는 이 이론적 도약을 통해서 아렌트는 자신의 스승이었던 하이데거의 '죽음을 향한 존재'로 규정되는 인간관과

---

88) 아렌트, 『과거와 미래 사이』, 231쪽.

89) 아렌트, 『과거와 미래 사이』, 232쪽.

90) 아렌트, 『폭력의 세기』, 59쪽.

91) 아우구스티누스는 세계와 시간의 시작 그리고 인간의 시작을 구분한다. 그는 전자를 프린키피움(principium)으로, 후자를 이니티움(initium)으로 명명한다(Arendt, *Love and St. Augustine*, Chicago University Press, 1998, p.55). 『신국』의 12권에서 아우구스티누스는 이렇게 쓴다. "시작이 있었고, 첫 번째 인간이 태어났고, 그 이전에는 아무도 없었다(Initium ut esset, creatus est homo, ante quem nemo fuit)"(아렌트, 『과거와 미래 사이』, 228쪽).

92) 아렌트, 『과거와 미래 사이』, 228쪽.

결별한다. 인간은 무엇보다도 '도래하는 존재'이며, 태어남으로써 시작할 수 있는 존재이다. 이 시작의 의미는 천지창조에 뒤처지지 않는 지대한 의미를 지닌다.[93] 여기에서 바로 아렌트의 탄생성 개념은 메시아주의로 전화된다.[94]

> 인간사의 영역인 세계를 그것의 정상적이고 '자연적' 황폐화로부터 구원하는 기적은 궁극적으로는 다름 아닌 탄생성이다. 존재론적으로 이 탄생성에 인간의 행위능력이 뿌리박고 있다. 달리 말하면 기적으로 새로운 인간의 탄생과 새로운 시작, 즉 인간이 탄생함으로써 할 수 있는 행위이다. 이 능력의 완전한 경험만이 인간사에 희망과 믿음을 부여할 수 있다. 그러나 고대 그리스는 인간 실존에 본질적인 두 특징인 믿음과 희망을 완전히 무시하고 '믿음'을 가지는 것을 매우 공동적이지 못한 덕으로 평가절하 했으며 '희망'을 판도라 상자에 있는 악 중의 하나로 간주했다. 이 세계에서 믿음을 가질 수 있고 이 세계를 위한 희망을 가져도 된다는 사실에 대한 가장 웅장하면서도 간결한 표현은, 복음서가 그들의 '기쁜 소식'을 천명한 몇 마디 말에서 발견할 수 있다. "한 아이가 우리에게 태어났도다."[95]

아렌트의 메시아는 아직 아무 것도 수행하지 않은 자, 미래밖에는 갖고 있는 것이 없는 '아이'이다. 메시아의 도래는 감격적이지만 자못 소박한데,

---

93) 아렌트가 '탄생'에 부여하는 의미는 세 가지이다. 첫째는 생물학적 탄생. 둘째는 행위를 통한 정치적 탄생. 셋째는 사유의 무시간성으로 이동하는 이론적 탄생이다(Bowen-Moore, Patricia, *Hannah Arendt's Philosophy of Natality,* Houndsmill, The MacMillan Press, 1989, p.1 : 홍원표, 『한나 아렌트와 세계사랑』, 인간사랑, 2009, 55쪽 재인용). 작할 수 있는 행위능력의 기초로서의 탄생성은 교육의 본질이기도 하고, 혁명의 원리이기도 하다(아렌트, 『과거와 미래 사이』, 237쪽 ; 아렌트, 『혁명론』, 18~19쪽 ; 홍원표, 『한나 아렌트와 세계사랑』, 68쪽).

94) Gottlieb, Susannah Young-ah, "Arendt's Messianism", *Hannah Arendt. Critical Assessments of Leading Political Philosophers. vol.III,* ed. G. Williams. London & New York: Routledge, 2003.

95) 아렌트, 『인간의 조건』, 312쪽.

그것은 메시아가 왔다는 것이 현실적 정치질서의 변화를 자동적으로 의미하지 않는다는 점에서 그러하다. 다윗 왕국의 재건이나 유토피아, 혹은 좀 더 근대적인 언어로 말하자면 어떤 정치 혁명도 직접적으로 암시되어 있지 않다. 그냥 한 아이가 태어나고 있을 뿐이며, 그가 메시아라는 막연하고 확고한 믿음이 있을 뿐이다. 물론 복음서에 적힌 저 아이는 예수이다. 그러나 태어나는 저 존재는 '예수'이기 때문에 메시아가 아니라, '태어났기' 때문에 메시아인 것이다. 이것이 아렌트 행위신학의 중대한 요체이다. 아렌트의 메시아는 특정 초인이나 계급이나 젠더나 사회적 집합체가 아니다. 반대로 태어나는 '나'는 모두가 메시아이다. 왜냐하면, '나'는 자연적 흐름, 법칙의 규제, 사회적인 것, 즉 보이지 않는 힘이 허용하지 않은 '무한한 비개연성'을 뚫고 어떤 새로움을 이 세계에 가져올 수 있는 행위능력을 갖고 있기 때문이다. 이런 점에서 아렌트의 행위이론에 전제되어 있는 메시아주의는 벤야민의 그것과 깊은 친근성을 갖는다. 벤야민은 역사철학에 대한 자신의 단상에서 이렇게 쓴다.

> … 행복의 관념 속에는 불가피하게 구원의 관념이 내포되어 있다. 역사가 대상으로 삼는 과거라는 관념도 사정이 이와 마찬가지다. 과거는 그것을 구원으로 지시하는 어떤 은밀한 지침(指針)을 지니고 있다. … 만약 그렇다면 과거 세대의 사람들과 우리 사이에는 은밀한 약속이 있는 셈이다. 그렇다면 우리는 이 지상에서 기다려졌던 사람들이다. 그렇다면 우리에게는 우리 이전에 존재했던 모든 세대와 희미한 메시아적 힘(eine schwache messianische Kraft)이 함께 주어져 있는 것이고, 과거는 이 힘을 요구하고 있는 것이다.[96]

일견 소박하지만 사실 매우 급진적인 신학적 전도를 함축하고 있는 위의 인용문에 표상된 메시아 역시 구원의 사실적 상태를 구현하는 초인적

96) 벤야민(W. Benjamin), 최성만 옮김, 「역사의 개념에 대하여」, 『역사의 개념에 대하여/폭력비판을 위하여/초현실주의 외』, 길, 2008(원출 1940), 331~332쪽.

신성의 화신이 결코 아니다. 메시아는 우리 자신이다. 우리가 바로 과거의 모든 세대들이 갈망하고 희망했던 것을 실현시킬, 더 나은 세계를 만들고 행복하게 살고자 하는 꿈을 실현시킬 과제를 어깨에 짊어지고 이 세계에 '태어난' 존재이기 때문이다. 그렇기 때문에 이 메시아적 힘에는 '희미한'이라는 형용사가 부가되어 있다. 그것은 발현될 수도 있고, 발현되지 못할 수도 있다. 구원은 보장되어 있지 않다. 구원의 주체도 초월적 신성이 아니라, 행위능력밖에는 갖고 있지 못한 우리 자신일 뿐이다. 환언하면, 벤야민과 아렌트가 공유하고 있는 저 유태교적 메시아주의는, 인간 행위자를 제외한 어떤 존재도 이 세계를 변화시킬 주체가 되지 못한다는 점을 강조하고 있다. 바로 이 맥락에서 우리는 아렌트의 행위신학이 자유주의적 사회신학의 극단적 대척점에 위치하고 있다는 사실을 쉽게 알 수 있다. 보이지 않는 손은 '나'의 자리가 없는 사회의 상상이다. 그것은 사회 그 자체의 끊임없는 전개와 연속의 섭리에 집중한다. 그러나 말하는 입들은 '내'가 메시아로 태어난 세계, 세계가 '나'를 메시아로 인지하고, '나'에게서 어떤 공적 행위를 기대하는 바로 그런 사회, '내'가 말하고, 행위하고, 참여해야 하는, '나'의 행위에 이 사회의 명운이 걸려 있을 수도 있는 그런 사회의 상상이다. 양자의 첨예한 대립은 표면상으로는 개념의 대립인 듯이 보이지만, 궁극적 수준으로 내려가면 두 상이한 신들의 싸움이기도 하다. 보이지 않는 신(운명)과 내 안에 깃들여 있는 미약하지만 생생한 신(행위) 사이의 싸움이다. 그것은 사회로 변신한 신과 행위자의 가면을 쓴 메시아 사이의 전쟁이다.

IV. 남아 있는 질문들

서론에서 언급한 것처럼, 사회의 소멸 그리고 사회적인 것의 쇠퇴는 21세기 사회 이론의 가장 중요한 '문제'이자 '도전'이다. 울리히 벡의 위험사회론과 개인화 테제, 바우만의 액체근대성 테제, 그리고 기든스의 탈전통사회 테제 등 소위 후기 근대적 전환을 말하는 사회학자들 역시 초기 근대에 견고하게 형성되었던 사회적인 것의 소실을 다각적으로 지적하고 있다.[97] 뷰러웨이의 공공사회학 역시 "시장에 의해 파괴되고, 미디어에 식민화되고, 관료제에 의해 방해"받는 사회적인 것의 위축에 대한 강력한 문제제기에 추동되고 있다.[98] 세넷도 새로운 자본주의가 가져온 삶의 안정성과 서사적 가능성의 축소 속에서 사회적인 것의 종언을 암울하게 인준한다.[99] 20세기 후반 이후의 사회 이론은 사회적인 것의 상실을 인지적으로 진단하고, 정서적으로 애도하면서, 그것을 새롭게 재구성해야 하는 중대한 과제를 스스로에게 부여하고 있다. 소멸하거나 약화된 것으로 파악되는 사회성을 어떻게 구제하여, 21세기의 새로운 환경 속에서 가능한 또 다른 사회적인 것의 원리, 가치, 제도, 윤리, 장치들을 발견 또는 발명할 수 있는가? 이 질문이 현재 사회 이론에 제기되고 있는 가장 중요한 문제 중의 하나라고 볼 수 있으며, 이에 대한 창의적 대안들이 다양한 방식으로 제기되고 있는 상황이다.[100] 이런 맥락에서 아렌트의 사회신학에 대한 비판과 그 대안으로서의 행위신학은 어떤 현실적 함의를 갖고 있는가?

첫째, 아렌트의 사회적인 것에 대한 비판이 신자유주의적 맥락에서 갖는 적실성에 대한 의문이 제기될 수 있다. 아렌트가 사회적인 것을 비판하면서 공적인 것의 재활성화를 그 대안으로 제시하던 시기는 1960년

97) 기든스(A. Giddens), 임현진, 정일준 옮김, 「탈전통사회에서 산다는 것」, 『성찰적 근대화』, 한울, 1994 ; 벡(U. Beck), 홍성태 옮김, 『위험사회』, 새물결, 1997 ; 바우만(Z. Bauman), 이일수 옮김, 『액체근대』, 강, 2005.

98) Burawoy, Michael, "For Public Sociology", in *Public Sociology* ed. col. Berkeley, L.A. London: University of California Press, 2007(원출 2005), pp.27~29.

99) 세넷(R. Sennett), 유병선 옮김, 『뉴캐피털리즘』, 위스덤하우스, 2009(원출 2006), 100쪽.

100) Latour, Bruno, *Changer de société, refaire de la sociologie*, Paris: La Découverte, 2007 ; 세넷, 김병화 옮김, 『투게더』, 현암사, 2013(원출 2012) ; 어리(J. Urry), 윤여일 옮김, 『사회를 넘어선 사회학』, 휴머니스트, 2013(원출 2000) ; Candea, Matei, *The Social After Gabriel Tarde*, Routledge, 2010.

대에서 1970년대, 즉 신좌파와 청년 운동의 물결이 그야말로 모든 '사회적인 것'의 허위와 위선과 억압과 인위를 혁파하고자 했던, 정치의 시대였다. 이 시기 아렌트가 사회적인 것으로 지칭하던 모든 것들은 해체되고 파괴되고 재구성되어야 했다. 복지국가, 관료제, 시장, 대중문화, 상식, 인종주의 등이 그것이다. 그러나 아이러니하게도 68세대에 의해 시도된 이 사회적인 것의 살해는 '신자유주의'를 통해 현실화되었고, 1980년대 이후 전개되는 세계는 실제로 더 이상 사회가 존재하지 않는 유동성의 시대, '사회적' 안전망들이 녹아 용해되어 사라진 불안의 시대, 사회적인 것의 대안이 묘연한 시대에 다름 아니다. 이 시대의 고통은 사회적인 것이 발휘하는 억압에서 오는 것이 아니라, 사회적인 것 자체의 부재에서 온다. 가령, 세넷의 고민이 그것이다. 그 자신 아렌트에게서 배웠지만, 세넷은 '새로운 자본주의'가 녹여 소멸시킨 사회적인 것이 과연, 1970년대의 저항 문화 속에서 흔히 그렇게 생각되었듯이 '악마적'인 것이었나를 반문한다. 그에 의하면 복지국가나 관료제는 그 안에 포섭된 행위자들이 장기적 관점에서 자신들의 삶의 서사를 구성할 수 있게 하는 존재론적 안전감(기든스)을 제공했다. "관료제의 쇠창살은 감옥이기도 하지만 동시에 심리적인 안식처가 될 수도 있는 것"이라고 세넷이 쓸 때, 그는 20세기의 '사회적인 것'의 제도적 장치들, 특히 사회적 자본주의(social capitalism)의 힘을 재평가하고 있는 것이다.[101] 만일 아렌트가 신자유주의가 드리운 이 시대의 어둠을 목격했다면, 사회적인 것에 대한 아렌트의 판단은 과연 『인간의 조건』에 나타난 대로 유지될 수 있었을 것인가?

둘째는 행위신학의 대안적 가능성에 관한 것이다. 아렌트가 사회적인 것과 근본적으로 대립하는 범주로서 공적인 것/정치적인 것을 전면에 내세울 때, 우리가 앞서 분석한 것처럼, 거기에는 행위 개념을 메시아주의적 관점에서 확장시키는 과감한 이론적 도약이 내포되어 있었다. 메시아주의

101) 세넷, 『뉴캐피털리즘』, 44쪽.

와 결합한 아렌트의 행위 이론은 전적으로 미래에 대한 희망이라는 정서적 토대 위에 정초된 것이었다. 그리고 이 희망을 담지하는 행위자의 이념형이 바로 '아이'이다. 아이는 과거 세대의 모든 꿈을 육화한 존재이며, 더 나아가 미래에 더 낳은 세계를 만들어갈 것으로 기대되는 존재이기 때문이다. 이런 점에서 아렌트의 행위신학도, 비록 사회신학처럼 노골적으로 변신론적 관점을 취하는 것은 아니지만, 인간 역사의 행로에 대한 일정한 '낙관론'의 함정에 빠져있다. 아렌트의 행위신학에서 미래는 열려 있는 가능성에 대한 희망으로 충만해 있다. 탄생성이라는 '성스런' 개념의 힘으로 아렌트는 집합적 시간의 미지 속에 마지막 진보의 가능성을 배치한다. 그러나 20세기 후반 '미래'의 개념은 '진보'나 '꿈'이나 '발전'과 같은 개념들과 더불어 그 적실성을 상실하기에 이른다.[102] 미래는 더 나은 세상과 연결되는 것이 아니라, 종말론이나 묵시론적 상상력과 더 긴밀하게 연결된다. 탄생성은 다시 한 번 전도된다. 미래가 더 나은 세상이 아닐지 모르기 때문에, 태어나는 아이는 메시아가 될 가능성이 있는 동시에 종말을 목격하고 증언해야 하는 '최후의 인간'이 될 가능성도 있다.[103] 이런 점에서 아렌트의 행위신학에도 사회신학과 동일한 문제점이 존재한다. 예컨대 보이지 않는 손은 원래 악을 선으로 변환하는 작용을 하지만, 그것이 선을 악으로 변환하는 작용을 하지 않으리라는 보장이 어디에도 없다. 인간 진보의 역사가 언제나 새로 씌어질 수 있다면, 인간의 악의 역사도 언제나 새로 씌어질 수 있는 것 또한 사실이다. 대안의 부재, 지구 환경의 위기, 핵의 문제, 진보 개념의 파산 등의 현상들로 상징되는 '미래 개념의 파산'과 대면하여 과연 아렌트의 행위신학은 존속할 수 있을 것인가?

---

102) '비포', 2013.

103) 김홍중, 「미래의 미래」, 『문학동네』 71, 2012.

2부

운동

예술 동호회의 정치
사적이면서 동시에 공적인 주체화의 무대

심 보 선

I. 들어가며

하나의 장면으로부터 논의를 시작해보자. 나는 최근 한 연극을 볼 기회가 있었다. 연극 축제의 개막작이었던 그 연극은 평택 안정리에서 기지촌 여성으로 살아온 할머니들의 삶을 다룬 영화로 할머니들 자신이 배우로 직접 출연한 작품이었다. 할머니들은 연극을 통해 국가와 가족에 의해 몸 파는 기계로 이용당하고 버려진 자신들의 삶을 증언했다. 연극이 끝난 후 연출자는 관객들에게 한 가지 제안을 했다. 연극을 본 후 '나라면 그 장면에서 그렇게 안하고 이렇게 했을 텐데'라는 생각이 있으면, 무대 위에 올라와서 직접 그 장면을 고쳐보면 어떻겠냐는 것이었다. 소위 관객 참여를 통해 연극을 재연해보자는 것이었다. 몇몇 관객들이 자청을 해서 무대 위에 올라왔다. 어떤 이는 주인공 숙자가 아들을 미국에 입양시키려 떠나보내는 장면에서 아들 역할을 맡았다. 연극에서는 미국으로 떠난 아들이 재연 장면에서는 떠나지 않았다. 엄마의 요구를 거부하고 엄마와 끝내 같이 살겠다고 했다. 어떤 이는 서러운 타향살이를 접고 고향으로 돌아가겠다는 기지촌 여성의 하소연을 가족들이 매몰차게 거부하는 극중 장면을 재연했다. 관객은 자신을 돈만 버는 사람으로 취급하면서 마을 사람들에게는 양공주로 소문난 것을 부끄러워하는 가족들에게 당당하게 맞서 가족 내에 자신의 자리와 권리를 요구했다.

그런데 이 실험 과정에서 하나의 흥미로운 에피소드가 벌어졌다. 배우들과 동년배로 보이는 객석의 한 할머니가 손을 들고 참여 의사를 밝혔다. 그녀는 기지촌 여성들이 외부의 시선에 주눅 들고 집안에 틀어박혀 고스톱이나 치고 TV만 시청하는 장면이 맘에 들지 않는다고 말했다. 그 관객 할머니는 당신은 지역의 문화센터에서 운영하는 연극 수업을 듣는다며 자신은 노년을 당당하고 행복하게 보낸다고 했다. 그리고 할머니는 무대 위에 올라와 기지촌 여성 할머니들에게 외쳤다. "그렇게 주눅 들어 있지 말고 당당히 살아! 춤도 추고 노래도 하고 연극도 하라고! 요새 문화센터에 나가면 배울 게 얼마나 많은데!" 그러자 한 기지촌 할머니가 화를 꾹 참으며 관객 할머니에게 다가가 말했다. "직접 겪어보지 않으시면 모릅니다. 밖으로 나간다는 것이 어떤 것인지." 잠깐이었지만 두 할머니 사이에 묘한, 그러나 뚜렷한 긴장이 일어났다. 그때 연출자는 그 상황을 서둘러 정리했다.

나는 무대 위에서 일어난 이 에피소드를 다음과 같이 해석한다: 두 연극의 충돌, 두 여가의 충돌, 두 예술 동호회의 충돌, 두 삶의 충돌, 두 노년의 충돌, 요컨대 문화센터에서 연극 활동을 통해 행복한 말년을 보내는 할머니와, 배제되고 내버려진 삶을 살다가 연극 활동을 통해 자신의 목소리를 내게 된 할머니의 충돌. 앞으로 살펴볼 예술 동호회의 정치는 바로 이러한 충돌을 본질적인 모순으로 내포한다. 한편으로 예술 동호회 활동은 여유롭고 행복한 창작과 향유일 수 있다. 다른 한편으로 예술 동호회 활동은 배제된 이들이 자신의 목소리와 권리를 요구하고 모색하는 싸움일 수 있다. 한편으로 예술 동호회의 시간은 하루로 보자면 일과를 마친 후의 삶의 에너지를 충전하는 시간일 수 있다. 그리고 일생으로 보자면 쉼 없이 달려온 삶을 보상하는 노년의 시간일 수 있다. 그러나 다른 한편으로 예술 동호회의 시간은 하루로 보자면 무의미하고 소외된 노동에 대하여 자율적 활동을 확보하는 시간일 수 있다. 그리고 일생으로 보자면 예술 동호회의 시간은 착취당하고 배제되어온 삶을 되찾는 마지막 투쟁의 시간일 수 있다.

예술 동호회의 정치는 이 두 상반된 시간을 오고 가며, 그 두 시간 사이에서 고유한 장소와 관계를 마름질하는 정치라고 할 수 있다. 이 글은 예술 동호회의 정치라는 다소 낯선 개념을 탐구하고자 한다. 이때의 정치는 자크 랑시에르가 미학의 정치를 정의하면서 제기했던 '침입'의 개념과 일맥상통한다.[1] 여기서 침입이란 노동력 재생산을 위한 휴식 시간에 틈입하고 그것을 훼방 놓는 해방적 시간, 장소, 관계, 감각활동을 뜻한다. 그러나 침입의 개념은 역설적으로 침입하고자 하는 적의 강고함, 치밀함, 노련함에 의해 재규정된다. 침입 개념은 언제나 실패의 가능성을 내포한다. 따라서 예술 동호회의 정치를 침입의 개념을 따라 탐구하는 이론적 시도는 그것이 경험적으로 확고부동한 실체가 아니라는 점, 소멸과 생성, 성공과 실패의 모순적 과정에서 드러나는 운동이라는 점을 밝히게 될 것이다.

II. 사적인, 너무나 사적인 취미 활동

공공성이라는 견지에서 우리는 종종 예술 동호회를 종종 회의적인 시선에서 바라보게 된다. 특히 예술 동호회 활동을 여가 시간의 취미 활동으로 정의할 때 그러하다. 요컨대 예술 동호회 활동은 생계를 위한 활동을 제외한 시간에서 예술을 중심으로 이루어지는 모임과 그 모임의 활동이라고 정의할 수 있을 것이다. 예술 동호회 활동은 노동이라는 기준에서

---

1) 랑시에르는 "낮에는 빵을 위해 혹독하게 일해야 하고 밤에는 사유와 시의 황금에 전념하면서 두 삶을 살아야 하는 것"을, 즉 노동력의 재생산에 투자해야 하는 밤의 시간을 시쓰기의 시간으로 침입하는 것을 문학적 정치라고 주장한다. 자크 랑시에르, 유재홍 옮김, 『미학의 정치』, 인간사랑, 2009, 162쪽.

보자면 하나의 잉여 활동이라고 볼 수 있을 것이다. 여기서 하나의 질문이 제기된다. 그러한 예술 동호회라는 잉여 활동은 노동이라는 준거 활동과 어떤 관계를 맺는가? 긍정적인가? 부정적인가? 예술 동호회는 노동에서 벗어나는 것인가? 노동을 버티게 하는 것인가? 이에 대해 한나 아렌트는 하나의 답을 제시한다. 한나 아렌트는 노동사회의 지배로 인해 공공성이 돌이킬 수 없이 파괴되었다는 증거를 '작은 행복'에 대한 증가하는 수요에서 찾았다.

> 한때 위대하고 영광스럽던 공론 영역이 쇠퇴한 이래로 프랑스인들은 '작은 것'에 행복해지는 기술을 획득하였다. 그들 자신의 네 벽의 공간 안, 즉 보석상자와 침대, 탁자와 의자, 개와 고양이 그리고 꽃병 사이에서 행복을 느끼며, 나아가 이것들을 보살피고 애정을 갖는다. … 이러한 사적인 것의 확대, 다시 말해 온 국민이 일상 위에 퍼뜨린 마력은 이제 사적인 것(기쁨)이 공적인 것으로 되어 공론 영역을 구성하게 된 것을 의미하는 것은 아니다. 오히려 그 반대이다. 공론 영역은 국민의 삶에서 거의 완전히 사라졌으며, 곳곳에서 위대성이 아니라 무아경과 마력이 위세를 떨치게 된다.[2)]

노동사회의 지배력은 모든 시간을 노동으로 가득 채움으로써 행사되지 않는다. 노동하지 않는 시간이 노동하는 고통으로부터의 탈출로서만 의미를 지닐 때에도 그것의 지배력은 행사된다. 아렌트는 '취미'와 '대중문화'가 제공하는 행복감이 사실은 노동사회의 이면일 뿐이라고 주장한다. 노동사회에서 사람들은 '노동하는 동물'로 전락하며 이들은 '노동과 소비', '소모와 재생', '고통과 고통으로부터의 해방' 사이에 아슬아슬한 균형을 맞추기 위해 노력하며 집요하게 행복을 요구하려 한다. 하지만 아렌트는 '행복에 대한 요구'가 보편적으로 존재한다는 사실이야말로 실은 '우리 사회의

---

2) 한나 아렌트, 이진우·태정호 옮김, 『인간의 조건』, 한길사, 1996, 205쪽.

광범위한 불행'의 확실한 증거라고 주장한다. 이 같은 노동사회의 지배력은 공공성에게는 가히 치명적이라고 할 수 있다. 공공성이란 한나 아렌트에게 '공통의 문제'에 대해 논하는 '말'과 그것에 개입하는 '행동'으로, 그것들을 통해 타인에게 자신을 드러내는 인간들의 관계로 구성된다. 그러나 노동의 지배력과 고통이 개인들의 삶을 짓누르면서 '공통의 문제'와 그것에 대한 말과 행동의 능력은 심각하게 훼손되기에 이른다.

아렌트는 노동사회의 지배력이 예술에도 부정적 영향을 미친다고 주장한다. 아렌트에 따르면 예술은 공공성의 구성에 매우 중요한 기여를 한다. "'행위하고 말하는 인간'도 최고의 능력을 가진 제작인의 도움을 필요로 한다. 즉 예술가나 시인, 역사기술가나 기념비 건립자 또는 기록자의 도움을 필요로 한다. 왜냐하면 이들의 도움 없이는 행위하는 인간 활동의 유일한 산물, 즉 그들이 행하고 말한 이야기는 도대체 살아남지 못하기 때문이다."[3] 그러나 노동사회의 지배력은 예술조차 하나의 여가생활로 전락하게 된다. 모든 진지한 활동들이 노동으로 정의되면서 그 나머지 활동들은 그저 유희로 인식된다는 것이다. "작업은 유희로 분해되어버리고 그것의 세계적 의미를 상실한다. 노동사회에서 예술가의 활동은 테니스나 취미생활이 개인의 삶에 미치는 기능과 동일한 역할을 한다고 생각된다. … '생계유지'의 관점에서 볼 때, 노동과 무관한 활동은 하나의 '취미'가 된다."[4]

취미 활동, 나아가 사적 취미 활동이 되어버린 예술에 대한 아렌트의 비관적 시선은 마르크스의 소위 '취미 이론'에 대한 비판으로 이어진다. 아렌트는 취미란 노동의 지배를 극복하는 것이 아니라 오히려 그것을 긍정하고 수용하는 것이라고 보면서 마르크스를 신랄하게 공격한다. "근대 노동사회에서 취미의 역할은 매우 중요하며 노동-유희 이론에서 경험의 전제가 되는 것 같다. 특히 주목할 만한 것은 마르크스가 이러한 발전에 대해서는 알지도 못하면서 노동 없는 유토피아 사회에서 모든 활동이

3) 아렌트, 위의 책, 1996, 233쪽.
4) 아렌트, 위의 책, 1996, 185쪽.

취미 활동과 거의 유사한 형식으로 수행될 것이라고 예견했다는 것이다."[5] 아렌트가 비판하는 마르크스의 취미 이론은 『독일 이데올로기』에 등장하는 아래의 유명한 구절에서 발견된다.

> 노동이 분화되자 각 개인은 한 사람의 양치기, 한 사람의 어부 혹은 한 사람의 비평가이며, 그가 그의 생계수단을 잃지 않고자 하는 한 계속 그렇게 살아가야 한다. 아무도 배타적인 영역을 갖지 않고 각자가 원하는 어떤 분야에서나 스스로를 도야시킬 수 있는 공산주의 사회에서는 사회가 전반적인 생산을 조절하기 때문에, 사냥꾼, 어부, 양치기, 또는 비평가가 되지 않고서도 내가 마음먹은 대로 오늘은 이것을, 내일은 저것을, 곧 아침에는 사냥을, 오후에는 낚시를, 저녁에는 목축을, 밤에는 비평을 할 수 있게 된다.[6]

아렌트는 취미 활동을 '노동하지 않는 나머지 시간의 활동', 즉 여전히 노동에 의존하는, 다만 부정적으로 의존하는 시간의 활동으로 파악하고 있다. 그러나 위의 구절에서 시간은 보다 적극적인 함의를 갖는다. 마르크스에게 시간은 정체성의 문제, 그리고 정체성을 어떻게 시간 안의 활동으로 분배하고 수행하느냐와 직결된다. 자본주의 노동 분업 체계와 그것이 부과하는 생계의 압박으로 인해 개인은 오로지 하나의 직업적 정체성만을 가지고 살아야 한다. 반면 해방된 사회에서 개인은 시간의 제약을 받지 않으며, 따라서 자신의 정체성을 아무 때나 원하는 바대로 다원화시킬 수 있다. 해방된 사회는 단순히 취미 활동으로 충만한 사회가 아니다. 해방된 사회는 시간의 제약을 받지 않고 자신에게 강요된 단일한 정체성을 거부하고 자율적인 활동을 향유할 수 있는 사회, 즉 시간 조절, 정체성의 분배, 활동의 수행에 자율성이 보장되는 사회를 의미한다.

---

5). 아렌트, 위의 책, 1996, 185쪽.
6) 칼 마르크스, 프리드리히 엥겔스, 박재희 옮김, 『독일 이데올로기 I』, 청년사, 1998, 33쪽.

크리스토퍼 윈십은 시간 안에 내재하는 관계적 측면을 강조한다. 그에 따르면 시간에는 두 가지 제약이 있다.[7] 첫 번째 제약은 말 그대로 시간이 하루에 24시간만 주어져 있다는데서 오는 제약이다. 우리는 이 같은 제약 안에서 시간을 나누고 활용해야 한다. 두 번째 제약은 주어진 시간 안에서 어떻게, 어떤 활동을 수행하느냐와 관계된다. 윈십은 이러한 제약 조건에서 행위자가 타인과 상호작용하기 위해 시간과 장소를 상호조정(coordination)하는 사회적 노력이 중요해진다고 주장한다. 왜냐하면 바로 이러한 노력을 통해 양적으로 제한된 시간이 질적으로 풍부해지고 사회적 가치를 창출할 수 있기 때문이다. 임채윤과 크리스토벌 영은 윈십의 논의를 발전시킨다.[8] 그들에 따르면 노동 경제학자들은 시간을 양적으로 측정하면서('시간은 돈이다'라는 말에서 잘 드러나는 것처럼) 첫 번째 제약에 관심을 기울인다. 하지만 이는 시간을 화폐처럼 대체 가능한 것으로 취급하는 오류를 수반한다. 시간은 화폐처럼 보관되었다가 나중에 사용될 수 없다. 예컨대 우연히 남아도는 시간에 무엇을 해야 할지 모르는 개인은 그 시간을 그대로 흘려보낼 수밖에 없는 것이다. 오히려 시간의 가치는 복수의 사람들이 공유할 때 증가한다. "시간이 높은 부가가치를 가지기 위해서는 한 명 이상의 사회적 타인들(배우자, 친구, 친지)이 상호간에 자유 시간의 스케줄과 원하는 바가 서로 일치해야 한다. 그렇지 않으면 자유 시간은 그저 남는 시간이 될 뿐이다."[9]

임채윤과 크리스토벌 영은 자유 시간에 이루어지는 타인과의 시간 조정이 매우 중요하다고 주장하면서 에비아타 제루바벨의 '붉은 달력'에 대한

7) Winship, Christopher, "Time and Scheduling", pp.499~520 in Hedström, Peter, and Peter Bearman (eds), *Oxford Handbook of Analytical Sociology*, Oxford: Oxford University Press, 2009.

8) Young, Cristobal and Chaeyoon Lim, "The Pleasures and Sorrows of the Standard Work Week Temporal Constraints on Well-being among Workers and the Unemployed", 미발표 논문, 2013.

9) Young and Lim, 위의 글, 2013, pp.5~6.

역사적 연구를 소개한다.[10] 1929년 소비에트 연방은 노동자들의 노동시간과 휴일을 한꺼번에 증가시키기 위해 새로운 달력 체계를 도입했다. 소위 '붉은 달력'이라 불린 새롭고도 복잡한 체계는 한 주를 7일이 아니라 5일로 나누고, 공장은 매일 80%의 직원들이 근무케 하여 연간 중단 없이 돌아가도록 했다. 동시에 매일 전체 노동자의 5분의 1은 하루 휴가를 갖게 했다. 이에 따르면 노동자들의 노동시간과 휴일은 모두 늘어날 수 있다. 요컨대 붉은 달력은 효율적인 동시에 노동강도와 노동일을 줄일 수 있는 혁신적인 시스템이라는 것이다. 그러나 붉은 달력은 2년 만에 노동자들의 반발로 폐지되었다. 그 이유는 노동자 개개인에게는 휴일이 늘어났지만 기존의 일요일이 사라짐으로써 결과적으로 그들이 친구와 가족과 배우자와 함께 할 시간이 줄어들었기 때문이었다. 임채윤과 크리스토벌 영은 제루바벨의 연구를 소개한 후 이렇게 결론짓는다. "우리는 단순히 일에서 벗어나는 시간을 원하는 것이 아니다 ; 우리는 가족과 친구가 자유 시간을 가지는 때에 그들과 함께 일에서 벗어나는 시간을 원하는 것이다."[11]

제루바벨의 연구는 노동사회에서 자유 시간과 노동시간 사이의 균형을 유지하는 것이 개인들에게 중요한 과업이라는 아렌트의 주장을 뒷받침하는 것처럼 보인다. 그런데 윈쉽, 임채윤과 영, 제루바벨의 논의에서 자유 시간의 가치를 결정하는 일차적 준거는 노동시간이 아니다. 즉 아렌트가 말하듯 자유 시간은 단순히 노동의 고통에서 벗어나는 시간이 아닌 것이다. 소비에트 연방의 노동자들은 전체 휴일의 '양'이 줄어드는 것을 감수하면서까지 일요일을 지키고자 했는데 그 이유는 일요일이라는 시간이 제공하는 사회적 가치 탓이었다. 요컨대 노동자들에게는 노동에서 벗어나는 것뿐만 아니라 노동에서 어떻게 벗어나느냐, 그 시간에 누구와 무엇을 하느냐가

10) Zerubavel, Eviatar, *The Seven Day Circle: The History and Meaning of the Week*, Chicago: University of Chicago Press, 1985.

11) Young and Lim, 앞의 글, 2013, p.9.

관건이었던 것이다. 따라서 일요일의 자유 시간에 이루어지는 활동은 아렌트가 노동사회에서 공공성이 파괴되었다는 증거라고 지칭한 '작은 행복'에 그치지 않았다. 그 작은 시간 안에는 고유의 사회적, 정치적, 예술적 활동과 만남과 대화와 세계가 존재하고 작동했다. 우리는 여기서 다시금 침입의 개념에 의존할 수 있다. 침입은 양적인 척도로 측정된 동일한 시간의 분배 문제와 상관이 없다. 침입이란 노동 시간에 '대하여' 자유 시간의 양을 늘리는 것이 아니다. 침입이란 양으로서의 시간에 대하여 질로서의 자유 시간을, 고립된 개인에 대하여 관계와 공동체를, 남는 시간에 대하여 넘치는 자유 시간을 기입하는 것이다. 물론 노동사회는 자유 시간의 사회적, 질적 속성을 교환가치로, 화폐적 능력으로, 구매력으로, 소비 활동으로 환원시키는 기제를 끊임없이 개발하고 확산시킨다(예컨대 패밀리 레스토랑, 테마 파크, 리조트 등등). 그러므로 이러한 상황 속에서 예술 동호회의 정치를 논한다는 것은, 노동사회가 자유 시간의 활동, 그 안에서의 관계에 행사하는 식민화의 힘에 대항하여 예술 동호회가 지니는 공적 저항의 잠재력을 따져본다는 뜻이다.

III. 정치적인 것과 사회적인 것

예술 동호회의 정치는 예술 동호회라는 특정 집단의 정치를 뜻하지 않는다. 예술 동호회는 예술이라는 감성적 활동을 중심으로 하는 하나의 사회적 결사이다. 그러므로 예술 동호회의 정치는 먼저 사회적 결사체가 활성화시키는 정치라는 견지에서 따져봐야 할 것이다. 나는 예술 동호회가 형성 기제나 활동 지역에 따라, 작은 사회들을 형성하고 상호 연결시킴으로써 '사회적인 것(the social)'의 재생을 도모할 수 있다고 주장한 바 있다.[12)]

12) 심보선·강윤주, 「참여형 문화예술활동의 유형 및 사회적 기능 분석 : 성남시 문화클럽의 사례를 중심으로」, 『경제와 사회』 87, 2010, 134~171쪽.

그렇다면 사회적인 것은 정치적인 것, 즉 공통의 문제에 대해 말하고 행동하는 공공성의 차원과 어떻게 연관되는가? 소위 '사회적인 것'과 '정치적인 것' 사이의 상호관계는 어떠한 양상을 띠는가?[13] 동호회와 민주주의에 대한 로버트 퍼트남의 연구는 사회적인 것과 정치적인 것의 상관성의 일면을 추적한다. 퍼트남은 예술 동호회를 포함한 동호회－지역에 뿌리를 내리고 있는 소규모 자발적 결사체로서의 클럽－가 사회적인 것을 활성화시킨다고 주장한다. 그런데 그에 따르면 사회적인 것의 활성화에는 정치적인 차원이 내재하고 있다. 이것은 예술 동호회의 경우에도 마찬가지이다. 예를 들어 독서클럽의 경우 "외로운 지적 활동(독서)을 사회적·시민적 활동으로 전환"시키는 민주주의의 '비옥한 온상' 역할을 한다.[14] 이렇게

---

13) 한나 아렌트에게는 정치적인 것과 사회적인 것은 상호 충돌한다. 즉 필요성(necessity)에서 해방된 자유로운 존재로 공통의 문제에 대해 말하고 행동하는 것이 정치인데 사회적인 것은 언제나 필요성의 영역에 속하기 때문이다. 한나 아렌트는 "인간사의 영역-하나의 공동세계에서 사람들이 공생하는 일과 관련된 모든 것-을 진정한 존재(true being)가 되고자 하는 사람들이 영원한 이데아의 맑은 하늘을 발견하고 싶다면 등을 돌리고 내던져버려야만 하는 암흑, 혼돈, 기만이라 기술"한 플라톤과 아리스토텔레스의 정치사상이 마르크스에 의해 종결됐다고 주장한다. 왜냐하면 그는 "철학 및 철학적 진리는 인간사와 인간 공동체의 외부가 아니라 바로 그 안에 존재하며, 오직 그가 '사회(society)'라고 부른 공동삶의 영역에서 "사회화된 인간(*vergesellshaftete Menschen*)"의 등장을 통해 '실현'될 수 있다고 선언"했기 때문이다(한나 아렌트, 『과거와 미래 사이』, 푸른숲, 2005, 30쪽). 아렌트가 보기에 마르크스는 노동에 의해 지배되는 사회를 정치철학의 출발점으로 삼았으며, 이는 사회적인 것에 정치적인 것을 종속시키는 우를 범한 것이다. 반면 사회적 결사체를 민주주의의 근간으로 보는 알렉시스 드 토크빌의 관점을 이어받은 사회학적 전통은 사회적인 것과 정치적인 것의 관계를 보다 긍정적인 것으로 해석한다. 이때 사회적인 것은 필요성의 영역으로 환원되지 않으며 또한 아렌트가 말하는 소위 진정한 존재를 육성하는 자유의 영역으로도 환원되지 않는다. 사회적인 것은 고유의 결사, 상호작용, 행동을 통해 정치적 의식과 실천을 생산한다. 본 논문은 이러한 사회학적 입장을 수용하면서 사회적인 것과 정치적인 것의 관계를 부정적으로 보고 취미 및 여가 활동을 폄하하는 아렌트의 입장을 비판한다. 그러나 동시에 나는 사회적인 것과 정치적인 것의 관계를 단순화시키지 않으려 한다. 특히 그 둘 사이에 예술적인 것이 개입했을 때 발생하는 복합적이고 모순적인 정치적 실천과 주체화 과정에 주목한다.

14) 로버트 퍼트남, 정현승 옮김, 『나홀로 볼링』, 페이퍼로드, 2009, 244쪽.

예술동호회의 구성원들은 자신들의 예술적 기예를 숙련하고 교양을 축적하는데 그치지 않고 외부와 연계함으로써 더 폭넓은 관계 속에서 사회적인 신뢰와 협력을 촉진시킨다.

퍼트남과 로버트 레오나르디는 북부 이태리의 사례를 통해 동호회 활동이 시민 참여(civic engagement)로 이어지고 나아가 민주주의를 강화한다고 보았다.[15] 이 경우, 사회적인 것이란 공화주의적인 의미에서 정치적인 것(the political)으로 나아가는 예비 단계라고 할 수 있다. 즉 동호회들은 건전한 시민을 학습하고 육성하는 일종의 학교 역할을 하는 것이다. 이 이야기를 들으면서 우리는 손쉽게 교육에 대한 선입견을 떠올릴 수 있다. 즉, 성숙하고 계몽된 시민이 미성숙하고 무지한 시민을 개화시키는 식의 교육 말이다. 동호회에서 이루어지는 시민 교육도 과연 그러한가? 그렇다면 누가 그들을 교육시키는가? 어떤 교재가 그들을 교육시키는가? 퍼트남에 따르면 동호회에 고유한 시민 교육은 동호회 내부, 혹은 동호회 간의 수평적 네트워크에 내재하는 메커니즘 자체에 의해 이루어진다. 수평적 네트워크는 일종의 지휘자 없는 앙상블처럼 작동한다. 사람들은 서로 타협하고 배려하면서 호혜성의 규범을 익힌다. 배신행위나 기회주의는 도리어 개인에게 돌아올 보상을 줄일 수 있다. 약속을 지키고 규범을 따르는 개인들에게는 그에 따른 명성과 보상이 주어진다. 또한 수평적 네트워크는 커뮤니케이션과 정보의 신뢰성을 증진시킴으로써 거래비용을 절감한다. 사람들은 시간과 자원을 낭비하지 않고 물질적, 상징적 이익을 증가시킬 수 있다. 이 모든 것들이 미래의 상호작용에 있어서도 일종의 문화적 지침으로 전수될 것이다.[16]

퍼트남에 따르면 수직적 네트워크에서는 그와 같은 효율성이 일어날 수 없으며 따라서 신뢰와 협력 또한 촉진시킬 수 없다. 왜냐하면 수직적

---

15) Putnam, Robert D. and Robert Leonardi, and Raffaella Y. Nanetti, *Making democracy work: Civic traditions in modern Italy,* Princeton university press, 1994.

16) Putnam and Leonardi, 위의 책, 1994, pp.174~176.

네트워크에서 불리한 위치에 처한 피지배자들(the subordinate)들은 자신들의 이익을 위해 정보를 왜곡하고 서로를 견제하고 기회주의적으로 행동하고 배신을 하는 것이 더 많은 보상을 제공하기 때문이다. 랜덜 콜린스는 행위자들의 만남과 대화를 일종의 '시장(marketplace)'이라고 정의하는데, 이러한 시장에서 교환되고 증가하는 몫은 바로 정서적 에너지이다. 그에 따르면 극단적으로 종속적인 관계에서는 지배자의 정서적 에너지는 일방적으로 늘어나는 반면, 피지배자의 에너지는 일방적으로 줄어들 수밖에 없으며, 그에 따라 종속적 관계가 지배하는 사회에서는 구성원 사이의 사회적 연대성과 구성원 개개인들의 정서적 에너지가 동시에 줄어들게 된다.[17] 바로 이러한 이유로 동호회와 같은 수평적 네트워크는 물질적이고 비물질적인 차원 모두에서 구성원들을 보상해준다. 여기서 구성원들은 정서적 에너지를 일방적으로 받지도, 뺏기지도 않는다. 이들은 상호 호혜적이고 평등한 관계가 편의와 만족을 제공해준다는 사실을 학습하고 전수한다. 그리고 바로 이것이 민주주의의 미시적 근거인 것이다.

퍼트남의 사회자본 개념, 혹은 콜린스의 정서적 자원 개념은 예술 동호회 내부의 사회적, 정치적인 일면을 조명한다. 그런데 이들의 논의는 합리적 선택 이론에 의해 정당화되고 있다. 이들에 따르면 수평적 네트워크에 형성된 사회 자본이 개인의 '합리적' 행동과 태도에 영향을 미친 결과가 민주주의라는 제도의 유지와 발전에 도움을 준다는 것이다. 동호회가 사회적인 관계, 신뢰, 호혜성을 활성화시키고 이를 통해 시민적 참여를 확산시킨다는 퍼트남의 공화주의 이론은 사회적인 것과 정치적인 것을 정의하고 연결시키는 특유의 논리를 드러낸다. 그 입장이란 정치적인 것을 사회적인 것에 종속된 효과로 보는, 달리 말하면 민주주의를 사회적 결사의 의도하지 않은 효과로 보는 것이다. 이 논리에 따르자면 퍼트남에게 민주주의의 위기는 동호회를 비롯한 지역 기반의 자발적 결사체들의 왜소

17) Collins, Randall, "On the microfoundations of macrosociology", *American journal of sociology 86(5)* 1981, pp.984~1014.

화, 신뢰와 협력의 약화, 그에 따른 시민적 참여의 쇠퇴라고 볼 수 있다. 퍼트남은 이러한 사회변화의 원인을 1차적으로 세대교체라는 인구적 변화에서 찾고 있다. 그 외에도 직장으로 인한 시간 부족, 도시 팽창으로 인한 지역적 공동체의 파괴, TV 같은 미디어의 영향력을 원인으로 보고 있다. 이들 변수는 사실 일종의 거시 지표로 그가 말하는 정치적인 것에 외재하는 사회적 현상들이다. 따라서 해결책은 사회적인 것의 인공적인 재생 노력일 것이다. 실제로 퍼트남은 『나 홀로 볼링』의 결론에서 학교, 사업장, 도시 설계, 종교, 인터넷, 문화예술, 정치, 정부 영역에서 공동체 회복을 위한 프로그램들을 제안하고 있다. 퍼트남에 따르면 이 프로그램들은 사회자본을 활성화시킬 것이며 '언젠가' 개인들을 계몽시키고 민주주의를 회복시킬 것이다.

정치적인 것을 사회적인 것의 종속 변수로 볼 때, 정치적인 것은 공동체 전체의 복리와 진보라는 견지에서 정의된다. 그리고 특정한 집단들이, 자발적 결사체들이, 동호회들이 바로 공동체 전체의 복리와 진보를 보장하는 중범위 단위들로, 신뢰와 협력의 프로그램을 실행하는 학교들로 요청되고 작동된다. 이와 같은 관점은 다음과 같은 알렉시스 드 토크빌의 진술에서 잘 나타난다.

> 민주적 국가에서는 사람들과의 결합 방식을 아는 것이 지혜의 기본 조건이며 그 밖의 모든 진보는 그 진보에 의존한다. … 정치적 결사는 수업료 없는 위대한 학교인 동시에 국민 모두가 결사의 일반 이론을 학습하는 장이라고 간주해야 한다.[18]

18) De Tocqueville, Alexis, *Democracy in America*, Vol.147, Digireads, 2004, pp.379~380.

IV. 예술적인 것의 정치와 그 사례들

'사람들과의 결합 방식을 아는 것'의 중요성을 강조하는 입장은 사회적인 것 중에서 '정치적 지혜'에 이르지 못하는 결합 방식을 걸러낼 것이다. 요컨대 모든 결사가 정치적으로 바람직한 것은 아니다. 개중에 지혜에 다다르는 것들만이 바람직할 것이다. 그러나 정치적인 것을 사회적인 것의 교육학적 효과로 보는 이러한 이성 중심적 관점은 사회적인 것에서 발생하는 '위반의 경험', 즉 랑시에르식으로 표현하면 '함께 거기에 있음의 우연'을 '침입'으로 전환시키는 감각적, 관계적 특성을 간과한다.[19] 제프리 골드파브는 이 같은 관점에서 사적 생활 영역에서 구성되는 대안적 공중에 주목한다. 그에 따르면 과거 체코슬로바키아나 폴란드에서, 공산주의 전체주의 치하에서 사람들은 자유를 박탈당했음에도 불구하고 마치 자유롭다는 듯이 살았는데, 이는 다양한 형태의 작은 모임들과 그 안에서 이루어지는 대화와 활동 때문에 가능한 것이었다. 이를 테면, 식탁에서, 시낭독회에서, 불법 서점에서 그들은 "현저하게 다른 목소리들을 내고", "상황을 매우 다르게 정의"했다. 그리고 이 '작은 것들의 정치'는 이후 거대한 사회적 변화 물결을 일으키는 저변의 힘으로 작동했다.[20]

골드파브는 전체주의 치하의 사람들이 자유를 박탈당한 상황에서 자유의 극본을 현실적으로 작동시키는 '진리의 장소들'을 발명했다고 주장한다. 이때 사회적인 것은 정치적인 '사건'의 출발이라고 볼 수는 있겠지만, 정치적인 것, 소위 참여와 협력이라는 시민적 규범과 행태를 야기하는 독립변수라고 볼 수는 없다(왜냐하면 전체주의 치하에서 참여와 협력은 권위적 동원의 방식으로 이루어지기 때문이다). 오히려 사회적인 것은 그 자체로 정치적인 것을 작동시키는 장이라고 할 수 있다. 사회적인 것은 작은 모임, 비공식적인 회합의 형태 속에서 일상적인 동시에 공적인

---

19) 자크 랑시에르, 양창렬 옮김, 『정치적인 것의 가장자리』, 길, 2008a, 185~186쪽.
20) 제프리 골드파브, 이충훈 옮김, 『작은 것들의 정치』, 후마니타스, 2011.

감각과 관계를 배태한다. 사회적인 것은 억압적 현실 내부에 진리의 장소들을 미시적 공론장으로 기입시키면서 자유를 하나의 연극처럼 구현한다. 결국 골드파브는 건전한 시민의 육성이라는 공화주의적 이상을 전적으로 포기하지 않으면서도 정치에 대한 다른 관점을 도입한다. 그에게 정치란 바로 '마치 자유로운 것처럼'이라는 부제가 붙은 다양한 극본이 공연되는 무대, 이 무대에 참여하는 배우들의 상호작용으로 이루어진 장소인 것이다.

사크 랑시에르에게도 정치는 일종의 연극이라고 할 수 있는데, 이때 연극이란 바로 '평등 공동체'가 "다시 상연된 사건의 운동과 다시 연출된 극본의 운동 속에서 사회체의 표면 위에 자신들의 효과를 반복적으로 그릴 수 있는 수단을" 찾아내는 과정에 다름 아니다.[21] 랑시에르는 정치적 보편성이 어떤 완성된 주체로서의 '인간'이나 '시민' 안에 있지 않다고 말한다. 오히려 정치적 보편성은 인간이나 시민이라는 범주에서 벗어나 있는 존재들이 그 범주를 논증의 대상으로 삼고, 그것을 담론으로, 실천으로 실행하는 '주체화' 과정, 평등 전제의 반복적 선언(manifestation)과 수행(performance) 과정에서 생겨난다. 그에게 정치적인 것은 어떤 이념적 상태에 도달함을 의미하지 않는다. 그에게 정치적인 것은 주체화 과정을 통해 사회적인 합의체, 그가 치안이라고 부른 사회적 질서 내부에 해방적 공동체, '이견적(dissensual) 공론장'을 침입시키고 펼쳐나가는 운동 그 자체이다.

예술 동호회는 미적이고 감성적인 활동을 중심으로 매개되고 실행되는 사회적 결사라고 할 수 있다. 이때 예술 동호회가 수행하는 정치의 고유성은 사회적인 것과 미적인 것이 결합되고 충돌하는 변증법에 있다고 할 수 있을 것이다. 바로 이 변증법이 한나 아렌트가 부정적으로 정의한 취미 활동을 질적인 차원에서 긍정적으로 전환시키는 내용적 요건이라고 할 수 있을 것이다. 이때 사적 취미 활동을 공적 정치적 활동으로 뒤바꾸는 예술 동호회의 질적 전환은 예술 동호회 활동에 내재하는 주체화 과정에

21) 자크 랑시에르, 앞의 책, 2008a, 184쪽.

달려 있다고 할 수 있을 것이다. 따라서 랑시에르의 관점을 따라 예술 동호회를 시민적 이성이 학습되는 정치적 학교가 아니라 침입의 관점에서 이견적 감각과 관계가 연출되는 정치적 무대로 정의할 때, 주목해야 하는 것은 사회적인 것과 정치적인 것의 변증법을 통해 예술 동호회가 구성하는 공적 '장'의 특이성이다. 예술 동호회는 자동적으로 정치적인 것을 활성화시키지 않는데, 이는 예술 동호회가 '어떤 학교냐'가 아니라 '어떤 무대냐'에 달려 있다고 봐야한다. 여기서 우리는 앞서 예를 든 연극 무대에서의 충돌을 다시 상기해볼 수 있다. 그 충돌이란 세련된 사적 취향과 완성도 높은 작품을 선보이는 무대와 삶을 기억하고 표현하고 재정의하는 무대 사이의 충돌이다. 이때 예술 동호회는 하나의 모순적 장으로서, 즉 사적인 것과 공적인 것이 충돌하는 무대로서 작동한다. 그것은 예술적인 것을 도입함으로써 사회적인 것과 정치적인 것을 분리시키기도 하고 결합시키기도 한다.

1. 인천 〈문화바람〉의 사례

여기서 예술적인 것이 사회적인 것과 정치적인 것을 분리시키고 결합시키는 이중적 기능을 가지는 이유는 예술적인 것 자체에 내재한 이중적 속성 탓이다. 먼저 예술적인 것은 예술 동호회 안에서, 피에르 부르디외의 개념에 기대자면, 일종의 '문화자본'으로, 즉 예술작품을 이해하고 창조할 수 있는 배타적 능력으로 이해되고 작동한다.[22] 이 경우 사회적인 것은 오히려 불평등과 경쟁의 논리로 구성됨으로써, 능력 있는 개인/집단과 능력 없는 개인/집단을 구별하고 서열화시킴으로써 자유와 평등의 정치를 배제시킨다. 예를 들어 다음의 일화를 살펴보자.

여러분에게 알려드릴 중요한 소식이 하나 있습니다. 단테는 죽었습니다.

22) 피에르 부르디외, 최종철 옮김, 『미학 안의 불편함』, 새물결, 2005.

죽은 지 이미 수백 년이나 지났습니다. 이제 우리는 그의 연옥을 그만 공부하고 우리 자신에게로 관심사를 돌려야 한다고 생각합니다. … 우리는 단테를 읽기보다 직접 행동에 나서야 합니다. … 너무나 오랫동안 우리는 문학에만 노력을 기울여왔습니다.[23]

위의 인용문은 미국의 한 독서회의 신임 여성 회장이 회원들을 대상으로 한 연설의 일부이다. 문학적 교양에의 골몰은 세상의 문제를 향한 시선을 거두어들이며 취향 공동체의 폐쇄성과 자족성을 강화시킨다. 실제로 예술 동호회는 종종 '질(quality)'과 '수준(level)'을 강조하고 재능 있는 자와 재능 없는 자를 구별하는 논리를 작동시킨다. 심지어 어떤 예술 동호회는 기성 예술을 모방하고 심지어 예술계에 편입되기를 소망한다. 예술 동호회는 외견상 자발적이고 자유로운 결사의 형태를 띠지만 내부적으로는 그렇지 않다. 예술 동호회는 종종 권위를 가진 전문가들, 예를 들어 이미 등단한 예술가 교사를 중심으로 조직되며, 그들의 지도를 따른다. 또한 노동 분업과 권위의 분배를 통해 상징 자본을 둘러싼 위계와 경쟁을 부추긴다. 이렇게 동호회 내부의 수직적 네트워크가 촉매하는 사회적인 것은 기예의 숙련, 명성의 축적, 조직적 동원 등에서 분명 효율성을 가져온다. 이런 방식으로 예술 동호회는 종종 예술 제도 내부의 사회적 질서를 재생산하고 강화하는 '하위 사회들'로 기능하곤 한다. 이때 예술적인 것에서 활성화되는 것은 자유와 평등의 반대항, 즉 권위와 불평등의 감각과 관계라고 할 수 있다.

그러나 반대로 예술적인 것은, 랑시에르의 개념을 빌리자면, 감각의 (재)분할을 수행할 수 있다. 우리는 이러한 사례를 단테와 관련된 또 다른 일화에서 찾아볼 수 있다. 아우슈비츠에서 프리모 레비는 프랑스인 장 피콜로와 함께 배급당번으로 죽을 나르기 위해 무거운 통을 들고 길을 나선다. 그때 레비는 피콜로에게 자신이 암기해 두었던 단테의 『신곡』을 들려준다.

---

23) 로버트 퍼트남, 앞의 책, 2009, 243~244쪽에서 재인용.

나는 서두른다. 미친 듯이 서두른다. … 이거야, 잘 들어봐, 피콜로. 귀와 머리를 열어야 해. 날 위해 이해해줘야 해.

그대들이 타고난 본성을 가늠하시오.
짐승으로 살고자 태어나지 않았고
오히려 덕(德)과 지(知)를 따르기 위함이라오.

마치 나 역시 생전 처음으로 이 구절을 들은 것 같았다. 날카로운 트럼펫 소리, 신의 목소리가 들리는 듯했다. 잠시 나는 내가 누구인지, 어디 있는지 잊을 수 있었다.

피콜로가 다시 들려달라고 간청한다. 피콜로는 얼마나 착한 사람인지. 그는 지금 이렇게 하는 게 나를 위한 일임을 알고 있다. 어쩌면 그 이상일지도 모른다. 어쩌면 보잘것없는 번역과 진부하고 성급한 해석에도 불구하고 그가 메시지를 들었는지도 모른다. 그게 자신과 관련된 이야기라고 느꼈을지도 모른다. 고된 노동을 하는 인간, 특히 수용소의 우리들과, 죽통을 걸 장대를 어깨에 지고 이런 이야기를 나누는 우리 두 사람과 관련된 이야기라고 느꼈을지 모른다.[24]

위의 일화에서 단테의 『신곡』은 하나의 정전으로 피콜로와 레비 사이에 공유되지 않는다. 심지어 그것의 번역은 실패한다. 그러나 피콜로와 레비는 최선을 다해 말하고 귀 기울인다. 이때 예술적인 것의 향유는 아우슈비츠라는 끔찍하도록 비참한 상황에서 일어나는 자유롭고 평등한 감각활동으로 나타난다. 위의 일화에서 지식인과 비지식인, 단테를 아는 자와 모르는 자, 이탈리아어를 할 수 있는 자와 할 수 없는 자 사이의 구별은 사라진다. 다만 서로를 이해하기 위해 "귀와 머리를 열어야" 한다는 의지와 노력 속에서 단테의 『신곡』은 마치 놀이를 위한 대본처럼 사용되고 있다. 여기서 『신곡』은 걸작이 아니라, 다만 아우슈비츠에 수용된 레비와 피콜로의

24) 프리모 레비, 이현경 옮김, 『이것이 인간인가』, 2007, 174~175쪽.

비참한 상황, 그 속에서의 우정을 표현하는 데 적합한 수단으로 이용된다.

예술 동호회의 경우에도, 만약 예술이 비참한 상황에서, 그 상황에 침입하는 우정과 대화의 놀이로 활용된다면, 그것은 고유의 정치적 무대를 만들어 낸다고 할 수 있다. 나는 그 사례를 인천의 예술동호회연합회 <문화바람>에서 찾고자 한다. 인천은 한국에서도 삶의 질이 상대적으로 낮은 도시이다. 2011년 현재, 인천은 광역시에서 자살률 1위를 차지하고 있으며 2009년 현재, 통계청 생활시간 조사에 따르면 인천 시민이 '교제 및 여가활동' 시간에 보내는 시간은 전국에서 최하위다. 요컨대 인천의 사회적, 경제적, 문화적 환경은 매우 열악하고 척박하다고 할 수 있다. 이러한 상황에서 <문화바람>은 "주민 스스로 참여해 만들어 나가는 생활문화운동"이라는 모토를 표명하며 창립되었고 2005년 이후에는 "시민이 주인인 문화"를 모토로 내걸고 아마추어 예술 동호회를 중심으로 한 '생활예술공동체'로 재탄생했다.[25] 이때 <문화바람>의 회원들이 반드시 그와 같은 대의에 동의하고 그것을 목적의식적으로 활동의 기반으로 삼는 것은 아니다. 오히려 그들은 단순히 "살기 위해서" 예술 활동을 한다고 주장한다. 이때 "살기 위해서"란 필요성(necessity)의 차원에 속하지 않는다. 오히려 이들은 생계와 생존의 필요성에 따라 자신이 속해왔던 '가계'와 '직장'의 위계적, 예속적 환경으로부터 탈출하여 <문화바람>의 예술과 사회적 관계망에서 해방감을 전취한다. 이때 예술은 고도의 기예나 초월적 실천으로 인식되지 않는다. 예술은 마치 피콜로와 레비 사이의 '대본'처럼 회원들 사이의 관계와 활동을 촉매하는 상징적 도구로 인식된다. 실제로 <문화바람>에서 예술에 대한 과도한 숭배와 몰입은, 그것이 관계의 형성과 기쁨에 방해가 될 때, 적절히 통제가 된다. <문화바람>의 회원들은 말한다. "예술은

25) <문화바람>에 대해서는 강윤주·심보선, 「생활예술공동체 내 문화매개자의 역할 분석–인천 "문화바람"의 경우」, 『경제와 사회』 100, 서울: 비판사회학회, 2013을 참고하라. 저자들은 구성원들에 대한 심층 인터뷰를 수행했으며 이하의 내용들은 그 조사들을 바탕으로 한다.

핑계일 뿐이고 사실 더 중요한 건 '뒷풀이'다. 지나치게 진지한 사람들은 동호회 활동을 오래 하지 않는다. 그런 사람들은 더 나은 환경에서 자신의 예술적 자질을 완성시키기 위해 동호회를 탈퇴한다. …"[26] 그러나 그들은 뒷풀이에서 여전히 기타를 연주하고, 시를 낭독하고, 그림을 그린다. 즉 그들은 예술적 도구와 재료를 손에서 놓지 않는다.

<문화바람>은 회원들에게 공적 사명감과 시민 의식을 교육시키지 않는다. <문화바람>은 예술적 취미와 사회적 친교의 기쁨을 활동의 근본적 에너지로 삼는다는 점에서 '사적' 활동이라고 볼 수 있다. 그러나 이때 예술을 매개로 한 관계의 행복감은 단순히 심리적이고 일시적인 감정 상태로 끝나지 않는다. 이들은 그것을 새로운 삶의 형태로 선택하고 관리하고 지속시킨다. 실제로 <문화바람>의 일부 상근자들은 자신이 다니던 직장을 포기하고, 저임금과 열악한 노동조건을 '감수'하면서 <문화바람>에 취직을 했다. 이들은 직장에서 심지어 가족에서 박탈당했던 '말'과 '감성'을 <문화바람>에서 되찾고 표현한다. 그들에게 <문화바람>은 일터이자 공동체이다. 생존과 생계의 문제는 공동체적인 방식으로, 즉 함께 식사를 하고 경제적인 어려움이 발생하면 '추렴'의 방식으로 해결한다. 이들은 자족적이고 폐쇄적인 공동체에 머물지 않는다. 반대로 자신들을 예술적 투쟁의 전위로 생각하지도 않는다. 이들은 다만 <문화바람>과 같은 문화가 사회 전체로 확산되면 "세상은 좋아질 것이다"라고 믿는다. 이 믿음에 따라 <문화바람>은 자신들의 활동에 공공적 의미를 부여하고 그것을 확장시켜 나간다. 따라서 <문화바람>은 사적인 활동을 통해 공적이고 공동체적인 삶의 형태를 발명해나간다.

<문화바람>의 사례에서 나타나듯, 예술 동호회는 현대 사회의 기능적 필요성과 경쟁적 강압으로부터의 피난처인 동시에 그것에 맞서는 거점이 될 수 있다. 예술 동호회의 활동은 누구에게나 귀속되는 예술적 기쁨,

---

26) 강윤주·심보선, 위의 글, 355쪽.

제작과 감각 활동의 자유로운 만남을 촉진한다. 그럼으로써 사회질서의 분할선, 즉 능력 있는 개인/집단과 능력 없는 개인/집단 사이의 구별과 위계를 폐지하고 평등과 자유를 수행하는 새로운 공공성—사회적이자 개인적이자 동시에 정치적인—을 창조해낸다. 요한 하위징아는 함께 하는 놀이의 정치적 함의에 대해 말하고 있다. "게임의 서클(동아리) 내부에서, 일상생활의 법률과 관습은 더 이상 중요하지 않다. 우리는 색다른 존재이고 그래서 색다르게 행동한다."고 주장한다.[27] 이때 하위징아에게 놀이는 "일상적 세상을 일시적으로 중지시키는 것"이며 "권위와 규율에 저항하여 저지르는 아주 소란스럽고 무질서한 행동"으로 정의된다.[28]

조르조 아감벤은 하위징아가 지적한 놀이의 정치적 속성을 '세속화'라는 개념으로 설명한다. 아감벤에 따르면 "아무리 낡은 것을 손에 쥐더라도 그것을 가지고 노는 어린아이들은 우리가 진지하게 여겨왔던 경제, 전쟁, 법 그밖에 다른 활동의 영역에 속하는 것까지도 장난감으로 뒤바꿔버린다."[29] <문화바람>의 회원들은 재능, 취향, 기예 등의 예술적 요소들을 전적으로 포기하지 않으면서도 그것들을 사회적 질서의 억압적 무게를 덜어내는 놀이의 자원으로 활용한다. 그러할 때, 예술 동호회는 예술을 자본화시킴으로써 사회적 질서를 강화하고 재생산하는 하위 사회로 기능하지 않는다. 반대로 예술 동호회는 예술을 사용하여 사회로부터의 해방, 훈육의 거부를 연출하고 소박한 '인간 선언'을 반복 공연하는 공적 극장으로 작동한다. 예술 동호회의 정치는 이렇게 예술적인 것에 내재하는 평등하고 행복한 놀이의 잠재력을 최대한 끌어냄으로써 자율성의 시공간을 하나의 침입으로 발명하여 기존의 사회에 내부에 기입한다. 요컨대 예술 동호회는 예술적인 것으로 사회적인 것을 재구성하고, 정치적인 것을 재정의함으로써 사회적인 것과 정치적인 것을 연결시킨다.

---

27) 요한 하위징아, 이종인 옮김, 『호모 루덴스』, 연암서가, 2010, 50쪽.
28) 요한 하위징아, 위의 책, 2010, 50~51쪽.
29) 조르주 아감벤, 김상운 옮김, 『세속화 예찬』, 난장, 2010, 111~112쪽.

2. 성남시 예술 동호회의 사례

신자유주의 체제가 등장하여 기술적 필요성이 인간적 놀이의 열망을 압살해가고 있는 시점에서－혹은 놀이의 열망을 소비 욕망으로 바꿔쳐 가고 있는 시점에서－정치는 시스템의 통제, 권력과 자원의 재분배 문제에서 미셸 푸코가 이야기한 삶의 기술과 자아에의 배려 문제로 이동한다. 이때 정치란 단순히 국가와 자본의 시스템을 장악하거나 뒤바꾸는 것을 의미하지 않는다. 오히려 정치는 통치의 대상인 인구(population)로부터 인간을 해방시킴으로써 수행된다. 생산과 국가 체제의 장악을 목표로 했던 정치적 운동이 쇠락하는 와중에도, 표준화된 인구로부터 놀이하는 인간을 해방시키려는 정치적 열정은 사회 곳곳에서 쉼 없이 분출하고 있다.

앙드레 고르는 다음과 같이 주장한다. "모든 자본주의 서구사회에서 어떤 변화가 다시 나타나는데, 이 변화로 미국에서는 생산과 사회의 변혁에 대해 근본적으로 논쟁하는 일이 사라지는 대신, 연합단체, 교회, 대학, 클럽, 운동단체의 차원에서 활동들이 증가하고 있다. 이 활동들은 사회에 대해 국가적 권력을 행사하는 일을 목적으로 삼지 않는 반면, 윤리적 관계들의 공간이기도 한 자율성과 자율-결정의 공간을 확장하기 위해 국가의 권력으로부터 사회를 빼앗아오는 일을 목적으로 삼고 있다."[30] 예술 동호회는 자발적 결사체의 하나로, 과장되게 말하면 사람들이 '살고 싶어서' 만들고 방문하는 공간일 수 있다. 이 공간 속에서의 삶이란 푸코가 이야기한 바, 생체권력에 의해 관리되고 통치되는, 즉 "살게 만들어지고 죽게 내버려지는" 삶이 아니다.[31] 그것은 '경제·법·정치의 역량'을 '행복의 문'으로 전환시킴으로써 '권력이 장악했던 공간'을 '공통의 사용'으로 되돌리는 독립적 삶이라 할 수 있다.[32] 고르는 계속해서 말한다.

---

30) 앙드레 고르, 이현웅 옮김, 『프롤레타리아여 안녕』, 생각의 나무, 2011, 191쪽.
31) 미셸 푸코 외 지음, 정일준 편역, 『미셸 푸코의 권력이론』, 새물결, 1994.
32) 조르주 아감벤, 앞의 책, 2010, 112~113쪽.

이런 공간은 이윤창출의 원칙, 공격성, 경쟁, 위계적 훈련 등의 규칙에 지배되어 있는 세상에 대항해 정복한(혹은 정복해야 할) 독립성의 공간을 상징한다. (중략) 개인적 독립성의 영역은 단순한 소비욕망들에 토대를 둔 것도, 오락과 레크리에이션 활동들에 토대를 둔 것도 아니다. 더 깊은 차원에서, 그 영역은 그 자체가 목적이며 경제적 목적이 없는 행위들, 곧 다른 사람들과의 커뮤니케이션, 재능, 미학적 창조와 만족감, 생활의 창조와 재창조, 애정, 육체적·감각적·지적 능력의 충분한 실현, 상업적 성격이 없는 이용가치(타인들과 함께 사용할 수 있는 물건이나 서비스)의 창조로 구성되어 있다.[33]

그러나 예술 동호회 활동의 자율성이 자동적으로 보증된다고 볼 수는 없다. 그러한 공간 또한 정당성과 헤게모니를 둘러싼 사회적 투쟁의 한 복판에 존재한다. 실제로 동호회 활동의 목적 없음, 쓸모없음에서 기인하는 사치성과 낭비성은 언제나 비판의 대상이 된다. 칼 마르크스는 부르주아 경제학이 노동자의 자유 시간에 대해 가하는 비판을 예로 든다.

그대가 먹고, 마시고, 책 사고, 극장, 무도회, 선술집에 가고, 생각하고, 사랑하고, 이론적으로 따지고, 노래 부르고, 그림 그리고, 투쟁하는 일 등을 적게 할수록, 그대는 더욱더 많이 절약하게 될 것이고, 좀벌레나 도둑이 먹어 치울 수 없는 그대의 보화, 그대의 자본은 더욱더 커질 것이다. 그대의 존재가 적을수록, 그대의 생명이 덜 표현될수록, 그대는 더욱더 많이 가지게 될 것이고, 그대의 외화된 삶은 더욱더 커질 것이며, 그대의 소외된 본질은 더욱더 저장될 것이다.[34]

부르주아 경제학은 노동자의 자유 시간을 사치와 낭비로 규정하며, 만약 그것을 가능하게 하는 원천이 있다면, 오로지 화폐뿐이라고 역설한다.

---

33) 앙드레 고르, 앞의 책, 2011, 130쪽.
34) 칼 마르크스, 강유원 옮김, 『경제학-철학 수고』, 이론과 실천, 2006, 149~150쪽.

그들에 따르면 화폐만이 모든 것을 구매할 수 있게 허락해주며 따라서 화폐만이 진정한 능력이라 할 수 있다. 그러니 부르주아 경제학에 따르면 노동자들은 자유 시간을 확보하기 위해 열심히 일을 해야 하며 기를 쓰고 돈을 벌어야 하는 것이다.[35]

실제로 예술 동호회에 대한 경험적 연구들은 소위 부르주아 경제학이 예술 동호회 활동에 있어서도 여실히 관철될 수 있음을 보여준다. 심보선과 강윤주는 '성남시의 예술 동호회'에 대한 경험적 연구를 통해 예술 동호회가 사회적 활동과 예술적 활동 사이에 균형을 유지하는 경우뿐만 아니라, 단순한 친목에 그치는 사례가 많음을 발견하였다.[36] 성남시는 분당 지역과 성남 구도심이 공존하는 특이성을 가진다. 따라서 성남시에서 거주하고 활동하는 예술 동호회는 다양성과 차이를 보여준다. 그 중에서도 정치적 잠재성의 측면에서 부정적인 사례들이 적지 않았다. 특히 직장에서 형성된 예술 동호회의 경우는 예술 활동에도 진지하지 않고 사회적 활동에도 적극적이지 않은 사례가 많았다. 그 안의 예술 활동은 호혜적이고 평등한 관계 형성, 강요된 노동에 저항하는 자유 시간의 확보와는 무관했다. 많은 경우, 동호회 활동은 오락과 레크리에이션에 머물렀으며, 이 또한 회사에서 지급되는 지원금을 통해 '허용'되는 것이었다. 요컨대 이때의 동호회 활동은 조직을 위해 열심히 일하는 자들에게 부여되는 '잉여'의 시간이라고 볼 수 있다. 그것은 여전히 화폐적 필요성에 종속되어 있으며 때때로 그것에 전적으로 굴복하기도 한다.

성남시의 예술 동호회 안에는 또 다른 편향도 존재했다. 특히 분당 지역에서 활동하는 동호회들의 경우, 성남 구도심과 비교할 때, 고급예술에 치중하는 동호회의 비중이 높았다. 이들 동호회는 고가의 악기와 공연 및 전시 공간을 필요로 하는 활동을 중심으로 하고 있었다. 이들 중 다수의 동호회는 예술에 대해 '지나치게' 진지했다. 즉, 예술 창작을 가장 중요한

35) 칼 마르크스, 위의 책, 2006, 151쪽.

36) 심보선·강윤주, 앞의 논문, 2010.

활동의 목적으로 삼고, 내적 결속과 외적 연계를 부차적인 것으로 삼고 있었다. 요컨대 이들에게 예술 동호회는 문화자본을 축적하고 드러내는 주요한 장이며, 이때 문화자본은 경제자본과 호환 가능한 '구별' 기제라고 해도 과언이 아니었다. 심보선과 강윤주의 연구에 따르면, 성남시에서도 특히 분당 지역의 예술 동호회들은 "사회적 연계와 유대"에 소극적인 '나 홀로 예술'의 경향을 보여주고 있는데, 이는 예술 동호회들이 형성되고 활동이 이루어지는 지역적 공간과 범위가 협소한 것과 큰 상관이 있다.[37] 요컨대 이들 예술 동호회들은 고립된 '작은 사회'들로 존재하며, 이때 예술은 그 사회들의 정당성과 위신을 확보하는 문화적 자본으로서 기능하게 되는 것이다.

앞서 <문화바람>이 '필요성의 영역'과의 투쟁 속에서 '자유의 영역'을 확보하는 사례였다면, 성남의 일부 사례들은 '필요성의 영역'에 굴복한 '자유의 영역', 혹은 '필요성의 영역'하에서 주어지는 '자유의 영역'의 사례들이라고 할 수 있다. 성남의 동호회들, 그 중에서도 지역적으로 분당에서 활동하는 동호회들, 그리고 직장에서 결성된 동호회들은 <문화바람>과 비교할 때, 분명 사적인 문화자본의 축적에 치중하는 양상을 보여준다. 서론에서 예를 든 두 연극의 주체들, 즉 문화센터에서 연극 활동을 통해 행복한 말년을 보내는 할머니들의 연극과 배제되고 내버려진 삶을 살다가 연극 활동을 통해 자신의 목소리를 내게 된 할머니의 서로 다른 연극을 끌고 오자면 이런 비유도 가능하다. <문화바람>이 후자의 연극을 표상한다면 성남의 일부 동호회들은 전자의 연극을 표상한다. 그러나 그리 간단하게 정리될 수는 없다. <문화바람> 내부에도 두 연극은 모순적으로 공존하며 성남의 동호회들 내부에도 그것은 마찬가지이다. 이 모순과 충돌의 끊임없는 배치와 재배치가 예술 동호회가 수행하는 정치의 고유한 역학이라고 볼 수 있을 것이다. 이러한 모순과 충돌은 예술 동호회 활동 내부에

37) 심보선·강윤주, 앞의 논문, 2010, 166쪽.

존재하는 '차이'를 보여주는 동시에 이 차이들이 일종의 사회적, 문화적 투쟁의 역학을 통해 분할됨을 보여준다. 만약 예술 동호회 활동이 열심히 노동한 후에 주어지는 여가시간에 불과하다면, 그리고 그러한 활동의 능력이 노동과 교환된 화폐의 양에 따르는 구매능력에 불과하다면, 그것은 이용가치가 아니라 교환가치를 활성화시킬 것이다. 이때 등장하는 개인은 정치적 주체가 아니라 소비자일 것이며, 이때 등장하는 공간은 예술을 세속화하는 놀이의 무대가 아니라 예술을 자본화하는 권력의 각축장이 될 것이다. 그리고 이때 기존의 시공간적 질서에 자율적 행위와 이견적 말을 침입시키는 예술 동호회의 정치는 불가능해질 것이다.

V. 나가며

앞서 언급한 사례들은 예술 동호회가 지배적 질서를 거스르는 잠재성을 가진 동시에 예술 동호회가 지배적 질서에 종속된 하위 사회로 기능할 수 있음을 보여준다. 현대 사회에서 예술 동호회를 비롯한 자발적 결사체의 증가 이면에는 독립성에 대한 추구와 함께 기능적 효율성이 자리 잡고 있다. 이 점에서 아감벤의 다음과 같은 주장은 귀 기울일 만하다.

> 세속화의 기관으로서의 놀이는 도처에서 쇠퇴하고 있다. 현대인이 더는 놀 줄 모른다는 것은 새로운 놀이와 기존의 놀이가 현기증이 날 정도로 증가했다는 사실로도 입증된다. 실제로 춤이나 파티 같은 놀이에서 현대인은 자신이 거기에서 찾을 수도 있는 것(잃어버린 것의 축제에 다시 접근할 가능성, 성스러운 것과 그 의례로의 회귀)과 정반대의 것을 필사적으로 집요하게 찾는다. 그것도 스펙터클한 신종 종교나 시골 무도회장의 탱고 레슨에서와 같은 어리석은 의식의 형태로 말이다. … 놀이에 그 자체의 순전히 세속적인 사명을 되돌려주는 것은 하나의 정치적 과제이다.[38]

따라서 예술 동호회의 정치는 그것이 활성화시키는 자유 시간, 자율적 감각, 평등한 관계의 이용가치를 구별하고 분리하는 문화자본으로 환원시키는 예술적 권위의 신화학과 화폐적 구매력의 교환가치로 환원시키는 경제학에 맞서 수행되어야 한다. 즉 예술 동호회의 정치는 자신에 내재하는 모순과 외부로부터 부과되는 압력과 싸워야 한다. 앤디 메리필드는 마르크스의 『정치경제학 비판 요강』을 인용하며 다음과 같이 이야기한다.

> 자유 시간은 "유휴 시간이기도 하고 고도의 활동을 위한 시간이기도 하며", 이 모두가 "시간의 소유자를 다른 주체로 변화시킨다." 마르크스는 '형성의 과정 속에 있는 인간'을 상상하라고 말한다. 하지만 주의할 것이 있다. '실제로 자유로운 노동'—예를 들어 작곡, 예술가의 노력, 집필, 기타 개인의 자아실현을 위한 여러 형태—이 "푸리에가 바람난 아가씨처럼 매우 순진하게 이해하듯이 노동이 단순한 재미, 단순한 오락이라는 것을 의미하지 않는다. 실제로 자유로운 노동은 … 동시에 대단한 진지함, 강도 높은 노력이다."[39]

요컨대 자유 시간은 그것을 침해하는 힘을 마주하며, 그것에 침입하며, 제작되어야 하고 확보되어야 한다. 여기서 경계해야 할 것은 자유 시간 속에서 정치적 주체화와 공공성을 전취하기 위한 "진지함, 강도 높은 노력"에 대한 강조가 다시금 공통의 문제에 대해 말하고 행위 할 수 있는 이성적 능력을 소환하는 것이다. 앞서 말했듯이 한나 아렌트는 예술을 '공통의 문제에 대해 자유로운 말과 행위를 지속시키는데 도움을 주는 한'에서 공공성에 기여하는 것으로 평가했다. 예술은 그 같은 말과 행위를 기록하고 지속 가능한 형태로 담아낼 때, 즉 작품으로 드러날 때 공적 가치를 담보하게 되는 것이다. 그러나 진은영에 따르면 윤리적 탁월성,

---

38) 조르주 아감벤, 앞의 책, 2010, 112~113쪽.

39) 앤디 메리필드, 김채원 옮김, 『마술적 마르크스주의』, 책읽는수요일, 2013, 255~256쪽.

즉 공통의 문제를 잘 반영하느냐로 예술을 평가하거나 미학적 탁월성, 즉 공통의 문제를 지속가능한 형태로 잘 재현하느냐로 예술을 평가하는 관점은 그러한 기준들의 외부에 존재하는 사회적 실천으로서의 예술 동호회 활동의 중요성을 간과한다.

> 우리가 윤리적 탁월성을 중시하든 미학적 탁월성을 중시하든 간에 문학작품은 오직 생산물 자체의 고유한 탁월성이라는 차원에서만 공적 영역에 기여할 수 있게 된다. 문학활동이라는 이름 아래 공공 영역에서 벌어지는 수많은 예술동호회 활동이나 아마추어작가들의 활동, 혹은 문학을 매개로 하는 다양한 사회적 실천들은 장려할 만한 것이나 문학의 본질에 접근하는 활동은 아니라고 판단될 것이다. 그것은 위대한 생산물을 산출하는 생산자 활동이 아니라 고작해야 '제대로' 향유하거나 '잘' 소비하는 향유자 혹은 소비자의 활동이기 때문이다.[40]

앞서 말했듯 아렌트는 작품 제작이 아니라 취미활동으로 전락한 예술은 파괴된 공공성과 노동사회의 지배력을 입증할 뿐이라고 주장한다. 그러나 진은영은 작품의 완성도와 그것이 담아내는 공적 메시지가 아니라 글쓰기 자체의 중요성을 강조한다. 왜냐하면 글쓰기를 통해 "고통 받는 사람은 은유와 상징, 알레고리와 같은 다양한 문학적 표현형식을 통해서 타자, 사회, 세계를 향해 자신의 문제를 다루고 표현하는 다양한 유희의 방식"[41]을 배우기 때문이다. 진은영은 '문학치료' 이야기를 하다가 곧이어 '만인의 작가되기'라는 문학적 민주주의 이야기로 넘어간다. 어떻게 문학치료는 문학정치와 연결되는가? "완전무결하게 행복한 사람을 제외한 모든 이들이 쓰고 표현함으로써 고통으로부터 건강으로 이행하는 자가 되어야 한다는 것이기 때문이다. 이 제안 속에서 문학은 소수의 천재가 지닌 고급한 인간 역량이 아니라 만인의 역량에 근거한 것으로 규정된다."[42] 이는

40) 진은영, 「문학의 고독 : 포이에시스에서 프락시스로」, 미발표 논문, 2013, 6쪽.
41) 진은영, 위의 글, 2013, 21쪽.

아렌트가 그토록 폄하한 예술 동호회의 활동에도 적용될 수 있다. 이들은 뛰어난 작품을 제작하는 자들이 아니라 자유로운 시간과 관계를 제작하는 이들이다. 이들의 활동 속에는 "신적 말도 보편적 말도 존재하지 않으며 오로지 매번 의미화할 수 있도록 각자에게 속하는 음성 덩어리만 존재한다."[43] 즉 예술 동호회의 활동은 예술이라는 음성 덩어리를 주고받는 자유와 평등의 놀이라고 할 수 있다. 예술 동호회의 정치에서 공론장은 이성적 대화가 오가는 학교가 아니라 그 같은 놀이가 치안적 질서에 침입하여 펼쳐 놓는 무대에 다름 아니다.

예술 동호회가 견지해야 할 것은 정치적으로 올바른 사유나, 사회적으로 바람직한 관계가 아니다. 예술 동호회는 이성과 도덕의 학교가 아니라 놀이의 무대를 만들며 지키려 한다. 이때 작동하는 것은 놀이를 망치고 방해하고 파괴하는 힘, 놀이 안에 예술의 신화적 권위와 경제적 교환가치를 주입하려는 힘에 맞서는 또 다른 힘이다. 현대의 예술 동호회는 분명 우리에게 모순적 얼굴을 번갈아 보여준다. 예술 동호회는 자율적 사회와 하위 사회, 인구와 인간, 주체의 희미한 미광과 권력과 자본의 눈부신 스펙터클, 사용과 소비, 자유와 통치, 평등과 불평등 사이의 모순을 내포한다. 이 모순은 정치가 사회를 계몽시킴으로써, 혹은 사회가 정치를 질식시킴으로써, 이상적으로 혹은 절망적으로 해소될 종류의 모순이 아니다. 이 모순은 현대의 사적 취미 영역과 공적 정치 영역이 더 이상 분리될 수 없음을, 우리가 삶의 현장에서 예속화의 힘에 맞서 끊임없이 주체화의 의지와 역량을 발휘하고, 또한 발휘해야 함을 보여준다. 예술 동호회는 이 두 힘이 격렬하게 맞서고 싸우는 역동적인 장으로 재인식되어야 한다.

---

42) 진은영, 위의 글, 2013, 21쪽.

43) 자크 랑시에르, 앞의 책, 2008a, 177쪽.

어떤 만남, 지학순과 장일순 : 원주공동체의 초기 역사

김 원

I. 질문—한살림 혹은 공생

오늘날 '원주'하면 '한살림운동'이 연상되곤 한다. 혹은 장일순, 김지하 등과 연관된 생명운동을 연상하기도 한다. 하지만 원주에서 이런 흐름이 생겨나게 된 계기가 존재했다. 그 시점은 1965년 지학순과 장일순의 만남으로 거슬러 올라간다. 사제와 은둔의 사회운동가의 만남은 교회 개혁, 협동조합 그리고 사회정의 운동으로 70년대 초반까지 이어졌다. 그런 과정에서, 장일순은 한계에 부딪히게 된다. 즉 마르크스주의나 운동 논리가 지닌 한계에 대해 인식하기 시작했던 것이다. 다른 식으로 표현하자면 노동운동과 농민운동 등 기존 운동이 내세웠던 전면전 형식의 운동을 다른 사상과 방식으로 전환해야 할 필요성을 느꼈다. 이처럼 장일순은 1977년을 기점으로 자본주의와 공산주의를 막론하고 자연을 파괴하고 생산력 증가의 결과를 분배하는 식의 투쟁이 아닌, 물질 중심의 현대 산업사회를 대신할 협동의 문화, 즉 근원적인 문명의 문제에 천착한 자연과 공생을 추구하는 운동으로 스스로 방향을 틀어나아갔다.[1] 물론 논란의 여지가 있지만, 비폭

* 본 연구에서 인용, 참조한 구술자료는 국사편찬위원회가 2009년과 2011년 연구용역 수집 및 소장하고 있는 것이다. 소중한 자료를 열람할 수 있게 허락해준 점에 감사드린다.

1) 이경국, 「무위당의 사상과 협동운동」, 『너를 보고 나는 부끄러웠네』, 녹색평론,

력-공동체내 구성원 간의 공생을 강조하는 운동관은 새로운 운동 패러다임이 요청되는 현재 재평가되어야 할 대상이 아닌가 싶다. 상생, 도농 간 협동과 협조에 기반해서 새로운 문명을 창출하겠다는 장일순에게 운동은 공생과 조화였으며, 그에게 혁명은 보듬어 안는 것을 의미했다.

> (나에게 운동이란—인용자) 전체가 다 공생하자는 이야기죠. 운동이라는 것이 뭐냐했을 때 으레 투쟁이 기본이냐, 아니면 조화가 기본이냐로 갈리죠. 나는 조화가 기본이라고 봅니다. … 상대를 없애버리는 해결은 해결이 아니라고 보는 거죠. 저것이 있는 것은 이것이 있기 때문에 가능한 것이지 없애버리면 해결이 있을수 없죠. … 혁명은 새로운 삶과 새로운 변화가 전제가 되어야죠. 새로운 삶은 폭력으로 상대를 없애는 것이 아니라, 닭이 병아리를 까내듯이 자신의 마음을 전심투구하는 노력 속에서 새로운 삶이 태어나는 것이잖아요.[2)]

바로 이러한 실험이 점진적으로 발전했던 것이 1980년대 시작된 '한살림운동'이었다. 장일순에게 한살림이란, "우리가 지금 살면서 매일같이 엎어지는 것은 무엇 때문이냐 하면 한쪽만 보기 때문에 엎어진단 말이야. 우리가 모두 소비자인데 농사짓는 사람이 없다면 우리가 먹고살 수 있어요? 소비자가 없으면 농사꾼이 먹고 살수 있어요? … 이게 있으면 저게 있고 우주의 모든 질서는 사회적 조건은 그렇게 돼 있다 이 말이야. 그러니 누구를 무시하고 누구를 홀대할 수 있느냐는 말이지."[3)] 이런 생각에 근거해서 장일순은 56세였던 1983년 10월에는 농산물 도농직거래 조직인 한살림을 만들었다. 한살림은 표면적으로 직거래조직이었지만, 환경오염 등으로 사라지는 하늘과 땅과 물과 밥상을 되살리자는 취지에서 만들어졌다.

2004, 56쪽 ; 장일순, 「늘 깨어 있는 사람」, 『나락 한알 속의 우주』, 녹색평론사, 1997, 102~103쪽 ; 장일순, 「반체제에서 생명운동으로」, 『나락 한알 속의 우주』, 녹색평론사, 161~162쪽.

2) 장일순, 『나락 한알 속의 우주』, 녹색평론사, 1997, 133쪽.

3) 최성현, 『좁쌀 한알』, 도솔, 2004, 36쪽.

더 이상 농촌 그리고 농민만의 협동-소비조합운동은 한계가 있으며, 도시 노동자, 빈민과 함께 힘을 모아 일해야 한다는 것이다. 원주라는 강원도의 작은 농촌에서 활동은 점차 약해지므로, 도시 소비자들과 손을 잡고 일해야 한다는 주장이었다. 1988년 70여 명의 조합원들이 모여서 '한살림공동체 소비자협동조합'을 창립해 한살림이 생활협동운동의 틀을 갖추게 된다. 바로 생존의 필수조건인 농을 생태-협동적으로 살려내어, 그 농산물을 도농 생활자들이 같이 연대해서 본격적으로 만들어 내는 것이었다. 그 결과, 1989년 한살림모임과 '한살림선언'이 발표된다.

이처럼 장일순은 한살림공동체 운동을 비폭력-공동체 질서에 기초한, 비시장적 논리에 기반한 공동체로 사고했다. 즉 낭비와 파괴를 강요하는 자본주의적 시장기구로부터 가능한 독립성을 유지, 자치적 해방구를 만들어보려는 노력이었다.[4] 『녹색평론』 김종철에 따르면, "한살림 공동체운동이 종래 주류 사회변혁운동에 비교하여 특히 새로운 점은 그것이 철저히 비폭력적인 수간을 통하여 지금까지 우리 삶을 지배해왔던 권력추구적, 배타적 경쟁의 원리를 넘어서 어디까지나 자율적이며 협동적인 공생의 질서를 지향할 뿐만 아니라 지금 당장의 생활 속에서 실천하려고 한다는 사실일 것이다."[5]

기왕의 연구들은 원주, 협동조합운동에 초점을 맞추거나, 장일순이 1980년대 주창한 생명사상이 지닌 의미에 관심을 둔다.[6] 이 글에서 관심은

---

4) 장일순은 공동체적 삶을 경쟁을 통해 인간이 자기 분열을 전개해 자멸을 가져오거나 영성적인 절대만을 유일한 진리라고 생각해 상대적인 현상을 무시하는 것도 아닌, 상대적인 다양한 현실만이 전부라고 사유하는 것이 아닌 하늘/땅, 인간, 세상만물이 나의 한 몸임을 강조했다. 장일순, 「나와 너는 천지만물과 더불어 하나입니다」, 『너를 보고 나는 부끄러웠네』, 녹색평론, 2004, 8~9쪽. 반면 지학순은 미래 교회에 관해 언급하며 교회의 자기 반성에서 나타난 중심적 사실로 '공동체로서의 자기 발견'을 지적한다. 즉 개인 구원을 중심으로 하는 개인주의적 그리스도교관(敎觀)에 대한 '전체의 구원이라는 연대성'을 근본으로 하는 그리스도교의 재이해라고 통칭한다. 지학순, 「현대 사목의 동향과 미래 교회의 구조」, 『정의가 강물처럼』, 형성사, 1983, 157쪽.

5) 장일순, 『나락 한알 속의 우주』, 녹색평론사, 1997, 163~165쪽.

주로 두 사람, 장일순과 지학순이다. 77년 이후 운동노선의 전환이 공식화됐지만, 길게 따져보자면 60년대 중반 한일국교정상화 반대 이후 장일순의 관심은 대립, 계급, 국가(권력)에서 공생, 지역-소도시(원주) 그리고 협력으로 나아가기 시작했다. 물론 70년대 이후 원주에서 생협운동이 장일순 개인에 의해 전적으로 이끌어진 것은 아니지만 이 글에서는 지학순과 장일순의 만남이라는 '사건'에 주목하고자 한다.

이 글에서는 1961년 5·16 군사쿠데타를 전후로 한 지학순과 장일순의 행적을 따라가면서, 민주/독재 식의 패러다임과 구분되는 협력-공생이라는 가치의 맹아가 어떻게 원주에서 만들어졌는지를 추적해볼 것이다. 특히 여기서 중요한 인물이 지학순이다. 그간 원주공동체에서 지학순보다는 장일순이 부각되거나 장일순에 의해 공생-협력이라는 생명사상의 원천이 만들어졌다는 해석도 존재한다.[7] 원주대교구 초대 주교인 지학순은 표면적으로 장일순과 어울리지 않는 인물이다. 원주 출신도 아닐뿐더러, 장일순이 초기 수용했던 민족주의, 좌우합작, 자립 등 문제의식과 거리가 있다. 지학순은 월남민이자 공산주의에 의해 수난을 체험했던 인물이었으며 동시에 로마에서 법학 박사학위를 획득하는 등 엘리트 코스를 밟고 제2차 공의회에 따른 교회개혁의 흐름 속에서 원주교구의 수장인 주교로 파견되

---

6) 장일순에 대한 연구는 대부분 풀뿌리 민주주의와 생명사상, 율려사상 혹은 생태주의적 측면에서 장일순 개인을 다루고 있다. 대표적인 사례가 하승우, 「1970~80년대 민주화운동의 사상과 이념 ; 한국 풀뿌리민주주의의 사상적 기원에 관한 고찰」, 『기억과 전망』, 2008 ; 박순금, 「장일순 생명사상의 생태유아교육적 함의」, 『한국생태유아교육학회』, 2003 ; 박준건, 「김지하 생명사상과 율려사상에 대한 하나의 고찰」, 『대동철학회』, 2003 ; 이영화, 「무위당(无爲堂) 장일순(1928~1994)의 사상과 활동」, 강원대학교 교육대학원, 2006 등이다. 최근에는 원주지역 협동조합운동 및 재해대책운동에 대한 경험적 사례 연구가 활발해지고 있다. 대표적인 사례가 제현수, 「1970년대 원주지역 협동조합운동의 전개 : 천주교 원주교구의 재해대책사업을 중심으로」, 연세대학교 사학과 석사논문, 2008 등이다. 최근 김소남의 박사논문은 이러한 원주지역 협동조합운동을 조직과 운동이란 면에서 통시적으로 다룬 중요한 성과다(김소남, 「1960~80년대 원주지역의 민간주도 협동조합운동 연구」, 연세대학교 사학과 박사학위논문, 2014).

7) 『녹색평론』을 중심으로 한 장일순의 전유 작업이 대표적이다.

었다. 요즘 말로 표현하자면 두 사람은 '노는 물이 다른 사람'이라고 말할 수도 있겠다.

하지만 1965년 첫 만남이후 60~70년대에 걸쳐 장일순과 지학순은 일종의 파트너 쉽을 형성하며 원주 지역운동을 이끌었다. 당시 민주화운동의 입장에서 보면 교회가 일종의 '피난처가 아니었냐'라는 손쉬운 해석을 할 수도 있다. 그러나 원주라는 소도시를 거점으로 한 장일순과 지학순의 만남은 '피난처'만은 아니었다. 물론 사회안전법 아래에서 장일순은 어느 정도 그런 생각을 했을 가능성을 배제하기는 어렵다. 하지만 피난처였다면 어느 순간엔가 그 곳을 떠나야 하는 것이 당연한 데, 이들은 그렇지는 않았다. 그렇다면 이 두 사람의 만남과 관계는 어떻게 설명해야 하는가? 이 점을 설명하려면 먼저 1961년 5·16 군사쿠데타를 전후로 한 장일순과 지학순의 행적부터 살펴야 할 것이다.

II. 다른 체험—전쟁, 빈곤 그리고 평화

장일순. 그는 무이당, 좁살 한 알 등으로 알려진 원주 사람이다. 한국정치사나 사회운동사 등에서 장일순이란 이름을 찾는 것은 쉽지 않다. 우리가 아는 원주는 군사도시나 토지문학관(박경리) 등을 생각하기 쉽다. 하지만 역사적으로 원주는 반역의 도시였다. 이중환 『택리지』를 보면 원주는 늘 서울을 넘보고 반역하는 곳으로 묘사되어 있다. 해방 직후 원주는 우익이 인민위원회를 결성해 주도권을 잡았으나 좌익도 중앙의 조직과 연대해 조직적 활동을 벌여 좌우익이 분립된다. 또한 한국전쟁 발발 이후 치열한 전장이었던 원주는 많은 피해를 입었으며 1953년에 최초로 제1군사령부가 창설되면서 전후복구를 주도했고, 신흥군사도시로 발돋음했다. 그 결과, 식민지시기와 해방 직후 사회운동은 잠재화되고 우익 중심의 지역으로 재편된다.[8)]

이런 원주를 터로 삼아 장일순은 50년대 이후 원주 사회운동의 정신적 지주였으며, 앞에 나서진 않지만 생활인, 서민들의 일상과 함께 하는 운동이란 측면에서 정치투쟁을 중심으로 한 당대 민주화운동과 다른 결을 지닌 운동을 전개했다. 그는 지식인, 전위에 의한 국가권력 중심적 운동이 아닌, 지역을 기반으로 한 협동조합운동이자 다양한 민의 연대에 기초한 통일전선적 운동을 지속적으로 추구했다.

장일순이 사회운동에 관심을 갖게 해준 사람은 조부와 스승 박기정 그리고 해월 최시형이다. 장일순의 조부는 구한말 원주 도감영에서 일하다가 식민화 이후 장사를 하며 어려워진 집안을 일으켰다. 조부는 인생에서 경우와 순서, 평등이 무엇인지 장일순에게 알려주었다.[9] 또 차강 박기정으로부터 장일순은 글씨와 그림을 배웠으며, 사물과 현상 그리고 역사와 현실을 올바르게 읽어낼 수 있는 안목을 얻게 되었다.[10] 뿐만 아니라 유년기 그의 집 앞에는 천도교 포교소가 있어서, 일찍이 동학을 접할 수 있었다. 특히 해월 최시형은 장일순이 생명운동과 한살림운동으로 전환하게 된 사상적 배경이었다고 한다. 장일순에게 동학은 일상이자 운동이었다. 고부에서 시작된 동학은 지역의 반란에서 시작되었다. 원주라는 소도시를 거점으로 한 지역거점의 운동도 이러한 동학으로부터 많은 시사를 받았던 것이다.[11] 또한 1940년 장일순은 13살에 요한이라는 세례명으로 천주교에 입교했다. 1938년 장일순의 형이 15살도 되기 전에 골수암으

---

8) 김소남, 「1960-80년대 원주지역의 민간주도 협동조합운동 연구」, 21~22쪽.

9) 장일순의 조부는 장일순이 15살 때 사망한 형의 상여에 절을 했다. 조부는 그 이유로 '네 형이 이 세상에서는 내 손자였지만 이젠 세상을 달리 해 할아버지보다 앞서 가신 분이다. 그래서 잘 가시라고 했다'고 한다. 장일순, 「늘 깨어 있는 사람」, 『나락 한알 속의 우주』, 녹색평론사, 1997, 105쪽 ; 장일순, 「새로운 문화와 공동체운동」, 『나락 한알 속의 우주』, 녹색평론사, 1997, 137쪽.

10) 차강 박기정은 의암 유인석 휘하에서 의병투쟁을 하다가, 평창 도암으로 낙향하여 묵객으로 생활하여, 임정에 군자금을 보내던 인물이었다.

11) 이는 김지하의 해석이다. 김지하, 「시인에게서 듣는 무위당 장일순의 사상」, 『너를 보고 나는 부끄러웠네』, 녹색평론, 2004, 189쪽.

로 사망하며 가톨릭 공동묘지에 묻어달라고 유언을 한 뒤 가족이 가톨릭으로 개종한 것이다. 하지만 조상에게 제사를 금지하는 등의 규칙은 지키지 않았고, 집안에는 유교, 도교, 불교 그리고 천주교가 공존했다.[12)]

1952년부터 원주에 살면서 그는 외골수처럼 권력과 싸웠다. 장일순은 해방 직후에는 국대안 반대운동에 나섰다. 서울대 초대총장으로 엔스테드라는 미국인이 들어서자 이에 반대했던 것이다. 애초 서울대 공대 전신인 공업전문대 소속이었던 장일순은 제적당한 뒤 미학과에 진학했다.[13)] 장일순은 원 월드운동으로, 몽양 여운형을 따라, 50년대는 냉전의 절벽에 맞서 평화통일을 주장했으며, 4·19 직후에는 사회대중당 등을 통해 진보적 사회의 건설을 위해 정치에 뛰어들기도 했다.[14)] 당시를 그는 다음처럼 이야기한다. "수복이후 이리로(원주로－인용자) 옮겨와 이 집을 지었습니다. 이게 토담집입니다. 난 해방 당시부터 이승만이를 좋아하지 않았어요. 자유당 정권이 들어섰지만 이승만에게 협력을 안하니까 그때부터 요시찰인물이 됐습니다. 이승만이 망가지기 직전에는 미국과 소련이 한반도에서 나가고 중립화 통일이 돼야한다고 주장 … 그런 것 하다보니 감옥에 붙들려 가고, 거의 평생을 요시찰이나 엉거주춤한 생활로 보냈습니다."[15)]

주목할 만한 행보는 '원월드운동'이었다. 20대 약관의 그는 세계적인 물리학자 아인슈타인과 서신교환을 하며 미소에 의해 한반도와 세계가 양분된 상황 하에서 '세계연방정부'를 일찍이 주창했다. 당시 그는 세계연방운동 한국지부 상임이사였는데, "해방직후 원 월드운동을 했어요. 그것은 아이슈타인을 비롯하여 세계과학자들이 먼저 시작했지요. 히로시마와

---

12) 지학순정의평화기금 편, 『그이는 나무를 심었다』, 공동선, 2000, 127쪽 ; 장일순, 「풀 한포기도 공경으로」, 『나락 한알 속의 우주』, 녹색평론사, 1997, 114쪽.

13) 장일순, 「민주의 길에서 생명의 길로」, 『너를 보고 나는 부끄러웠네』, 녹색평론, 2004, 121쪽.

14) 여운형은 근로인민당의 문화-교육 분야에서 중책을 맡았고 여운형과 사돈 관계인 원주 출신 이만규와 여운형과 친밀한 관계였던 박기정으로부터 장일순은 여운형의 사상과 노선에 대해 익히 들었을 것으로 추정된다. 김소남, 앞의 글, 24쪽.

15) 장일순, 『나락 한알 속의 우주』, 녹색평론사, 1997, 122쪽.

나가사키에 원폭이 투하된 뒤로 아이슈타인이 반성을 많이 하지 않았습니까? 세상에 못할 짓을 했다고요. 그러면서 세계를 하나의 연립정부로 만들어야 한다는 이야기를 했지요."[16]

장일순의 50년대 실험은 대성학교였다. 한국전쟁기 거제도 포로수용소에서 통역관으로 일하다, 52년 원주로 돌아온 그는 경영이 어려운 성육고등공민학교를 53년에 인수, 교장에 취임했다. 26세 때 일이었다. 당시 원주는 전국 각지에서 6만명의 피난민이 모였고 원주농고를 제외하고 인문계 학교가 전무한 상황이었다. 장일순이 50년대 교육사업에 매진한 것은 이런 원주의 상황 때문이었다.[17] 또한 장일순은 1954년에는 대성중고등학교를 설립했는데, 이름을 대성이라고 지은 이유는 도산 안창호의 대성학원의 맥을 잇기 위해서 였다. 다른 한편 50년대 그에게 큰 정신적 기둥은 평화통일론으로 진보당을 이끌던 죽산(竹山) 조봉암이었다. 그는 50년대 죽산을 따르며 평화통일운동을 주창했으며, 50년대 그리고 60년대 초반 민족통일과 민주화라는 큰 화두 속에서 살아갔다. 이 시기 그에게 조봉암은 큰 기둥과 같은 존재였다. 이후에도 그는 억울하게 죽어간 죽산 이야기를 하며 낙루하곤 했다. 그는 몽양으로부터 사회주의를, 죽산으로부터 통일을 그리고 유가와 가톨릭, 동학 등 여러 흐름을 교접해서 자신의 것을 만들고, 이를 운동에 접합시켰다.

1958년 장일순은 무소속으로 국회의원에 출마했으나 당선되지 못했고, 4·19 이후인 60년 사회대중당 후보로 선거에 출마했지만 낙선했다. 당시 장일순은 통일사회당 준비위원회 강원도 책임자였고, 원주 지역 혁신계 활동가인 성문현과 윤길중 등과 교류하며 활동했다.[18] 1961년 군사쿠데타

---

16) 최성현, 『좁쌀 한알』, 도솔, 2004, 168쪽.

17) 김소남, 앞의 글, 26쪽.

18) 성문현은 1916년생으로 1951년 1·4후퇴 당시 원주로 내려와서 윤길중을 통해 사회현실에 개안한 뒤, 진보당 활동을 했다. 그는 1961년 장일순과 더불어 사회대중당 활동을 하다가 5·16 군사쿠데타 이후 피신을 하며 이후에는 활동을 하지 않은 것으로 알려졌다. 김소남, 앞의 글, 29쪽.

직후 장일순은 투옥된다. 그 이유는 평화통일을 공공연히 주장했기 때문이었다. 8·15 광복절 행사 때 장일순은 연단에 올라가서 평화통일을 외쳤다. 50년대, '북진통일'이 국시였던 시기에 빨갱이로 몰렸고, 군사쿠데타 이후에는 '강원도 대표'로 용공혐의로 투옥되었던 것이다.

반면 1921년 9월 9일 평안남도 중화(中和)에서 태어난 지학순은 월남한 사제였다.[19] 중화는 평양에서 남쪽으로 40리 떨어진 황해도와 맞붙은 지역이었다. 지학순은 농사꾼인 아버지 지태린과 어머니 김태길 사이 12형제 가운데 차남으로 자랐다. 그는 1934년 13살 때 중화 천주교회 메리놀선교회 요셉 콜먼 신부로부터 '다니엘'이란 세례명으로 세례를 받았다.[20]

지학순의 부모도 천주교 신자였지만 지학순이 신부가 되고 싶어한다는 바램에는 반대했다. 하지만 지학순은 어머니를 설득해서 1936년 3월 서울 혜화동 "소신학교"에 입학했다. 하지만 전쟁 말기 영양 부족 등으로 폐결핵을 앓아 1940년 8월에 낙향하게 된다. 집으로 돌아가 어느 정도 건강을 회복한 지학순은 두만강 국경 도문 세관, 중화군청의 서기에 취직했지만 신부가 되는 것을 포기할 수 없었다.[21]

지학순은 마침 신부가 부족한 상황 속에서 다시 부모를 설득해 원산 근처에 있는 함경남도 덕원신학교 신학과에 1943년 3월 입학하였다. 성베네딕트 수도원과 같이 위치한 덕원신학교는 지학순에게 '평안'을 준 장소로 수도생활을 하기에 적당한 곳이었다. 1944년에는 삭발례(剃髮式)를 받고 모친도 매우 기뻐했다. 하지만 이때부터 여러 차례에 걸친 지학순의 수난의 청년기가 시작된다.[22] 그것은 냉전과 전쟁, 빈곤과 겹쳐진 문제였다.

---

19) 지학순에 대한 자료는 지학순, 『내가 겪은 공산주의 : 體驗實記』, 가톨릭出版社, 1976 ; 지학순 편, 『빛이 되어라』, 지학순주교기념사업회, 1995 등을 참조했다. 특히 평전인 지학순정의평화기금 편, 『그이는 나무를 심었다』, 공동선, 2000을 주로 참조했다.

20) 지학순정의평화기금 편, 위의 책, 14~15쪽.

21) 지학순정의평화기금 편, 위의 책, 17~20쪽.

1945년 해방 이후 소련군이 진주하게 되고 북로당이 정권을 장악하자 1949년 5월 9일 덕원 수도원은 인민군에 의해 포위되고 주교와 사제들은 연행되었다. 결국 6일 뒤인 5월 15일, 덕원신학교는 정부에 의해 폐쇄되고 지학순은 집으로 돌려보내지게 된다.[23] 신부가 되기 위해 마음의 평안을 얻으려던 지학순의 첫 번째 수난이었다. 하지만 지학순은 포기하지 않고 1949년 5월 해주성당에서 안내자를 구해 제1차 월남을 시도했다. 하지만 38선 북한 측 경비병에 붙잡힌 지학순은 여감방 감금, 중노동 등을 100일간 받은 뒤 1949년 9월에야 풀려나게 되었다. 하지만 지학순이 38선에서 잡혀 죽었다는 소문을 들은 지학순의 어머니는 실신한 지 1달 만에 사망하고 말았다. 지학순은 신부가 되고자 다시 한번 월남을 시도하게 된다. 지학순은 인민군 소좌인 안내원의 도움으로 윤공희와 함께 평양을 떠나, 금고역, 38선을 거쳐 1950년 1월 17일 38선을 넘어 월남에 성공해 서울로 향하게 됐다.[24] 지학순의 두 번째 수난이 마감되는 순간이었다.

서울에 와서 지학순은 10년 만에 서울 대신신학교에 입학해서 신부가 되기 위한 공부를 시작하게 된다. 그러나 운명의 장난인지 넉 달만인 1950년 6월, 한국전쟁이 발발해서 지학순은 신학생들과 더불어 대전, 진주, 마산을 거쳐 부산까지 피난을 오게 된다. 지학순은 부산중앙성당 사제관에서 기거하다가, 전쟁 기간 동안 몇 차례 취업과 입대를 하게 된다. 이 기간은 지학순이 월남민이자 청년으로서 전쟁과 미군에 대한 분노 그리고 빈곤에 대해 체험하게 되는 때였다. 초기 지학순은 동료 신학생과 더불어 제3부두 미군부대 식당에 취업했으나, 가난에 찌든 한국인에 비해 물자가 넉넉한 데도 음식물이 쓰레기로 가버리는 현실에 분노했다.[25]

그러다가 지학순과 신학생들은 1950년 9월에 부산 육본에 가서 입대를

22) 지학순정의평화기금 편, 위의 책, 23~24쪽.
23) 지학순정의평화기금 편, 위의 책, 27~29쪽.
24) 지학순정의평화기금 편, 위의 책, 17~20쪽.
25) 이 시기 체험은 지학순정의평화기금 편, 위의 책, 43~44쪽 참조.

요청하게 되고, 지학순은 미 보병 제2사단에 배속되어 한국군의 인사 사무를 담당했다. 이 시기 역시 지학순은 미군과 지내며 한국인을 무시하고 차별하는 미군에 대해 분노하게 된다.[26] 이후 인천상륙작전으로 한국군은 평양으로 북진하게 되자만, 지학순은 점령군과 같이 북한 주민을 다루는 국방군과 미군에 대해 실망할 뿐만 아니라, 미군의 한국 여성 성폭행 시도, 후퇴한 영등포에서 매일 대규모 파티를 여는 미군의 행태를 다시 목격하게 된다.[27]

하지만 전쟁 과정에서 지학순은 1965년 그가 주교로 가게 될 원주와 '첫 인연'을 맺게 된다. 원주는 한국전쟁 시기 격전지였기에 가옥이 거의 없었고 지학순의 부대는 원주역에 진주했다. 원주에서 지학순은 아직 신부는 아니었지만, 미국인 신부를 보조해서 고백성사를 통역하는 등 일종의 성직자 생활을 했다. 뿐만 아니라 지학순은 외딴 마을을 산책하며 가난한 피난민에게 연민을 느껴서 미군부대의 캔디, 비누, 치약과 칫솔 등을 주기도 했고, 가난으로 자식을 남에게 맡기려는 비정함을 체험하기도 했다.[28]

지학순은 1952년 강원도 횡성전투에서 부상을 당해 육군 하사로 제대를 한 뒤, 16년 만에 서울 대신학교를 졸업하고 마침내 1936년 소신학교 입학이후 16년만인 1952년 12월 사제로 서품되었다.[29] 사제가 되었지만 아직 전쟁 중이었기에 지학순은 첫 부임지로 1953년 1월 거제포로수용소교회 종군신부로 가서 인민군 정신 교육을 맡다가 휴전을 맞이하게 된다. 1936년 소신학교 입학이후 전쟁, 질병과 빈곤, 교회와 신학교의 폐쇄, 가족의 사별 등 여러 수난을 겪은 뒤, 지학순은 마침내 사제가 된 것이다.

전후 1953년 11월부터 지학순은 청주 북문로성당 보좌신부를 지내다가

26) 지학순정의평화기금 편, 위의 책, 46쪽.
27) 지학순정의평화기금 편, 위의 책, 46~47쪽, 51쪽, 58쪽.
28) 지학순정의평화기금 편, 위의 책, 53~58쪽.
29) 지학순정의평화기금 편, 위의 책, 62~64쪽.

1956년 10월 윤공희, 이영섭 신부등과 더불어 로마 프로파간다대학교 대학원에 유학을 떠났다. 지학순이 당시 머물렀던 성 베드로 칼리지란 기숙사는 지역교회 주교를 만드는 공장이라고 불릴 만큼, 세계 각국에서 온 유학생들이 교황청 관리들과 친교를 맺을 기회가 많았고, 특히 지학순처럼 교회법을 전공하는 경우 외교관이나 주교가 될 가능성이 높았다고 한다. 1959년 박사학위를 받고 귀국한 뒤 지학순은 천주교 청주교구장 비서(1960년), 서울 가톨릭신학대학 신학부 교회법 교수(1960년 3월), 부산 초장동천주교회 주임신부(1962년 4월)로 본당 신부로 첫 발을 내딛었다.[30] 이때까지 지학순은 한국 천주교회의 주변인에 가까웠다.

지학순은 월남인들 상당수가 그랬듯이 반공주의자였지만 전쟁과 빈곤 그리고 이를 떠받치는 냉전을 한국전쟁 체험을 통해 어느 정도 공감한 인물이었다. 더불어 기존 사제들과 달리 사제로서 권위를 내세우지 않았으며 대단한 추진력을 지닌 인물이었다. 시인 김지하는 지학순을 모델로 「축복」이란 시 한편을 썼다.[31]

원주역 바로 앞엔 해방촌
해방촌 바로 뒤엔 법원
법원 바로 옆엔 주교관

어느 그믐밤
은발의 주교님 길을 가셨다
'할아버지 놀다 가세요'
'놀 틈 없다'
'틈 없으면 짬을 내세요'
'짬도 없다'
'짬 없으면 새를 내세요'

---

30) 지학순정의평화기금 편, 위의 책, 17~20쪽.
31) 지학순정의평화기금 편, 위의 책, 66~68쪽.

'새도 없다'
'새도 없으면 탈나세요'
'탈나도 할 수 없지'
옛다 과자나 사 먹어라

원주 학성동 주교관을 오르는 언덕배기에는 매매춘 여성들이 살기 위해 늘어서 있곤 했다. 그녀들이 주교관의 지학순을 모를 리는 없었을 것이다. 사제의 권위보다 평신도에게 교회의 문을 열어주려고 했던 지학순에게 매매춘여성들조차 편하게 장난을 걸었다는 것을 드러내는 글이다. 급하고 불 같은 성격, 강한 추진력 이면에 지학순이 왜 1965년 이후 사회정의와 생존권이란 문제에 가까워질 수 있었는지 보여주는 실마리이다. 그럼 이런 대조적인 체험을 지닌 두 사람이 1965년 만났던 시간으로 가보자.

III. 1965, 장일순과 지학순의 만남–평신도와 자립의 교회

3년간 감옥에 있다가 나온 뒤 장일순은 오랜 시간 동안 정치활동금지법에 의해 활동을 규제받았고, 67년부터는 사회안전법에 의해 '감옥 밖의 감옥'을 겪어야만 했다. 늘 집 앞에는 경찰과 형사들이 그의 일거수 일투족을 감시했고, 돈 버는 일 역시 쉽지 않았다. 심지어 성당에서 그에게 '너는 빨갱이인데 왜 성당에 나오느냐'라고 주변으로부터 핍박을 받기도 했다.[32] 이처럼 '묶인 신체'와 '노예의 언어'를 그는 감내해야만 했다. 장일순과 가까워지면 미움을 사거나 배척당할 위험이 있어서, 찜찜한 사람들은 그와 교류조차 하기가 어려운 형편이었다. 이런 조건을 스스로 이길 수 있는 이들만이 그와 교류를 했다.

---

32) 김영주, 「무위당 선생의 주민사회운동」, 『너를 보고 나는 부끄러웠네』, 녹색평론, 2004, 152쪽. 장일순은 13살에 세례를 받았고 1956년 원동성당 레지오의 단장으로 임명되기도 했다. 지학순정의평화기금 편, 앞의 책, 127~128쪽.

… 들어앉아서 책만 보면 공산주의 사상만 깊게 들어간다고 오해하잖아요. 그러니 붓장난이라도 하고 있어야 '저 사람 서예하고 지낸다'고 하지 않겠습니까.[33]

… 경찰서, 안기부 … 그분들이 수시로 오셨어요. 늘 감시를 당하고 있는 기분이었지요. 그래서 글은 일절 못썼어요. 이름이 들어간다거나 해서 다른 분들에게 피해를 입히는 일이 없도록 하기위해서 였지요. … 미행이 붙는 날에는 잘 아는 사람을 만나도 그저 얼굴이나 아는 사람인 양하고 지나쳐야 했어요.[34]

한편 감옥에서 나온 뒤 1965년 어느 날 장일순은 젊은 사제 지학순을 만났다. 지학순이 43세, 장일순이 38세였다. 우선 먼저 손을 내민 지학순의 입장을 보자. 지학순은 한국 천주교회에서 주변인이었다. 로마에서 엘리트 코스를 밟았고 법학 박사학위를 지녔으며 가톨릭신학대학 교수를 지냈지만, 월남 과정에서 온갖 고생을 했고, 돌아온 뒤 발 붙일 곳이 없어 겨우 부산 초장동 본당을 맡고 있었다. 지학순은 처음 원주에 왔을 때 주교관도, 머물 집도, 돈도 없어서 부산교구 최재선 주교가 마련해준 돈으로 원동성당 주변 낙원여관을 매입해 교구청을 만들 정도였다.[35] 하지만 지학순은 천주교회에서 절대적인 힘을 지닌 주교였으며, 전혀 예상치 못한 원주교구 주교로 임명됐다. 그 이유는 다름 아닌 제2차 공의회 정신을 통한 교회의 변화를 주도하기 위한 것이었다. 지학순은 주변에서 "하늘에서 떨어진 사람"이라고 말해도 할 말이 없었다.[36]

---

33) 장일순, 『나락 한알 속의 우주』, 녹색평론사, 1997, 127쪽.

34) 최성현, 『좁쌀 한알』, 도솔, 2004, 190쪽. 장일순의 아내인 이인숙의 회고이다.

35) 학성동 주교관은 1967년에나 만들어졌다. 지학순정의평화기금 편, 앞의 책, 74쪽.

36) 애초 원주교구장은 아일랜드 신부가 추천되었다고 한다. 그러나 제2차 공의회 이후 교회 개혁이 진행되는 상황에서 아일랜드 사제가 첫 원주교구장을 하는 것은 공의회 정신과 배치되는 것이었다. 따라서 교황청내 개혁파에서 일방적으로 지학순을 주교로 지명하게 되었다. 김영주 구술자료(국사편찬위원회 수집 구술자료, 2011년 7월 2일, 원주시 무위당기념관, 면담자 이경란 외 5인).

기존 교회가 사제를 중심으로 이뤄진 평신도와 유리된 존재였다면, 제2차 공의회는 교회 개혁과 사회정의를 내세웠다.[37] 교황 요한 23세는 교회 2000년사에서 획기적 대사건인 동시에 혁신적 종교개혁이자 교회혁신의 전환점인 공의회 개최를 1962년 10월에 실현시켰다. 1962년부터 65년까지 계속된 제2차 바티칸공의회에서 교회는 현대 세계에 발 맞춰 변화해야 한다고 선언했다. 그 내용 가운데에는, "구제해야 할 것은 인간이며, 개혁해야 할 것은 인간사회"라는 성직자 중심에서 평신도 중심의 하느님 중심의 교회가 위치했다.[38] 제2차 공의회에서는 「어머니와 교사」, 「지상의 평화」, 「현대세계의 사목헌장」 등 문헌을 통해 그간 세계의 변화에 무관심했던 천주교회, 인류역사와 유리된 천주교 교회의 과거 과오에 대해 반성하고 쇄신해야 할 것을 천명했다. 동시에 가톨릭만이 유일한 종교라는 확신을 버리고 다양한 종교의 가치를 인정하는 동시에, 세례를 받은 자만이 구원된다는 태도의 지양, 성직자의 권위주의 포기, 종교행사에서 신부 1인 중심이 아닌 모든 참여자가 함께 예배를 하도록 하며 평신도는 사제와 수도자와 더불어 인류 구원을 위한 적극적인 역할을 해야 함을 제시했다.[39] 대표적인 예가 라틴어로 진행되는 가톨릭 전례를 각국 모국어로 바꾸는 문제였다.[40]

이런 공의회 정신이 한국에서 실험되었던 장소가 원주교구였다. 교황 바오로 6세는 1965년 3월 22일 춘천교구에서 원주시, 원성군, 영월군, 삼척군, 정선군, 울진군을 분리시켜 한국 14번째 교구 원주교구를 설정하는 칙서를 발표하고, 같은 날 지학순을 초대 교구장으로 임명했다.[41] 지학순이

37) 공의회는 교황의 직권과 결합되어 교회의 최고권위를 이루는 한 회합이다. 이 공의회에서 세계가톨릭 교회의 교도권(教導權)을 지닌 인물들이 모여 교리, 도덕, 교회 행정상의 중요 문제를 협의, 결정한다. 지학순, 「공의회에 대하여」, 『정의가 강물처럼』, 형성사, 1983, 121쪽(발표는 1963년).

38) 지학순, 「공의회에 대하여」, 『정의가 강물처럼』, 형성사, 1983, 120~125쪽.

39) 지학순, 「제2차 바티칸공의화와 교도권」, 『정의가 강물처럼』, 형성사, 1983, 133~40쪽.

40) 지학순, 「공의회에 대하여」, 125쪽.

초대 원주 교구 주교로 임명된 것은 바티칸 공의회가 끝나기 전에 이뤄진 것이었다.[42] 같은 해 6월 거행된 착좌식에서 지학순은 「신설 원주교구장의 중책을 맡으며」란 취임사를 통해, "윤리도덕의 확립없이 참다운 복지국가가 이룩될 수 없다는 것은 역사가 증명하는 사실입니다. … 군기와 호령만으로 윤리 도덕이 확립되지 않으며, 여기에는 메마른 마음에 단물을 부어주는 종교의 부드러운 손길이 필요합니다."라고 밝혔다.[43] 또한 지학순은 아직도 한국 교회가 공의회 이전의 의식과 사고 안에 머물고 있지 않은가란 질문에 성실히 답해야 한다고 촉구하기도 했다.[44]

하지만 공의회 정신의 실현은 지학순 혼자만의 힘이나 의지로 할 수 없었다. 지학순도 그렇지 않아도 바티칸에서 직접 임명된 자신에 대한 주변의 시선이 곱지 않음을 알고 있었다. 뿐만 아니라 막상 찾아온 원주는 지학순의 힘이 되어줄만한 사람은 거의 찾아보기 힘들었다. 사제들도, 평신도들도 멀게만 느껴졌다. 지학순은 스스로에게 물었다. '공의회 정신을 확산시키려면 사람이 필요해. 평신도 가운데.' 지학순은 평신도 가운데 자신과 뜻을 맞출 사람을 찾기 시작했다.

사정은 장일순도 다르지 않았다. 장일순은 1964년 3년 복역후 대성고등학교 이사장으로 복귀해 학생들에게 『사상계』를 소개하고 함석헌을 강사로 초빙해 강의를 하는 등 학생들의 의식을 향상시키려는 노력을 했다. 하지만 한일회담반대시위를 배후 조종했다는 혐의로 대성학원이사장직도 물러나야만 했다.[45] 이후 정치활동정화법에 묶인 장일순은 집주변에 경찰의 감시가 붙어있다는 느낌도 들었다. 더군다나 원주는 좁은 동네였다. 3대째 원주에서 살아온 토박이 장일순도 자신을 향한 원주 사람들의 시선을

41) 당시 원주교구 신자수는 13,400명, 사제는 한국 신부 5명, 콜롬바회 신부 11명이었다. 「원주에 새교구 초대 교수장에 지주교를 임명」, 『경향신문』 1965년 6월 26일자.
42) 지학순정의평화기금 편, 앞의 책, 70~71쪽.
43) 지학순정의평화기금 편, 위의 책, 72쪽.
44) 지학순, 「제2차 바티칸공의화와 교도권」, 135쪽.
45) 김소남, 앞의 글, 30쪽.

느끼고 있었다.[46] 세례를 받은 지 오래되었건만 일요일마다 성당에서 자기 뒤에서 수근거리는 목소리로부터 자유롭지 못했다. 장일순은, "저는 명함도 없고 명함을 주고받는 습관도 없습니다. 죄송합니다. … 제가 그 사람의 명함을 가지고 있거나 무슨 일이 생기게 되면 폐를 끼치게 되고 마는 상황이었기에 무슨 일이든지 잊고자 했던 것입니다."[47] 당시 장일순의 모습은 촌부처럼 주변 사람들에게 느껴졌다.

> 원주에 우리 장일순 선생님이 그때 당시는 바보지 뭐. 모자 푹 눌러쓰고 대니고 씨익거리며 댕기면 뭐 꼭.[48]

장일순은 봉산 2동 935-1번지 변두리 자택에서 원주 시청까지 1시간 동안 걸어 다니며 좌판, 리어카, 바구니 장사, 동네 순경까지 만나 소소한 이야기를 나누었다.[49] 모자를 눌러쓰고 촌부처럼 그는 이제 왠지 세상일을 접고 칩거하며 난이나 치며 소일하는 게 자신과 가족이 남은 세월을 안전하게 살 수 있는 방법이 아닌가라는 생각이 들기도 했다. 사방이 막힌 느낌이었을 것이다, 장일순 역시.

그러던 어느 날 원주 봉산동 다리 건너에 위치한 장일순의 집에 손님이 한 명 찾아왔다. 원주 시내 외곽에 위치한 먼 곳까지 누가 찾아왔는지 장일순은 의아해 했다.

"선생이 장일순이요?"

---

46) 장일순은 임진왜란 시기 원주에서 전사한 13대 조부 이래 원주에서 살았다. 장일순, 「늘 깨어 있는 사람」, 『나락 한알 속의 우주』, 녹색평론사, 1997, 104쪽.

47) 장일순, 「풀 한포기도 공경으로」, 『나락 한알 속의 우주』, 녹색평론사, 1997, 112쪽.

48) 이긍래 구술자료(국사편찬위원회 수집 구술자료, 2011년 7월 3일, 원주시 무위당기념관, 면담자 이경란 외 6인).

49) 김지하, 「시인에게서 듣는 무위당 장일순의 사상」, 『너를 보고 나는 부끄러웠네』, 녹색평론, 2004, 185쪽.

"네, 그렇습니다만. 주교님이 이 시골까지 무슨 일로 …"

"난 이야기를 돌려서 하는 사람이 아닌지라. 난 원주와 교회를 바꾸고 싶소. 장 선생의 도움이 필요하오."

"우리 교회는 거지처럼 외국 교회에 빌붙어서 운영 되서 자립성이 전혀 없소. 또 신부들도 자기들이 왕이나 되는 것처럼 신도들 위에 군림하는 모습이 교회를 망치고 있소. 이런 상황에서 교회일이 제대로 되지도 않고 주교로서 교회를 제대로 이끌어갈 수 있겠소?"

"맞는 말씀입니다."

"이제 교회가 하나님을 믿는, 예수를 믿는 사람들 모두의 교회가 되어야 하지 않겠소."

"주교님 말씀이 맞습니다. 평신도가 주인이 되려면 우선 교육이 이뤄져야 하고 또 하나는 교회 자체가 자치의 틀로 질서가 바뀌져야 할 것입니다."[50]

이렇게 월남민 출신인 젊은 사제와 원주 토박이 사회운동가는 1965년 원주에서 만났다. 제2차 공의회 정신에 따라 교회를 변화시킬 꿈을 품고 있던 지학순은 함께 일할 사람을 찾았고, 이를 맡아 해낼 능력을 지닌 장일순과의 만남은 열정과 사상의 결합이었다. 지학순은 북쪽 출신이고 월남 과정에서 고생을 많이 했기에 성격이 급하고 직선적인 것으로 알려졌지만, 멋쟁이기도 했다. 그렇지만 지학순의 심중에는 공의회 정신 혹은 '현장에서 그리스도를 찾자'는 문제의식에 근거해서 교회가 사회로 나아가서 그들과 함께 하려는 실천을 60년대 중반부터 시작했던 것이다.

무엇보다 지학순은 교회 개혁을 널리 알리고 평신도 중심으로 교회를 전면적으로 바꿔야만 했다. 바로 평신도 중심으로 교회와 원주 사회를 변화시키려고 했다. 지학순은 장일순 외에도 같이 일을 할 사람을 찾았다. 장일순을 매개로 지학순은 주변의 평신도들을 모았다. 대표적인 인물이 원주교구 기획실장 김영주다. 김영주는 학생운동을 하다가 1960년 장일순

---

50) 장일순, 「민주의 길에서 생명의 길로」, 『너를 보고 나는 부끄러웠네』, 녹색평론, 2004, 114~115쪽에서 재구성.

의 선거운동을 돕기도 했으나 공무원 시험을 거쳐 원주와 춘천시청에서 초고속 승진을 한 인물이었다. 상식적으로 미래가 보장되었고 가톨릭 신자도 아닌 김영주가 원주교구로 들어와 일을 할 리가 만무했다. 지학순은 일을 실무적으로 능숙하게 처리할 사람을 찾다가 김영주란 이름을 듣게 된다. 지학순은 대성학교 이사장을 했던 장일순에게 김영주에 관해 묻는다.

> "장 선생, 김영주라고 아십니까. 교구 일을 맡아서 할 사람이 필요한데, 주변에서 그 사람을 추천하더군요."
> "잘 알지요. 대성시절 수학을 가르쳤고 1960년 제가 국회의원 선거하던 시절에도 많이 도와주었지요. 그 뒤 공무원이 돼서 실력을 인정받았지요. 그런데 지금 한참 일 잘하는 데 교구에 와서 일을 할까. … 제가 이야기를 해보지요."[51]

그 뒤에도 지학순은 춘천시장을 만날 때 김영주를 배석시키기도 하고, 춘천에 올 일이 있을 때마다 김영주를 만났다. 그러다가 김영주는 서울시청으로 승진 발령을 받았다. 지학순은 이 사실을 알고 장일순에게,

> "김영주가 서울로 발령이 났답니다, 어쩌면 좋습니까. 저희 교구에 꼭 필요한 사람인데."
> "무조건 데려와야 합니다."[52]

춘천시청에서 서울시청으로 발령이 나기 전날, 장일순은 이경국을 시켜 김영주의 짐을 원주교구로 옮기도록 했다. 김영주는 가톨릭 신자도 아니었지만 지학순의 비서관으로 일하게 된 것이다. 김영주는 장일순이, "미래의 큰 일을 위해 주교님과 의논한 일이니 따라주게"란 말을 거스르기 힘들었고 독실한 천주교 신자인 어머니도 그러길 바랬다.[53] 물론 주변에서 엄격한

---

51) 김영주, 「무위당 선생의 주민사회운동」, 151쪽에서 재구성.
52) 김영주, 위의 글, 151쪽.

신분제도로 움직이는 교회와 사제들의 보수성으로 일 하기가 어려울 것을 염려해 김영주의 이직을 말리기도 했지만 방법이 없었다.[54] 사제들의 입장에서 본다면, 교회의 전통에서는 이해되기도 용납되기도 어려운 일이었다.[55] 하지만 지학순은 이에 개의치 않고 평신도협의회 회장, 꾸르실료 교육 담당, 평신도 교육 등을 장일순과 주변 사람들에게 맡겼다. 보통 사제라면 쉽게 하기 어려운 일이었다. 특히 김지하는 10여 년간 기획위원이라는 직함으로 교구청 직원으로 활동했고, 심지어 감옥 안에 있던 시기에도 꼬박꼬박 월급을 받았다.[56]

교구가 평신도를 움직일 인물들이 채워지자 지학순은 초기 제2차 바티칸 공의회의 문헌을 소개하며 교회의 사회참여를 주도했다.[57] 주교가 된 직후인 1965년 9월 바티칸 공의회 제4회기에 참석하기 위해 로마에 머물렀던 지학순은 1966년 공의회 참관기를 통해, 공의회의 방침 가운데 획기적인 것으로 이제 교회는 성직자들의 것이 아닌 하느님의 백성에 봉사하는 교회라는 것이라고 밝혔다.[58] 즉 지학순은 공의회의 핵심 정신에 따라 원주교구를 평신도 중심으로 변화시킬 것을 결심했다.

애초 지학순은 주교가 되자마자 일본어로 된 공의회 문서를 구입해 향후 천주교회가 나아가야 할 방향을 이것으로 잡았다. 장일순은, "요한 23세가 걸물이예요. … 교회가 폐쇄되어 질식 상태가 되었으니 숨이 막혀 못 살겠다. 창문을 활짝 열라고 했거든. 종전에는 사람들이 교회 울안에

---

53) 이경국, 「무위당의 사상과 협동운동」, 『너를 보고 나는 부끄러웠네』, 녹색평론, 2004, 52~53쪽.

54) 김영주 구술자료(국사편찬위원회 수집 구술자료, 2011년 7월 2일, 원주시 무위당기념관, 면담자 이경란 외 5인).

55) 최기식 구술자료(국사편찬위원회 수집 구술자료, 2011년 7월 22일, 원주시 천사들의 집 사제관, 면담자 정규호 외 6인).

56) 지학순정의평화기금 편, 앞의 책, 205쪽.

57) 하지만 출옥후 성당에 나가면 '너는 빨갱이인데 왜 성당에 나왔느냐'는 식의 괄시를 받기도 했다.

58) 지학순정의평화기금 편, 앞의 책, 76쪽.

들어와야만 구원된다고 고집했지만 이젠 문을 열어 교회 토착화까지 말해 전 세계 민중들로 하여금 자기 지역의 민족지도자, 의인들, 현인들까지 만나게 해주었거든."[59] 지학순은 평신도가 본당의 주인으로 자리 잡게 하기 위해 피정 프로그램을 통해 제2차 공의회 문헌을 학습하게 했으며, 1년에 두 번씩 1박2일 코스로 의무교육을 받도록 했다.[60]

하지만 다소 의문스러운 점은 왜 지학순은 장일순을 같이 일을 도모할 사람으로 낙점했을까란 사실이다. 장일순은 해방 직후 그리고 1960년 평화통일 등 사상적으로 의심을 받았던 인물이며, 그 주변에 있는 인물들도 마찬가지였다. 사회안전법에 묶여 있던 장일순을 사제들이나 신자들도 곱게만 볼 리가 없었다. 그러나 지학순은 장일순에게 사도회 회장직을 하도록 했고 평신도 운동의 중심에 두었다. 장일순과 가까웠던 60~70년대 비판적 지식인 리영희는 이 두 사람의 관계를 다음과 같이 얘기한다.

> 언제나 뒤에서 지학순 주교님에게 올바른 방향을 일러드리고는 했지요. 사실 지학순 주교님은 본래 사회의식이 분명하지 않았던 분입니다. 인자하시고 순진하셨으며, 열정적인 분이었습니다. 장일순 선생님과의 은근하고 태연한 관계 속에서 많은 영향을 받으셨지요.[61]

리영희의 말처럼 겉으로 보기에 장일순이 지학순에게 사회운동의 방향을 알려주었다고 이해할 수도 있다. 하지만 나는 생각이 좀 다르다. 1965년에서 70년대 초반에 걸쳐 지학순은 원주교구와 원주사회를 변화시킬 중요한 고리를 이미 지니고 있었다. 그 고리는 사상적으로는 제2차 공의회 정신이었고, 조직적으로는 평신도 중심의 교회 개혁과 교회의 자립이었다. 지학순은 1966년 대림시기 사목교서를 통해 교구의 재정 상황을 밝히고 본당운영의

59) 최성현, 『좁쌀 한알』, 도솔, 2004, 31쪽.
60) 지학순정의평화기금 편, 앞의 책, 82쪽.
61) 최성현, 『좁쌀 한알』, 도솔, 2004, 35쪽.

자립을 촉구했다. 당시 원주교구 재정은 97.5%가 외국 원조에 의존하고 있던 형편이었다. 또한 사회적으로는 사회복지를 중심으로 한 가난한 자로 교회의 관심의 확대를 강조했다. 지학순은 68년 오스트리아 가톨릭부인회와 뉴욕대교구 등의 지원으로 가톨릭센터를 세우고 이를 원주 시민에게 개방해 각종 문화 사업을 전개했다.62) 그리고 회의실, 다방, 전시장, 영사실, 숙박시설 등을 갖춘 가톨릭센터는 개관 3년간 45만여 명이 이용했고 1960~70년대 원주공동체의 중심지가 됐다.63)

하지만 한국전쟁을 겪은 지 15년 정도밖에 지나지 않은 원주 사회는 농민이 다수였으며 보수적이었다. 지학순은 계획을 지니고 있었지만 교회와 사제들은 폐쇄적이었고 농민과 평신도들은 교회와 권위에 복종하는데 오히려 익숙했다. 더군다나 월남한 지학순은 한국전쟁 시기 잠시 원주에 머물렀던 경험 이외에 원주와 특별한 연고도 없었다. 주교로서 지학순의 노선을 따라줄 인물도, 세력도, 재원도 아무 것도 없었다. 이런 상황에서 지학순은 가톨릭 평신도이면서도 오랫동안 원주에서 거주해온 공의회 사상에 동의하면서 평신도를 교육하고 이끌 경험을 지닌 인물이 필요했다. 그 가운데 한 명이 장일순이었다.

지학순은 평신도를 중심으로 교회를 변화시키고 교회의 주도권을 평신도에게 넘겨주었다. 지학순은 처음 원주에 와서 문맹퇴치운동을 전개했고, 다음으로 교회의 자립을 주창했다. 외국으로부터 재정적으로 원조를 받는 것이 아니라, 각 본당의 교무금 납부, 신자들에 의한 자율적인 본당 운영 등이 주요 내용이었다. 그리고 이러한 대부분 결정은 평신도와 협의를 통해 이뤄졌다.64) 그 중심에 장일순과 주변 인물들을 배치하자 당연히 사제들의 불만이 터져 나왔다. 장일순은 지학순의 뜻에 맞추어 사도회장과

---

62) 김영주 구술자료(국사편찬위원회 수집 구술자료, 2011년 7월 2일, 원주시 무위당기념관, 면담자 이경란 외 5인) ; 지학순정의평화기금 편, 앞의 책, 80쪽.

63) 지학순정의평화기금 편, 위의 책, 85쪽.

64) 정인재 구술자료(국사편찬위원회 수집 구술자료, 2011년 9월 3일, 원주시 무위당기념관, 면담자 정규호 외 3인).

애큐매니칼운동을 주도했으며 신협의 각종 교육을 도맡아 했고, 리영희, 김병태, 김금수, 이문영, 김윤환, 김낙중, 박청산 등 주변의 비판적 지식인들을 불러 교육을 시키기도 했다.

1969년 확대 개편된 교구사목위원회에서는 장일순의 동생 장화순을 회장으로 하고 장일순, 김영주 등이 강사가 되어 본당별로 공의회 정신을 교육했다.[65] 사람들을 대할 때 설득력이 강했고 누구나 빠져들었다고 전해지는 장일순은, 67년 지학순의 지시로 서울에서 열린 제2차 쿠르실료에 참가했고, 70년 3월부터 6개월간 지도자 학교를 수료했다. 그 결과 70년 7월 30일부터 사제 6인, 평신도 22명이 참석한 가운데 제1회 꾸르실료를 개최했다.[66] 꾸르실료는 사제와 평신도가 차별 없이 사도직을 행한다는 평신도 중심 교회로 가는 상징으로, 장일순은 3박 4일간 교회의 이상, 교회의 신심, 활동 등에 관해 예습과 복습 과정으로 반복되는 극도의 긴장감 속에서 진행되었던 교육을 직접 담당했다.[67] 3차례에 걸친 꾸르실료를 통해 원주교구의 활동가들이 양성됐던 것이다.[68] 1972년 7월부터는 청년, 여성, 농민, 노동자가 참여하는 '계층별 교육'을 실시해 가톨릭농민회와 가톨릭노동청년회가 조직된다. 이러한 꾸르실료의 활성화는 평신도 중심의 교회를 만들기 위한 기반이었다. 동시에 지학순을 지원하는 장일순, 김영주, 김지하 등 활동가의 공간을 마련하면서, 70년대 민주화운동과 사회정의 운동에 참여하는 조직적 기반을 조성했다.[69]

그렇다면 왜 장일순은 가톨릭 교회를 통해 원주공동체를 새롭게 변화시키려고 했을까? 표면적으로 사회안전법 등 반공주의적 검열을 받는 상황에

65) 지학순정의평화기금 편, 앞의 책, 81쪽.
66) 지학순정의평화기금 편, 위의 책, 82쪽.
67) 이긍래 구술자료(국사편찬위원회 수집 구술자료, 2011년 7월 3일, 원주시 무위당기념관, 면담자 이경란 외 6인).
68) 대표적인 인물로 장화순, 김영주, 최규창, 이경국, 최규택, 박재일 등을 들 수 있다. 자세한 내용은 지학순정의평화기금 편, 앞의 책, 82~83쪽.
69) 김소남, 앞의 글, 42쪽.

서, 장일순에게 합법적이고 넓은 평신도들과 접촉할 수 있는 공간이 필요했을지도 모른다. 뿐만 아니라 불교는 회중이 자주 모이지 못하지만, 천주교는 일주일에 한 번씩 모이므로 예수의 건전한 말을 따르는 생활 유도를 하면 삶의 에너지가 될 것이란 생각에서 가톨릭 교회에 평신도로 참여했다.70)

더 중요한 이유는 장일순은 자신의 교회 참여를 정치운동이나 정치투쟁으로 좁게 이해하지 않았기 때문이었다. 오히려 '사회정의 운동'으로 이해했다. 그는 본인의 조건으로 인한 제약이외에도 정당정치면에서 진보나 새로운 정치세력의 등장이 당시에는 불가능했으며, '뿌리를 박고 사는 생활인들이 하는 삶의 운동'이란 면을 강조했다. 60년대 중반 장일순은 계급운동이 아닌 협동운동에서야말로 미래가 있는 것이 아닐까란 이야기를 주변 제자들과 나누었다.71) 1974년 민청학련 사건 이후 정부의 감시와 지학순의 투옥으로 원주공동체가 어려울 때 박재일은 장일순에게 출마를 권유했다.72)

"선생님, 저희가 지역개발사업을 위해 온갖 고생을 해도, 농민들이 소를 2년간 그 정성을 들여서 키워도 정부가 한우가격을 폭락시켜서 돈이 안됩니다. 농산물 가격만 정부에서 지지해주면 될텐데."

"..."

"선생님이 정치를 하시면 안 되십니까. 이제 저희가 원주에서 터를 내린 지 10년도 넘었구요. 다른 사람들은 원주를 원주민주공화국이라고 한답니다. 선거에 나가셔도 충분히 승산이 있으십니다."

"이런 되먹지 않은 놈. 너는 아직도 협동조합과 우리가 이런 것을 하는 이유를 모르는구나. 너는 아직도 생각이 거기 밖에 못 미치는 구나."

---

70) 장일순, 「민주의 길에서 생명의 길로」, 『너를 보고 나는 부끄러웠네』, 녹색평론, 2004, 114쪽.

71) 1966년 원주로 내려온 박재일과 나눈 이야기이다. 장일순, 「풀 한포기도 공경으로」, 『나락 한알 속의 우주』, 녹색평론사, 1997, 116쪽.

72) 박재일, 「언제나 생명 가진 모든 존재와 함께」, 『너를 보고 나는 부끄러웠네』, 녹색평론, 2004, 181쪽에서 재구성.

> "내가 정치에 참여한다면 3년도 못가 도둑놈이 됐을 것이다. 정치구조가 그렇게 되어 있어. 그렇게 되면 소망했던 일도 할 수 없고, 또 하나는 나와 함께 사는 분들, 가르쳤던 학생들에 대한 배신이지. 그것은 내가 생활해 오며 만난 사람들에 대한 배신뿐만 아니라 겨레에 대한 배신이야."[73]

장일순은 64년에 출소한 뒤 대성중고등학교 이사장으로 복귀했지만, 한일굴욕외교 반대투쟁에 개입했다는 이유로 직위를 박탈당했고, 권력게임과 야합이 판치는 정치판보다 이 땅에 사는 사람들이 잘 살 수 있는 길을 밑바탕에서 돕는 일이 더 필요하다는 생각으로 사회운동에 집중했다. 장일순은 이전 시기 통일, 정부 비판과 다른 맥락에서 원주라는 소도시에서 생활을 중심으로 무엇인가 모색해보고자 했던 것이다.

> 정치를 하고 싶어서 참여한 것이 아니라 억울하게 당한 사람들을 이래서는 안되고 건져내어야 한다 보니까 자연히 정치권에 발언도 하게되고. … 그것은 사회정의운동이지 정치운동은 아니지요.[74]

실제로 65년 이후에도 장일순이 전면에 나서서 교회 개혁을 진행하는 일은 간단한 일이 아니었다. 65년 직후 장일순과 지학순이 많은 시간을 두고 집중했던 것은 교육, 특히 신용협동조합 교육이었다. 60년대 농촌은 어려운 시절이었다. 부락공동기금의 부정한 사용, 장리쌀, 고리사채 등의 성행은 농민을 피폐하게 만들었고, 점차 상호간 불신도 늘어갔다. 이런 조건 하에서 어려운 농민들이 십시일반으로 서로 돕고 자립하는 길을 모색하는 것이 초기 '신용협동조합의 정신'이었다.

장일순은 부산 시절부터 신협을 보아온 지학순을 찾아갔다. "주교님, 신협은 천주교에서 시작한 건데, 이게 사회개발이나 지역발전에 있어서

73) 장일순, 「겨레의 가능성은 대중 속에」, 『나락 한알 속의 우주』, 녹색평론사, 1997, 126쪽에서 재구성.

74) 장일순, 『나락 한알 속의 우주』, 녹색평론사, 1997, 151쪽.

좋은거니 강원도에 보급을 해야 합니다. 그러니 천상 주교님이 책임을 지고 해주시는 것이 어떨까요? 저희가 뒤에서 실무를 맡도록 하겠습니다."[75]

68년경부터 원주본당에서 원주신용협동조합을 만들어 신자 35명이 모여 6만여 원의 출자금으로 조합을 운영했다. 이사장은 장일순이었다. 장일순과 지학순은 교회 안에 조합보다 사회에서 조합운동을 전개하는 것이 중요하다는 데 합의했다.[76] 그 결과로 지학순은 1969년 진광학교 부설 협동교육연구소를 만들어 장일순의 동생 장상순을 실무 간사 일을 맡도록 했다. 진광학교 학생들은 매주 「협동」과목 수업을 듣고 교내 신협에 자발적으로 참여해, 진광학교 신협 조합원은 학생 250명, 교직원 23명으로 1구좌당 300원씩 내어 운영했다.[77] 신협을 통해 교사, 직원, 전교생이 입학과 더불어 신협에 출자금을 내고 자동으로 회원이 되어 교육을 받았다.[78] 특히 장일순과 지학순은 교육을 강조했다. 신협 정신을 제대로 이해하지 못한다면 협동조합은 금방 붕괴될 것이기 때문이다. 사전에 만만치 않은 코스의 조합원 교육을 마친 뒤 주체적으로 조합 결성 여부를 정했다. 심지어 신협의 자원봉사자조차 협동교육연구원에서 21일간 단기지도자교육을 받아야 했다.[79]

당시 신협 교육은 서울에서 온 강사들과 장일순이 진행했다. 1967년 봄 이경국은 협동조합의 역사에 관한 조합원 강좌를 들었다. 군사정부 하에서 한일회담 반대운동을 하다 자수해 중앙정보부에서 치도곤을 치른 뒤, 이경국은 원주로 와서 장일순에게 세례를 받고 신협 교육을 받게 된 것이다. 하지만 신협에 대해 무지한 그는, 생전 처음 듣는 이야기 투성이

75) 김영주, 「무위당 선생의 주민사회운동」, 『너를 보고 나는 부끄러웠네』, 녹색평론, 2004, 144~145쪽.
76) 이경국, 앞의 글, 50~52쪽.
77) 「희망의 안테나-자활다지는 농촌신용조합」, 『동아일보』 1971년 1월 4일자.
78) 지학순정의평화기금 편, 앞의 책, 90쪽.
79) 이긍래, 「내 삶의 어른, 무위당」, 『너를 보고 나는 부끄러웠네』, 녹색평론, 2004, 164~165쪽.

였다. 150년전 영국 로치데일의 협동조합, 독일 라이파이젠 신용조합이 기업 착취에서 벗어나 자본주의 모순을 헤쳐 나아가며 같이 사는 모습 등을 들었다. 장일순은 두레, 계, 품앗이 등 협동의 문화를 소개하는 동시에, 자본주의 모순을 해결하고 인간답게 살기위해서는 민(民)의 자발적 조합운동의 일환으로 신용협동조합이 필요하다는 점을 강의에서 이야기했다. 이경국은 '아, 이게 내가 할 일이구나'란 생각으로 무릎을 쳤다.[80)]

이 시기 장일순과 지학순이 협동조합이나 신용조합 등을 통해 어떤 지향을 지녔던 것일까? 일각에서는 장일순의 이런 시도를 농업사회주의 등으로 부르기도 한다. 이 문제에 대해 장일순이 명시적으로 밝힌 적은 없다. 다만 60년대부터 같이 협동조합에 참여했던 박재일은, "당시 활동에 대해 농업사회주의라고 보는 분들이 있는데 무위당 선생님이 농업에 깊은 관심을 가지신 것은 사실이예요. 그런데 … 경제학적 의미에서 농업을 말한 것이 아니라 농(農) 그 자체가 무엇이냐는 질문을 많이 하셨지요. 농은 인간의 삶과 가장 기본적인 관계를 맺고 있지요. … 선생님이 내게 주신 글씨가 '식이위천(食以爲天)'이에요. 의식주라는 필수조건들을 창조해내는 것이 농업이란 말입니다."라고 밝히고 있다.[81)]

특히 1972년 여주와 태백 일대에 물난리가 났을 때 '재해대책위원회'(이하 재해위)를 통해 민의 자율적 삶의 공간을 개척하고자 했다. 당시 박정희 정권 하에서 관주도 새마을운동이 가속화된 시점임에도 원주의 신협과 협동조합운동은 분명한 지향을 지녔다. 관에 의한 일방적 하향식이 아닌, 상향식 운동이라는 점 그리고 돈을 매개로 한 조직이 아닌 일상적 만남과 인간적 접촉을 통한 조직 운영 등 이었다. 이처럼 두 사람에게 협동조합운동은 교육과 철학에 기반해서 편견을 없애는 '인간화 운동'이었다.

---

80) 이경국, 「무위당의 사상과 협동운동」, 『너를 보고 나는 부끄러웠네』, 녹색평론, 2004, 50~51쪽 ; 박재일, 앞의 글, 164쪽.

81) 무위당을 기리는 모임 편, 『너를 보고 나는 부끄러웠네』, 녹색평론, 2004, 171~172쪽.

단적인 예로 동일한 작물을 생산해낼 수 있는 생산협동체를 구성해 이들이 모여서 마을총회를 구성하고, 마을 일을 민주적이고 협동적으로 처리하기는 자기조절적 생산협동 조직을 지향했다. 물론 당시가 유신 시절이었기에 관의 주목 대상이 되기도 했다. 하지만 당시 농촌과 광산촌에 약 74개의 신협이 만들어졌으며, 관련을 맺고 활동한 지역 역시 3개 도, 13개 시군, 47개 읍면, 129개 리, 17개 광업소에 이르렀다.[82]

뿐만 아니라 원주는 농촌 및 광산운동, 가톨릭노동청년회의 노동운동, 김지하 등 청년들이 주도한 민주화운동 그리고 지학순 등을 중심으로 한 천주교의 부정부패 반대, 사회정의 실현을 위한 사회참여 등이 중층적으로 전개되었다. 흔히 '원주민주공화국'이라고 불릴만했다. 그렇다면 70년대 원주 그리고 그 안에서 지학순과 장일순의 운동은 여기서 멈추었을까?

Ⅳ. 삥땅 사건과 사회정의—원주공동체를 향하여

1970년대 한국사회는 유신과 긴급조치 그리고 군부독재에 대항한 민주화운동 등으로 기억되지만 원주는 좀 달랐다. 원주는 유신에 반대하는 민주화운동도 심화됐지만, 사회정의, 협동조합 등 공동체의 가치를 발양시키는 움직임이 활발했다. 그 출발은 이른바 '삥땅 사건'이었다.[83] 1970년 4월 29일자 신문에는 28일 서울 YMCA에서 개최된 「삥땅 심포지엄」이 대서특필됐다. 서울 시내버스 차장인 천주교 신자 안젤라라는 여성이 한국노사문제연구소를 찾았다. 그녀는 박청산 회장에게 다음과 같은 점을 문의했다.

---

82) 김소남, 앞의 글, 9~11쪽.

83) 신문기사에 따르면 삥땅의 어원은 운수업체의 은어였다고 한다. 삥은 화투 섯다에서 1땅의 의미이고, 땅은 '땅 잡았다' '횡재했다'는 의미라고 한다. 『경향신문』 1970년 4월 21일.

"저는 버스 차장 일을 하면서 어머니 병 치료비와 동생 학비 때문에 하루 300원씩 삥땅을 하고 있습니다. 그런데 저는 가톨릭신자입니다. 양심의 가책을 받아 저는 교회에 나가지 못하고 있습니다. 제가 저지른 삥땅이 죄가 되는지 알고 싶어서 찾아왔습니다."

당시 버스차장 삥땅은 관행화된 문제였고, 이는 이들의 생존권 이하의 노동조건 때문에 일어난 일이었다. 질문을 받은 박청산은 제일교회 박형규 목사에게 이 문제를 논의했지만 그 역시 난감해 했고, 가톨릭노동청년회를 찾아가자 지학순 주교를 찾아갈 것을 권유했다. 박청산은 미리 연락을 하고 원주로 가는 기차에 몸을 실었다. 그는 11시 30분경 주교관으로 지학순을 찾아가 자초지종을 설명했다. 지학순은 잠시 주교관 자신의 방에 들어가 고민을 하더니 점심을 먹은 뒤 다음과 같이 말했다.[84]

삥땅은 죄가 안됩니다. 안젤라 양은 교회에 나올 수 있습니다.

지학순의 이 한마디가 이른바 삥땅 사건의 출발이었다. 박청산과 지학순은 4월 28일 서울 YMCA에서 심포지엄을 열게 되었다. 또한 전날인 4월 27일 문화방송에서 가톨릭신자인 아나운서 임근택 씨 사회로 "삥땅은 죄악이 아니다"라는 대담이 있었다. 지학순은 "종교인의 입장에서 본 삥땅"이라는 주제 강연을 통해 모든 사람은 정당하게 살아갈 권리가 있다. 정의의 입장에서 정의란 분배정의, 사회정의 입장에서 해결되어야 할 것이라고 강조했다. 그는 인권정의, 교환정의, 법적 정의, 분배정의 그리고 사회정의란 면에서 안젤라는 '정당방위'라고 말했다.[85] 지학순은 책임 있는 사람들이 양심적으로 일을 해야 하며 사회정의 차원에서 삥땅은 죄가 아니며 이렇게 근본적인 해결이 될 때 삥땅은 없어져야 한다는 것이었

84) 지학순정의평화기금 편, 앞의 책, 101쪽.
85) 「여차장의 삥땅, 죄냐, 아니냐?」, 『매일경제신문』 1970년 4월 29일자.

다.[86)]

4월 28일 심포지엄에서는 여차장의 노동조건이 자세하게 소개됐다. 전국에 4만여 명인 여차장들은 농촌에서 상경해서 한두 달 차장강습소를 거쳐 버스회사에 취직했다. 이들은 돈 쓰거나 부칠 데는 많은데 급료는 매우 낮았다. 70년 당시 그들이 받는 일당은 540원이었다. 한 달 10,800원을 받았지만 기숙사비와 식대 4,500원을 제하면 실 수령액은 6,300원에 불과했고 외상이 있으면 2,000~3,000원조차 손에 쥐기 어려웠다.[87)] 현금으로 받는 버스요금에 손이 가는 것은 당연했다. 당시 버스요금은 일반 25원, 학생 15원으로 삥땅이 500원이라면 성인 20명의 요금에 해당했다.

차장들은 새벽 5시부터 자정까지 승강구에 서서 일했다. 출퇴근시간에는 승객들을 배치기로 버스에 밀어 넣고 큰 소리로 행선지를 외치느라 목이 쉬었다. 승객들과 요금이나 서비스 문제로 싸움을 벌이기도 했고 학생들의 욕설까지 참아야 했다. 뿐만 아니라 버스요금을 안내고 타는 승객과 말다툼을 하다 머리채를 잡히고 흔들리는 일도 비일비재했다. 심지어 일부 남성들은 승객들에 밀리는 척 몸을 기대며 몸을 더듬는 경우도 있었다. 버스회사에서는 삥땅을 막으려고 감시원 비밀승차, 몸수색, 기습적 가방검사를 했고, 심지어 여감독들은 정류장에서 버스차장들에게 1미터 높이의 새끼줄을 넘게 해 숨겨둔 돈이 있나 검사하기도 했다.[88)]

삥땅은 이처럼 사회문제가 되었는데, 지학순이 관심을 가졌던 것은 인간으로서 '생존권'의 문제였다. 같은 해 11월 일어난 전태일의 분신, 이듬해 8월에 일어난 광주대단지 사건 등은 인간으로서 최소한의 생존권을 어디에서도 보장받거나 보호받지 못하는 노동자, 도시빈민이 자신의 목소리를 내고자 한 움직임이었다. 삼선개헌 등으로 독재에 대한 자유권, 민주헌

---

86) 지학순정의평화기금 편, 앞의 책, 101~102쪽.

87) 「음성수입 생계와 양심의 동승 갈등」, 『동아일보』 1970년 4월 29일자.

88) 「여차장의 부수입 삥땅 심포지엄에서 제기된 문제점과 대책」, 『경향신문』 1970년 4월 29일.

정의 회복은 문제되고 있었지만, 1970~71년 당시 '생존권'이란 문제에 관심을 지닌 이들은 많지 않았다. 하지만 원주에서는 인간이 인간다운 대접을 받고 살 수 있는 권리를 '생명'으로 표현해야 한다는 문제의식이 조금씩 등장했다.[89] 이미 제2차 공의회(「어머니와 교사」)에서 언급된 누구나 적당한 자유 시간을 갖고 필요한 휴양을 할 권리가 있다는 정신에 입각해 지학순은 삥땅사건을 통해 이 문제를 선취했던 것이다. 하지만 문제는 여기에서 끝나지 않았다.

1971년 원주에서 사회정의 운동이 본격화된 것이다. 원주교구는 교회도 방송이라는 홍보 기관을 통한 사회참여가 바람직하다는 여론에 따라 허가권을 지닌 5·16장학회의 제안으로 공동으로 원주 문화방송을 설립하게 된다. 지학순도 당시 현대 사회에서 미디어의 영향력에 대해 이미 어느 정도 판단이 섰던 것으로 보인다. 지학순은 교회가 매스컴으로서 민중의 정신생활을 올바르게 이끌어 간다면 잘못된 매스컴을 시정해 나아가야 한다고 강조했다. 반면 한국 가톨릭은 오늘날 현실에서 매스컴 활용에서 극히 미약하다고 진단하며, 매스컴의 중요성을 역설했다.[90]

69년부터 원주 문화방송 설립 움직임이 있자 원주 출신 여당 의원을 통해 원주교구와 교섭이 진행됐다. 여러 차례 교섭의 결과 원주교구가 1,700만원을, 5·16장학회가 1,300만원을 투자해 3,000만원짜리 회사를 설립하기로 했다. 지학순은 휴가 중이던 아일랜드 신부인 꼴롬바네(Columbane) 신부에게 편지를 보내 당시로는 큰 돈인 1,500만원을 구해 가지고 들어올 것을 요청한다. 이 자금을 가지고 원주 가톨릭 3층에 방송국 자리를 제공하는 비용을 포함, 본사에서는 기술력, 주파수를 제공해 방송국이 만들어져 1970년 9월에 원주 문화방송이 개국했다.[91]

---

89) 김영주 구술자료(국사편찬위원회 수집 구술자료, 2011년 7월 2일, 원주시 무위당기념관, 면담자 이경란 외 5인).

90) 지학순, 「현대교회와 홍보활동」, 『정의가 강물처럼』, 형성사, 1983, 170쪽(출전 1969년).

91) 지학순정의평화기금 편, 앞의 책, 103~104쪽 ; 지학순, 「腐敗의 實狀과 社會正義 :

문제는 방송국이 만들어진 뒤에 발생했다. 지학순은 70년 11월 아시아주교회의에 참석했다가 놀라운 사실을 알게 된다. 필리핀 마닐라에서 예수회 로이터 신부를 만나 카리타스 방송국을 시찰했을 때, 방송국 투자액, 주파수 등에 관해 질문을 하다가 실제보다 많은 돈이 원주 문화방송국에 투자된 것을 알게 된다. 로이터 신부는, "웬돈이 그렇게 많이 들었느냐. 5만 달러면 되고도 남을 터인데 아마 당신이 속은 것 같으니 그런 사람과 같이 사업을 하는 것을 그리 찬성할만한 일이 못된다"고 말했다.[92]

지학순은 귀국하자마자 문화방송 원주교구 파견 전무를 시켜 감사를 실시하고 사장이 천주교 측을 따돌리고 경영을 하고 있다는 것을 알게 됐다. 최소 3백만 원 이상이 7개월 동안 방송국과 무관하게 유용된 것이다.[93] 이를 묵과할 수 없게 되자 지학순은 평신도 회의를 소집해서 5·16재단에 항의할 것을 결정했다.

> 교회는 인류를 구원해야 하는 자신의 복음적 사명을 완수하기 위하여 인간의 인격적 기본권 혹은 영혼들의 구원이 일정한 판단을 필요로 하는 경우에는 언제든지, 정치질서에 관련되는 일들에 대해서도 윤리적 판단을 내릴 권리가 있다고 제2차 바티칸 공의회는 가르치고 있다.[94]

> 우리 가톨릭 교회에서는 근년에 와서 사회정의, 인간의 기본권리, 인간의 생존권, 인류 공동 유대관계 등 직접적 사회문제를 취급하며 교회는 이런 것을 인류에게 올바로 가르쳐야 한다. … 제2차 바티칸 공의회의 「현대사회 사목헌장」이라든가 그를 전후해서 나온 교황들의 모든 교서는 모두 이런 내용들이다. 지금 한국사회에서는 부정부패가 만연하여 사회정의는 그 흔적을 찾아볼 수 없고 인간의 기본권과 생존권이 말살당하고

原州示威의 體驗的 始末記」, 『創造』 25:12, 1971. 12, 52쪽.

92) 지학순, 위의 글, 52쪽.

93) 지학순정의평화기금 편, 앞의 책, 105쪽 ; 지학순, 위의 글, 53쪽.

94) 지학순, 「제2차 바티칸공의화와 교도권」, 138쪽.

> 있는데, 방에 들어앉아 기도나 드리고 있으면 무슨 큰 기적이 일어나 오늘 교회가 부르짖는 것과 같은 정의가 충만한 세상이 될까! 정말 내가 이렇게 애타게 호소하는 이 소리를 거저 듣고만 앉아 있는 것으로 나의 의무를 다했다고 할 수 있을까![95]

지학순은 몇 차례에 걸쳐 5·16재단을 방문했지만 3월 대선, 7월 총선이 지난 뒤에 문제를 처리하자고 미루었다. 7월에는 서울 문화방송국내 실력자인 조태호가 물러나고 문화방송 간부와 사장도 바뀌었다. 본사 사장은 세 번째만에 지학순을 만나주었다. 하지만 그는, "원주 지주교 주변에 용공적인 혁신분자가 많다지요. 그 덕에 방송국을 같이 하기가 어렵다고 하니 무슨 연유입니까"라고 물어왔다.[96] 지학순은 청와대에도 편지와 면담요청을 했지만 소용이 없었고, 뿐만 아니라 정식해명을 요청하는 주주총회도 묵살되었다. 뿐만 아니라 9월에 5·16장학회가 지닌 주식 60% 가운데 51%가 원주교구와 아무런 상의도 없이 원주 문화방송 사장에게 매매됐다.

> 세계적으로 인정받는 가톨릭 주교라는 지위에 있는 내가 이렇게 노골적으로 부패분자들이 자행하는 불의를 당했는데 일반 서민이야 오죽하겠는가. 억울한 무수한 서민들을 대표해서 교회가 힘 있게 일어서야 할 때가 왔다고 생각했다. 이것이 교회가 자기사명을 하는 길이다.[97]

란 생각을 지학순은 품게 됐고 5·16장학회가 부정과 범죄 집단이라는 확신이 들었다.[98]

---

95) 지학순, 「腐敗의 實狀과 社會正義 : 原州示威의 體驗的 始末記」, 『創造』 25:12, 1971. 12, 51쪽.
96) 지학순, 위의 글, 53쪽.
97) 지학순, 위의 글, 54쪽.
98) 지학순정의평화기금 편, 앞의 책, 104~105쪽 ; 지학순, 위의 글, 53쪽.

마침내 1971년 10월 5일부터 7일까지 원동성당에서 규탄대회가 시작되었다. 10월 5일 저녁 7시 30분 당일 미사를 하기로 했지만, 과연 몇 명이나 나올지 지학순 그리고 원주 활동가들은 걱정이 됐다. 하지만 미사 시간이 되고 원동성당 안에 들어가자 성탄절보다 많은 신자들이 성당 안을 가득 채우고 있었다.

> 감격된 순간이었다, 제복을 입고 20여 명의 사제들과 같이 행렬을 지어 성당으로 들어갈 때 운집한 교우들의 씩씩한 모습을 보니 내 두빰에서 뜨거운 눈물이 흘러 내렸다.[99]

미사를 끝낸 뒤 2부 순서로 부정부패 규탄 궐기 대회가 개최됐다. 권력만을 믿고 부정을 일삼는 악과 불의의 표본 집단인 5·16장학회와 이를 비호하는 부패세력은 정의의 준엄한 심판을 받아야 하고, 이들을 무찌르기 위해 총궐기를 해야 한다는 결의문이 채택됐다. 선언문과 결의문을 채택하고 지학순은 행동지침으로, 비폭력에 의한 투쟁, 특정인이 아닌 부정부패 권력, 즉 살아서 조직적으로 움직이는 악을 투쟁의 대상으로 하며 크리스천 사도직의 사명감을 갖고 사회정의를 구현하기 위한 성스러운 투쟁임을 강조했다.[100]

이들은 집행위원회를 구성하고 지학순 주교와 사제들 그리고 1,500여 명의 신자들이 성당 문밖으로 나섰다. 이들은 "부정부패 뿌리 뽑아 사회정의 이룩하자" "부정부패→빈곤"이란 플랜카드를 들고 시위를 벌였다.[101] 지학순과 시위대는 경찰과 1시간 정도 대치하다가 밤10시가 지나자 사고도 생길 수 있어서 성당 마당으로 돌아와 100여 명이 연좌시위와 철야기도회를

99) 지학순, 위의 글, 56쪽.

100) 지학순, 위의 글, 56쪽.

101) 지학순정의평화기금 편, 앞의 책, 107쪽. 신문기사에는 20여 명의 신부와 30여 명의 수녀를 포함한 신도 600여 명이 횃불야간 가두행진을 벌였다고 한다(「부정부패 규탄 철야기도회」, 『동아일보』 1971년 10월 6일).

계속했다. 다음날인 6일 오전 6시 30분에도 400여 명이 가두행진을 하려다가 경찰과 1시간여 동안 대치했으며, 오전에 지학순은 부정부패 처단, 부정부패 공개 규탄, 중앙정보부 해체, 반공법 폐지 등을 요구하는 성명을 발표했고 원주뿐만 아니라 전국 신도들이 궐기할 것이라고 말했다.[102)]

이처럼 3일간 지학순과 신부들은 아침, 저녁으로 합동미사를 한 뒤 거리로 나서려고 했지만 경찰의 제지를 받았다. 특히 저녁 미사 때는 너무 많은 사람들이 모여 성당에서 수용하기 어려웠으며, 6일 오후에는 서울대, 고대, 연대, 이대 등 20여 명의 학생이 원주로 와 기도회에 합류했고 사표를 쓰고 나오는 공무원들도 있었다.[103)] 10월 7일 지학순 주교는 농성을 정리하면서 오후 5시 20분에 '사회정의를 위한 투쟁위원회'를 7개 단체와 결성하고 '사회정의를 위한 공동투쟁선언문'을 발표했다.[104)] 유신 전야에 대규모 시위가 벌어졌던 것이다.

이 시위 역시 지학순과 사제들만이 주도해 나섰던 것이 아니었다. 실제 이들 시위와 집단행동은 원주교구 신우회와 평신도들이 세세한 것까지 조직하고 설득했다. 당시 신우회는 원주교구 그리고 원주공동체의 '결사대' 같은 그룹이었다. 교구 청년회 주요 인물로 이뤄진 신우회는 장일순이 대성고 이사장 시절 인맥, 대성고 인맥 및 원주농고 및 원주고 등 지역 청년들이 망라되어 있었고 이후 재해위 사업에서도 중요한 역할을 담당했다.[105)]

> 민주화운동 나중에 인제 데모하고 활동할 때, 그런 거는 그분(원주 활동가－인용자)들의 말이 맞을지 몰라요. 말대로 그것도 있어요. 왜냐 그러면 우리가 보통 생각하면, 신부들 측에서는 아 그 데모는 신부들이 주도했지, 언제 뭐 평신도들이 했냐 이렇게 얘기할 수 있는데, 그게 아니거

102) 「부정부패 규탄 천주교 신도 200명」, 『경향신문』 1971년 10월 6일자.
103) 지학순, 앞의 글, 57쪽 ; 「서울 각대생 합류」, 『동아일보』 1971년 10월 7일자.
104) 「7개 단체와 투위 구성」, 『동아일보』 1971년 10월 8일자.
105) 김소남, 앞의 논문, 46쪽.

든요. 그게 실질적으로 뭔 일이 하나 벌어질 때는, 데모할 때는 평신도들이 다 짜요, 그거를. 행렬하는 것까지도 어디에서 누가 서고 어디에서 누가 막고 뭐를 하고 ….[106]

이듬해 1972년 사목교서에서도 지학순은 다음과 같이 선언했다.[107]

한 사회가 부정과 부패, 빈곤과 억압과 절망의 위기에 처해있을 때 가톨릭 교회는 서슴지 않고 역사의 주가 되시는 그리스도의 정의와 힘과 평화를 믿으며 불의에 대한 과감한 투쟁을 선포하셨다. … 선포의 대표적인 예로는 위대한 교황 레오 13세의 「노동헌장」과 민중의 친근한 벗인 요한 23세의 「어머니와 교사」 등의 교회 회칙들이 있다. … 나는 오늘의 한국사회가 바야흐로 불평등과 부자유, 억압과 빈곤으로 말미암아 전 민중이 무서운 절망 속에 빠져 있으며 소수 특권층의 끝 모를 부정과 부패, 대중 억압이 인간의 양심과 도덕을 송두리째 앗아가고 있는 현실을 직시하고 이러한 위기를 더 이상 좌시할 수 없어 분연히 일어나 사회정의 실현을 위한 이 교서를 발표하는 바이다. … 교회는 공동선을 위하지 않고 당리나 집권층의 이익만을 위해서 권리행사를 남용하는 정치 행태는 어느 것이나 배제해야 한다.

바로 삥땅 사건과 원주 문화방송 부정부패에 대한 항의 시위를 계기로 사회정의와 반부패 그리고 생존권 문제가 원주의 중요한 의제가 되었던 것이다.[108]

이듬해인 1973년 지학순의 사목지침인 「생활 속에서 그리스도를 찾자」에서도 새로운 활동의 목표로 새로운 신학의 토대 위에 사회정의의 구체적

---

106) 최기식 구술자료(국사편찬위원회 수집 구술자료, 2011년 7월 22일, 원주시 천사들의 집 사제관, 면담자 정규호 외 6인). 강조는 인용자.

107) 지학순정의평화기금 편, 앞의 책, 110~111쪽(강조는 인용자).

108) 정인재 구술자료(국사편찬위원회 수집 구술자료, 2011년 5월 30일, 원주시 무위당 기념관, 면담자 이경란 외 5인).

실천의 조직, 저소득 근로계층 속에 들어가 그들이 세상의 주인임을 깨닫고 권리를 회복해 생활과 현실을 개선하도록 복음 전파, 이들을 협동조합으로 조직교양해 생활 속의 진보 속에서 그리스도를 육신화시킬 것을 제시했다.[109]

1970년대 초반에 일어났던 '2가지 사건'은 70년대 초반 원주공동체가 나아갈 방향을 가시화시켰다. 전자의 사건은 민중의 생존권과 연관된 문제였고, 후자는 특권층과 정부의 부정부패에 대한 사회정의를 요구한 것이다. 그러나 두 가지 사건 모두 1974년 민청학련 등과 나아가는 방향은 달랐던 것으로 보인다. 빵땅 사건은 인간으로서 최소한의 권리인 생존권을 교회와 공동체가 보호해 주어야 한다는 각성을 불러일으켰다. 원주교구 기획실장인 김영주는 당시 논의를 다음과 같이 기억한다.

> 근데 이게(정부의 추곡수매가를 낮게 책정하는 문제－인용자) 생존권의 문제 아냐. 근데 그땐 원주가 지주교님, 무위당(장일순의 호－인용자) 모두 얘길 해가지고 박정희한테 주먹질만 해선 안 된다. 나가라(정권에서 물러나라－인용자) 이것만 해선 안 된다. 그니까 운동의 방식을 바꿔야 된다. 그래서 이제 생명이라는 주제 아래서 인제 사회운동을 하기로 했단 말이야. 거기서 제일 중요한 건 목숨을 이어가기 위해서 중요한 생존권 아냐. 농민한테 제일 중요한 생존권은 뭐야? 쌀값을 보장해 주는게 그거 아냐. 이걸 해결해야 된다. 그래서 그렇게 하기 위해서는 농민 스스로가 공불해고 깨닫게 하는 쌀 생산비 조사운동을 해야 된다.[110]

하지만 1974년 민청학련 사건으로 김지하, 지학순이 구속되고 박정희 정부와 원주공동체 간의 대립이 가시화되며 논의가 확장되지는 못했다.

---

109) 지학순, 「생활 속에서 그리스도를 찾자」, 『정의가 강물처럼』, 형성사, 1983, 120~125쪽(발표는 1973년). 1973년 사목지침은 김지하에 의해 작성되었다는 논의도 존재한다(김소남, 앞의 글, 80쪽).

110) 김영주 구술자료(국사편찬위원회 수집 구술자료, 2011년 7월 2일, 원주시 무위당기념관, 면담자 이경란 외 5인).

원주공동체의 활동이 심화될수록 지학순과 장일순 그리고 원주 활동가들은 지속적으로 박정희 정부의 감시를 받아왔기 때문이다. 각 파출소에서는 장일순과 원주교구, 협동조합 활동가 명단에 언더라인을 그어 놓고 늘 감시를 해왔다.[111] 정보기관은 S급으로 지학순, 김지하 등을 정하고 매일 이들의 동향을 보고하곤 했다.[112] 지학순도 1968년 광복절 행사에 흰 수단에 빨간 모자를 쓰고 "북한 사람들을 도매금으로 미워하는 것은 잘못입니다. 북한 지배층이 잘못하는 것인데 불쌍한 이북동포들마저 미워하면 안됩니다"란 발언이후 '빨갱이 주교'로 몰렸다. 심지어 예비군훈련장 강사조차 그랬다.[113] 아마도 이는 다른 활동가들도 크게 다르지 않았을 것이다. 재해위를 통해 마을마다 작목반 등 자발적으로 만들어진 민주적 조직이 만들어지자 정보기관은 내심 불안해했다. 농협과 달리 민주적으로 투표로 대표를 뽑고, 수시로 모여 회의를 하자 정보기관원들은 자주 들려 감시를 했지만 꼬투리 잡을 것은 거의 없었다. 그렇지만 71년 사회정의 운동, 1974년 민청학련 이후 지학순과 김지하의 구속은 협동조합운동과 민주화운동의 병행이라는 부담으로 다가왔다.[114]

하지만 이런 긴장 자체가 지학순과 장일순이 만들어간 운동 자체를 규정하는 것은 아니었다. 특히 77년을 즈음으로 원주공동체의 운동 방향이 생명운동으로 변해 나아갔다는 증언들에 비추어 보면, 1970년과 1971년이 원주공동체에 지니는 의미는 크다. 지학순과 장일순은 60년대의 연장선상에서 사회정의 운동, 가톨릭노동청년회와 가톨릭농민회, 교회개혁 그리고 농촌과 광산의 협동조합운동으로 영역을 광역화했다. 물론 이 과정에서

111) 이긍래 구술자료(국사편찬위원회 수집 구술자료, 2011년 7월 3일, 원주시 무위당기념관, 면담자 이경란 외 6인).

112) 김영주 구술자료(국사편찬위원회 수집 구술자료, 2011년 7월 2일, 원주시 무위당기념관, 면담자 이경란 외 5인).

113) 지학순정의평화기금 편, 앞의 책, 189쪽.

114) 박재일,「언제나 생명 가진 모든 존재와 함께」,『너를 보고 나는 부끄러웠네』, 녹색평론, 2004, 170~171쪽.

재원을 끌어오고 정부와 교섭을 맡았고 장일순을 포함하는 상담원들을 보호한 것은 지학순이었다.

특히 중요한 전환의 계기는 1972년 남한강 수해였다. 1972년 8월 19일 여주와 태백 일대 13개 시군, 87개 읍면에 187억 규모의 대홍수가 났다. 특히 원주교구 관내 9개 시군과 4개 시군에 집중적인 피해가 가서 이재민 10만, 60여 명의 인명피해가 생겼다. 당시 원주교구 안승길 신부는 원주교구 주보 『들빛』에, "모든 것이 없어졌습니다. 다행히 강당 제대는 남아있어 미사는 봉헌할 수 있습니다. 지난 주일에는 그래도 교우들이 이 자갈밭에 모여 주일 기도를 바치기도 하였습니다. 목숨은 있으니 걱정이 없습니다"란 참상을 전했다.[115)]

지학순은 즉각적으로 긴급구호활동을 전개해 식량, 의류, 천막 등 1천여 만원 물품을 전달했다.[116)] 동시에 독일 천주교 구호단체인 미세레올과 까리타스 후원을 얻어 '재해대책위원회'를 통해 농민회, 노동자회, 어민회 등 자립적 자활공동체를 개척하고자 했다. 외원(外援)에 기반해 초기에는 건국대 농업문제연구소(농문연), 고려대학교 노동문제연구소(노연) 그리고 가톨릭노동청년회(가농) 등 전문가 그룹의 지원을 받아 천주교 교회라는 범위를 넘어선 정부, 민간 사회기관, 교회와 결합을 통해 사업을 추진했다. 지방 정부와 공동사업이 가능했던 이유는 지학순이 원주와 강원도 정부와 원만한 관계를 1960년대부터 가졌기 때문이었다. 그는 지방 정부의 대소사에 참여해서 축사를 하거나 지역 본당 방문 시 도지사, 시장, 경찰 등을 융숭하게 대접하기도 했다.[117)] 이런 지속적인 관계가 재해위 사업의 기반이었다. 그 결과로 1973년 1월 남한강유역수해복구사업을 위한 재해대책위원회(재해위)가 구성되고, 1단계 사업으로 식량구호, 2단계 전답복구, 3단계 부락개발 그리고 4단계 지역개발 사업 순으로 사업이 진행된 것으로 보인

115) 지학순정의평화기금 편, 앞의 책, 119~119쪽.
116) 김소남, 앞의 글, 67~68쪽.
117) 지학순정의평화기금 편, 앞의 책, 189쪽.

다.[118] 재해위 결성은 이후 진행될 협동조합운동으로 전환의 중요한 기반을 제공했다.

동시에 협동정신 함양, 협동작업반 등 슬로건에서 추정할 수 있듯이, 재해위는 정부 주도 복구 사업에 대한 비판적 인식과 전문가 조사에 기초한 수해 농민 상황에 대한 진단이 결합되어 있던 것으로 보인다. 당시 사전 실태조사 결과를 보면 민중의 교회에 대한 불신, 교회의 민중에 대한 무관심, 교회는 협동 사업을 주도할 능력이 전무하다는 것이다. 지학순은 이는 "한마디로 교회가 참담한 민중생활을 외면한 채 현실과 동떨어져 있었던 잘못의 결과이자 과거에 구호물자 등을 조건으로 신자들의 숫자만을 늘리고자 했던 어리석은 선교 방식의 마땅한 결과"라고 날카롭게 비판했다.[119] 당연히 이런 조사와 판단의 결과는 교회는 사업에 거리를 두고 주민, 농민 자신의 힘으로 참여와 결정을 하도록 한다는 원칙이었을 것이다. 표면적으로 '개발'이라는 점에서 유사하다고 할 수도 있지만, '아래로부터 의사결정'이나 '자발적 참여', '부락 특성의 강조' 등에서 추정할 수 있듯이, 정부 주도 새마을운동의 하향식, 위로부터 동원 방식에 비판적 인식을 지녔던 것으로 보인다.[120]

당시 회의 자료를 참조해보더라도, 원주 활동가들은 당시 농민 상황을 1971년 광주대단지와 연결시켰다. 이는 서울시의 강제 이주를 통해 가난과 삶의 터를 상실한 도시 빈민과 수해로 생활근거를 상실한 농민을 '일체화'시키는 인식이었다.[121] 이는 재해위의 사업원칙을 통해서도 간접적으로 확인할 수 있다. 재해위 사업 원칙은 우선 무상구호가 아닌 '자금대여' 원칙과 민주적 절차와 의사결정을 통한 협동조합적 방식을 강조했다.[122]

118) 김소남, 앞의 글, 71~78쪽.

119) 지학순, 「생활 속에서 그리스도를 찾자」, 77쪽.

120) 자료에 따르면 당시 재해위 활동을 '순수한 새마을운동'이라고 불렀던 것은, 정부주도 운동과 재해위를 구별하기 위한 의도가 담긴 것은 아닌지 추정할 수 있다. 원주공동체와 새마을운동간의 관계는 김소남, 앞의 글, 62~67쪽 참조.

121) 김소남, 앞의 글, 458~459쪽.

여기서 지학순의 판단이 중요하게 영향을 미쳤다. 지학순은 재해대책위 활동을 생활 속에서 그리스도를 찾는 것으로 상정하고 1단계는 과제의 이해, 연구, 협동활동을 위한 준비, 2단계는 민중 속에 들어가 협동조직을 전면적으로 전개, 마지막 단계에서는 높은 차원으로 활동을 전개하며 모범을 창출할 것을 초기 1973년부터 제시했다.[123] 지학순은 한국전쟁 직후 구호물자가 본당 회장 책임 하에 배분되고 이른바 '밀가루 신자'를 양성하던 걸인 근성, 교회에 의해 좌우되던 가짜신자 양산이 반복되는 것을 원하지 않았다.[124]

> "이게 이래 가지고는 말이야 안 되겠다."
> "재해대책사업이 거지를 더욱 거지 맨드는 꼴이 되면 안 되니까 이번 기회에 잘 해야 되는데 어떻게 하면 좋겠느냐."
> " 주교님 생각이 그러시면 이번에는 좀 획기적으로 해야 하지 않겠습니까?."
> "획기적이라. … 내 생각인데, 내가 6·25 때 보니까 밀가루만 줘가지고 한국 사람들 다 거지 근성을 맨들었는데 난 아주 불만이 많어."
> "맞습니다, 주교님이 결단만 내리시면 됩니다."

지학순은 재해대책사업이 교세확장과 무관하게 진행되길 원했다. 그래서 사제들의 사업 개입을 엄격하게 금지했다.

> "신부는 재해사업에 개입하지 마쇼. 신부는 신부 노릇이나 하고 그런 건 상담사들한테 맬기고."[125]

---

122) 김소남, 앞의 글, 69~70쪽.
123) 지학순, 「생활 속에서 그리스도를 찾자」, 『정의가 강물처럼』, 형성사, 1983(초출 1973년), 75쪽.
124) 지학순, 위의 글, 77쪽에서 재구성.
125) 김영주 구술자료(국사편찬위원회 수집 구술자료, 2011년 7월 2일, 원주시 무위당기념관, 면담자 이경란 외 5인)에서 재구성.

"재해사업을 위해 받은 돈이, 우리 천주교의 이름으로 받긴 받았으나 내가 이미 사회에다 내놨어. 우리 교회 손 떠난거야. 그거 왜 감 놔라 떡 놔라 왜 해. 좋은 의견이 있으면 이렇게 좋은 의견이 있으니까 이렇게 하라고 의견을 제시하는 건 좋은데 이래라 저래라 하지 마쇼."[126]

이를 통해 지학순은 반민중적이고 이해에 얽힌 교회로부터 자유로운 민중의 정신적 공동체를 강조했다.[127] 이들은 결과보다 '과정'을 중시하며 당사자인 농민을 협동조합이란 운동에 어떻게 접근시킬 것인가를 성패의 관건으로 생각했다.

지주교님께서 그 이 사업을 진행하면서, 이 돈, 독일서 들어온 이 돈을, 당신은 어 그 수해민들과 저기 그 재해대책사업위원회 거기에 이 돈을 전달하는 역할만 했지, 당신은 이 돈에 관해서 일체 관여 안 하신다. 그래서 이거는 종파를 떠나고 빈부의 차라던가, 학벌이나 지연 뭐 이런거 하고 난 구별되고, 교회 하고도 관여가 안 되어 있게 그렇게 완전히 수해민들을 위한 기금으로 써 지기를 원하셨답니다.[128]

구체적인 재해대책 집행 업무는 김영주가, 신협운동(광산노동자 공동체 운동)은 이경국, 박재일, 홍고광, 정인재, 김상범 등은 농촌공동체를, 이창복은 부랑아, 걸인 등을 분담해 조직했다. 73년 재해위가 출범하면서 상담원으로 활동했던 학생운동 출신의 비원주권 활동가와 원주출신 활동가들이 융합해 구성된 것이다.[129] 전체 조직은 3개도 13개시군, 47개 읍면, 129개

---

126) 김영주 구술자료(국사편찬위원회 수집 구술자료, 2011년 10월 1일, 원주시 무위당 기념관, 면담자 이경란 외 3인)에서 재구성.

127) 정인재 구술자료(국사편찬위원회 수집 구술자료, 2011년 5월 30일, 원주시 무위당 기념관, 면담자 이경란 외 5인), 지학순정의평화기금 편, 앞의 책, 121쪽.

128) 위의 정인재 구술자료.

129) 비원주권 활동가는 김현식, 김헌일, 정인재, 홍고광, 한 마리아, 강태용 등이었다. 자세한 구성은 박재일, 「언제나 생명 가진 모든 존재와 함께」, 『너를 보고 나는 부끄러웠네』, 녹색평론, 2004, 167쪽 ; 김소남, 앞의 글, 83~84쪽 참조.

리(농촌), 17개 광업소였다.[130)]

당시 관주도 새마을운동이 가속화된 시점임에도 농촌, 광산촌에 조직된 74개 신협과 협동조합운동은 분명한 지향을 지녔던 것으로 보인다. 정부에 의한 일방적 하향식이 아닌, 작목반 등을 매개로 적은 돈이지만 출자해서 통장을 만들어 신협을 구성했으며 돈을 매개로 한 조직이 아닌 일상적 만남과 인간적 접촉을 통한 밑으로부터 민주적 조직 운영 등이 재해위가 나아가려는 방향이었다.

먼저 72년 이후 전개된 부락개발사업은 70년대 원주공동체의 경제민주화운동이었다.[131)] 당시 정부 주도 새마을운동이 상향식이며 농민의 참여가 형식적으로 이뤄졌던 데 비해 부락개발사업은 농민과 활동가들이 결합된 민간 주도, 상향식, 농민지향적 운동이었다. 또한 이후 교계가 전개했던 YMCA 농촌개발사업(1976년), 충북육우개발협회 및 신협운동(1978년) 등에 영향을 미쳤던 '선구적 사례'였다.[132)]

초기 부락개발사업은 작목별, 이용물별, 능력별로 생산협동체를 구성하고 지도자, 작업반별, 부락민별 교육을 실시해 협동정신과 의식계발을 추진했다. 특히 초기 중요한 역할을 담당했던 집단이 '상담원'이었다.[133)] 상담원은 박재일, 김현식, 홍고광, 이한규[134)] 등이 담당했다.[135)] 또한 이들

---

130) 박재일, 「언제나 생명 가진 모든 존재와 함께」, 『너를 보고 나는 부끄러웠네』, 녹색평론, 2004, 169쪽.

131) 이하 부락개발 및 광산 장기구호사업 등 협동조합운동 사례의 소개는 김소남, 앞의 글, 116~227쪽, 228~335쪽 사례 연구에서 대부분 원용한 것임을 밝힌다.

132) 김소남, 「1970년대 원주지역의 부락개발사업 연구」, 『역사와 현실』 제82호, 2011, 410~411쪽.

133) 김소남, 「1970년대 원주지역의 부락개발사업 연구」, 420~422쪽.

134) 이한규는 원주공고를 졸업한 사람으로 과거 공화당 조직책을 담당했던 인물로 조직적 네트워크가 상당히 존재했다고 한다. 지학순과 장일순은 정부 측과의 채널을 고려해서 이한규를 임명한 것으로 추정된다. 정인재 구술자료(국사편찬위원회 수집 구술자료, 2011년 5월 30일, 원주시 무위당기념관, 면담자 이경란 외 5인).

135) 상담원들 역시 모두 천주교 신자는 아니었다. 이들은 상당한 시간이 흐른 뒤에 영세를 받았다고 한다. 정인재 구술자료(국사편찬위원회 수집 구술자료, 2011년

가운데 상당수는 원주 출신이 아니었다.[136] 초기에는 원주 개운동 강의실에서 건국대 김병태 교수와 이우재가 상주하면서 농촌문제에 대한 의식화 교육을 진행했다.[137]

상담원들은 대상지역 조사, 부락지도자 초청 교육을 통해 농민들이 모여서 자율적 생산협동체인 작목반, 마을총회를 구성하고, 마을 일을 민주적이고 협동적으로 처리할 수 있는 생산협동조합을 만들고자 했다. 특히 중요한 것은 작목반 회의와 학습회를 통한 농민의 의식개발과 집단실천 능력 배양이었다.[138]

장일순과 지학순 그리고 상담원들은 일회적인 물질적 구호가 아닌, 농민의 자립적 의지라고 판단해 교육을 중시했는데,[139] 이를 위해 부락의 실제 지도자를 발굴, 농민교육을 해서 자생적 리더십을 육성했다. 지학순도 1973년 지역내 근로대중에 대한 실태조사와 현실 파악은 다음 단계로 전개될 전면적 협동조합을 주도할 주체인 본당 청년회를 통해 이루어져야 한다고 말했다.[140]

동시에 농촌 지도자 의식화 교육을 통해, 이들이 부락으로 돌아가 작목반, 부락총회를 구성하고 월례회와 학습회를 운영할 수 있는 능력을 배양하는 '전달교육'을 가능하게 했다. 이들 교육의 프로그램은 장일순 등 원주 활동가, 농문연, 노연 그리고 가농 활동가들의 결합으로 가능했다.[141] 장일순은 농민뿐만 아니라 신도들에게도 사회와 인간의 관계, 역사, 정치,

---

9월 3일, 원주시 무위당기념관, 면담자 정규호 외 3인).

136) 최기식 구술자료(국사편찬위원회 수집 구술자료, 2011년 7월 22일, 원주시 천사들의 집 사제관, 면담자 정규호 외 6인).

137) 정인재 구술자료(국사편찬위원회 수집 구술자료, 2011년 5월 30일, 원주시 무위당기념관, 면담자 이경란 외 5인).

138) 김소남, 앞의 글, 423~425쪽.

139) 박재일, 윤형근, 앞의 글, 167~168쪽.

140) 지학순, 「생활 속에서 그리스도를 찾자」, 『정의가 강물처럼』, 형성사, 1983(초출 1973년), 76쪽.

141) 김소남, 앞의 글, 426~427쪽.

경제문화적으로 억압받아온 인간으로서 농민 대중이 어찌 살아가야 할지에 관해 교육 프로그램을 진행했다. 그는 라틴아메리카 농민의 자율성을 강조하며 프레이리의 『피압박자의 교육』 등을 리영희 등에게 번역을 부탁해 은밀하게 교육에 사용하기도 했다.[142]

다음으로 부락활동은 3개 도 10개 군 21면 38개 부락 135개 작목반으로 이뤄졌고, 생산 작목반만 100여 개에 이르렀다. 주된 주체는 낙후한 농촌의 상황, 수해로 인한 생산기반 파괴 그리고 과중한 부채를 겪고 있는 '영세소농'을 중심으로 이뤄졌다. 이들 활동은 작목반(한우반, 경운기반, 약초반), 부녀구판반(소비조합) 그리고 부락개발의 중심이자 작업반을 총괄하는 협신회로 이뤄졌다. 물론 부락활동이 순탄하게만 이루어졌던 것은 아닌 것으로 보인다. 1974년경 한우가 폭락, 유가폭등, 일본의 생사수입 규제 그리고 원주공동체에 불어 닥친 민청학련 사건으로 일시적인 침체기를 겪기도 했다. 이후 1977년경 초기 사업에 참여하지 못한 원주민과 상대적으로 조건이 나은 부락민까지 포괄하는 모든 부락민이 참여하는 "부락종합개발사업"으로 확대되었던 것으로 보인다.[143]

다른 한편 광산지역 장기구호사업은 민간주도 협동조합과 부녀자를 포함하는 주민자치 그리고 노동조합 민주화가 연결되는 지역사업이었다.[144] 이 사업도 1972년 8월 남한강지역 대홍수 이후 고한, 사북, 장성, 도계 등 지역을 중심으로 이뤄졌으며 집중적인 활동이 전개 되었던 시점은 1972년부터 1979년 10월, 바로 유신 시기이자 주탄종유(主炭從油)란 광산지역 호황기였다.[145]

---

142) 1976년에도 장일순은 원주에서 교육을 위해 유신 하에서 공개적으로 구하기 어려운 책을 구해달라고 리영희에게 돈을 보냈다. 리영희는 종로 해외서적 수입상으로부터 외국서적 200여 권을 구했다. 리영희, 「밖에 있으면서 안에 있던 분」, 『너를 보고 나는 부끄러웠네』, 녹색평론, 2004, 131~135쪽.

143) 김소남, 앞의 글, 438쪽, 442~449쪽.

144) 광산 노동운동은 1980년 사북 항쟁이 주목받아 왔지만, 이미 70년대 해당 지역에는 협동조합과 결합된 여러 시도가 진행 중이었다.

145) 김소남, 「1970년대 원주지역 재해대책사업위원회의 광산지역 장기구호 사업연구」,

1973~1976년 전반기 활동을 보면, 이 시기엔 광산 자체 계획에 따라 축산, 국수공장, 노동금고-신협 그리고 소비조합사 업이 시도됐다. 초기 고대 노연 이문영, 김낙중, 김금수, 천영세, 서강대 산업문제연구소 프라이스(basil M. Price) 신부 등이 황지, 장성, 도계, 고한, 함백 등 지역에 대한 실태조사를 실시했다.[146] 당시 대상은 4개 대한석탄공사 소속 국유 탄광과 민영탄광 및 덕대(德大) 등을 포함한 2만 2천여 명의 조합원이었다. 이런 기초조사에 기반해 광산지역에 대한 지역별 장기구호사업이 시작됐다.[147]

구체적 활동은 우선 교육활동을 들 수 있다. 교육은 노동정책, 노동운동, 노동경제, 복지와 협동조합 등을 포함하는 광산지도자 교육과 회계실무자 교육으로 나눠졌다. 지속적 교육을 통해 고리채 해결, 재해자금의 민주적이고 합리적 운영을 가능하게 하는 신협 결성으로 조합원들을 이끌었다.[148] 다음으로 저임금, 영양섭취 취약 등 문제를 해결하기 위해 축산사업이 진행됐다. 이 사업은 3교대 노동을 하는 광부들의 잔여 휴식 시간을 이용하거나 부녀자들의 참여를 통해 이뤄졌다.[149] 두 번째 사업은 식량부족 문제 해결을 위한 국수공장사업, 세 번째는 당시 광산에 횡행하던 현물급여, 부채, 가계 부채 그리고 계(契)와 연관된 각종 금융사고 등 문제를 해소하기 위한 노동금고와 신협 개설이었다. 노동금고와 신협은 단기저리 대부로 운영되었고 재무부 인가를 받아 7개 신협이 운영되었다. 물론 당시 탄광 상황을 고려해 볼 때, 초기에 이들 사업에 대한 조합원의 불신이 존재했으나 교육사업과 연동되면서 동해, 동원탄좌, 삼천탄좌 등에 신협이 운영됐다.[150] 마지막 사업은 고가인 동시에 부족한 광산지역 생필품 문제를

『동방학지』 제158호, 2012, 390~391쪽.

146) 김영주 구술자료(국사편찬위원회 수집 구술자료, 2011년 7월 2일, 원주시 무위당기념관, 면담자 이경란 외 5인). 프라이스 신부 밑에 서강대 그룹이 재해대책사업을 지원했다고 한다.

147) 김소남, 앞의 글, 400~402쪽.

148) 김소남, 앞의 글, 402~404쪽.

149) 김소남, 앞의 글, 405쪽.

해결하기 위한 소비조합 사업이었다. 소비조합은 부녀회 중심으로 후생매점과 공동구판장 등을 통해 운영되었다.[151]

한편 1977년부터 1979년에 걸쳐 장기적 비전 아래 신협운동이 전개됐다. 앞선 시기 만들어진 신협은 1976년 광산노조 지도부와 재해위 간의 간담회를 통해, 전 지역에 소비자협동조합이 확산될 필요성을 공감하게 되어, 본격적으로 진행된 것으로 보인다. 이를 위해 우선 실시했던 것 역시 교육사업이었다. 신협이 일반 금융기관으로 전락하는 것을 막고, 공동기금을 조성해 지역개발사업을 촉진시키기 위해선 광범위한 교육이 필요했던 것으로 추측된다.[152] 그 내용은 소비조합 관련 교육, 광산부녀교육 그리고 일반 조합원과 가족까지 확대된 현장교육 등으로 보인다. 기록에 따르면 현장교육은 79년까지 무려 99회나 실시됐다.[153]

이런 교육에 기반한 신협 운영은 1979년까지 14개 노조에서 이뤄졌다. 물론 당시는 유신 시기이었기에 정부의 주목 대상이 되기도 했다. 정부는 신협에 대한 감시를 하며 신협을 새마을 금고로 전환할 것을 강요했지만, 특별하게 꼬투리를 잡기가 어려워서 난감해 했다.[154] 이처럼 당시 농촌과 광산촌에 약 74개의 신협이 만들어졌다. 특히 광산의 경우 이들 사업을 통해 합리적 임금산정표를 만들어 임금협상에 임하게 되는 등 노조와 조합원 간의 밀착도가 높아졌다. 이처럼 77년 이후 신협 사업과 관련 교육을 통해 재해위, 노조 지도부가 협동조합을 중심으로 응집할 가능성을 높였던 것으로 보이며, 이를 기반으로 노조 민주화의 가능성도 높아졌다.[155]

---

150) 김소남, 앞의 글, 403~404쪽.
151) 김소남, 앞의 글, 417~421쪽.
152) 김소남, 앞의 글, 425~426쪽.
153) 김소남, 앞의 글, 424~425쪽.
154) 박재일, 윤형근, 앞의 글, 170~171쪽.
155) 김소남, 「1970년대 원주지역 재해대책위원회의 광산지역 장기구호사업연구」, 426~434쪽.

V. 남은 질문들

1965년 두 사람의 만남이후 70년대 초반까지 원주공동체의 운동은 당대 민주화운동과 다소 다른 결을 지녔다. 무엇보다 한국에서 민주주의를 위한 역사 서술에서 '다른 서술의 가능성'을 제시해준다. 그간 한국 민주화운동 혹은 이 글의 서술 대상인 60~70년대는 '민주 대 반민주', 다른 식으로 말하자면 불법적이고 정당성이 결여된 국가(권력)에 대항한 집합적이고 조직적인 저항을 그 대상으로 삼았다. 이런 기준에서 보면 원주공동체 협동조합운동이 역사 속에서 지니는 가치는 그다지 높지 않을지도 모른다.

그러나 지역/부락개발, 신용협동조합, 소비자협동조합 그리고 사회정의와 지역 자치를 위한 밑으로부터 실천은 그간 민주화운동사가 포괄하지 못한 '범위'인 동시에, 민주화운동을 둘러싼 평가가 현재 같은 식으로 이뤄져야 하는가에 관해 의문을 던지게 한다. '비민주적이고 권위적인 정부를 합법적으로 교체/변경'하려는 집단적 저항이나 노동, 빈민, 농민, 종교, 문화 등 '부분운동'의 경제투쟁에서 정치투쟁으로 전화를 초점에 둔 운동사 서술에 의문을 던져준다고 할 수 있다.

이 문제는 자연스럽게 원주공동체를 둘러싼 두 번째 의미로 이어진다. 논자에 따라 상이하지만 한국 민주화를 권위적인 국가에 대항한 공공성을 복원하기 위한 투쟁으로 정의하기도 하고, '국가에 반하는 시민사회의 대항'으로 개념화하기도 한다. 민주주의, 인권, 시민권 등이 제한/금지된 상황을 해소하고 자유로운 공공영역을 복원하는, 혹은 계급/계층의 단기적 이익을 넘어선 공공성을 확보하려는 흐름이라는 볼 수 있다. 다만 원주공동체 사례에서 보이듯이, 협동, 공유, 연대 그리고 자치와 참여가 교회, 부락, 광산공동체에서 시도되는 '과정'은 한국에서 민주주의를 확대해서 사유할 수 있는 '역사적 실험'이라고 해석할 수 있다. 협동조합 실험과 과정은, 새마을운동과 스스로를 구별정립하려는 시도에서 드러나듯이 국가의 위로부터 개발주의로부터 자율적이고자 했던 밑으로부터 선취된 자율과 연대의 가능성을 보여준다. 동시에 국가/정치공동체를 넘어서는 사유가 쉽지 않던 민주주의—70년대 대부분 민주화운동은 개발주의-발전주의 자체를 부정하는 경우는 거의 없었다—에 반해, '개발주의가 아닌, 밑으로부터 자치에 기반한 개발' 등의 모델을 제시해준 것이라고 조심스럽게 평가해볼 수 있을 것이다. 그리고 당대 가능성과 숙제는 오늘날 협동조합에도 온전히 남아있는 셈이다.

물론 이런 가치가 가시화된 1977년, 더 나아가서 80년대 생명사상, 한살림운동으로 진전한 데는 장일순의 역할이 컸다. 하지만 73년을 정점으로 한 원주공동체의 협동조합운동과 민주화운동의 모순이나 균열이 없던 것으로 보이진 않는다. 지학순과 원주교구의 우산 속에서 원주공동체의 협동조합운동과 민주화운동이 진행됐다. 활동가들은 계속 앞으로 나아갔지만 장일순과 지학순 그리고 원주교구는 공권력과 정권의 압력을 막아내는 일이 무척 힘겨웠을 것이다. 또한 교구와 교구를 통한 외원으로 진행되는 재해위, 협동조합운동을 평신도와 활동가들이 전적으로 주도하는 것에 대한 사제들의 불만도 계속 증폭되어 갔을 것이다.[156]

1980년대 들어서 원주교구내 사제들의 영향력 확대, 80년 5·18 이후 정세, 소도시를 거점으로 하는 운동 전략이 지니는 한계, 수익구조의 취약성 등 여러 요인이 겹쳐져서 생명운동으로 나아갔을 것이라고 추정할 수 있다. 아직 그 원인에 대한 명확한 해석은 숙제로 남겨둘 수밖에 없다. 다만 1965년 첫 만남에서 1971년을 즈음으로 한 시기 원주는 개발, 경쟁 등 당대 가치와 어긋나는 가치들이 뭉쳐져 가는 단계였을 것이라고 추측해볼 수 있다. 장일순과 활동가들은 원주라는 소도시를 거점으로 하는 사회운동을 민주화운동, 협동조합, 노동자-농민운동 등 차원에서 전개했다. 지학순 역시 교회와 사제의 권위를 내려놓고 평신도와 원주교구라는 지역을 거점으로 하는 교회개혁, 사회정의, 반부패, 생존권 보호를 추구하는 가치를

156) 김영주 구술자료(국사편찬위원회 수집 구술자료, 2011년 10월 1일, 원주시 무위당 기념관, 면담자 이경란 외 3인).

전파하고 이들을 보호해 주었다. 원주공동체는 지학순의 주교 취임과 교회개혁, 장일순과 주변 활동가들의 공명(共鳴)을 통해 만들어진 것이다.

이 글에서는 70년대 후반~80년대 초반과 중반 생명사상과 운동이 공식적으로 형성되고 논의되는 역사에 대한 설명까지는 이르지 못했다. 80년대 초반 장일순과 김지하 등이 생명사상과 운동노선의 변화를 이끌어 낸 것은 원주공동체 내부의 새로운 구성원인 사제들의 인입과 내부적 갈등, 재해위 사업이 종결된 이후 조직이 사회개발위원회로 재편되며 사업의 전망과 비전을 둘러싼 문제, 74년 강제이주 이후 화전민 정리 등 이농으로 인한 활동 주체의 약화, 전두환 등장과 5·18 이후 민주화운동이 한계에 부닥친 문제 등이 얽힌 문제다.[157] 장일순과 지학순이라는 만남이란 면에서 보면 79~83년 사이에 한살림과 생명운동이란 흐름이 교회와 독자적인 길을 조직, 인적 네트워크, 활동방식, 이념 등에서 추진했다고 볼 수도 있다.

하지만 1965년 이후 70년대 후반에 이르기까지 꽤 오랜 시간 동안 지학순은 원주공동체 활동가들이 지역주민의 생활에 기초한 도시거점운동, 사회정의와 생존권을 조합이라는 형태로 만들고 주민을 교육하며 지역 공동체를 구성하려는 길을 놓아 주었다. 다만 그 운동 논리는 지학순의 공의회/평신도 중심의 교회관과 사회정의 및 생존권, 장일순의 유불선사상, 동학, 간디의 비폭력사상 및 계급운동보다 지역사회 생활에 기반한 운동 그리고 학생운동 출신의 마르크스주의적 흐름 등이 논리적으로 정리되지 않고 '경향적'으로 나타나 있었다.[158]

---

157) 이전에 지학순은 사제들에게 재해위 개입을 하지 못하도록 강제했지만, 점차 선교의 일환으로 사제들이 개입했고, 방인사제의 수도 70년대에 비해 증가됐다. 더불어 1979년 후반 지학순의 승인 하에 집행위원장이 사무국장으로 격하되고 사제가 이를 총괄하도록 됐다. 비슷한 시기에 재해위와 원주공동체 주요 활동가인 김지하, 김영주 등이 일을 그만 두었다. 자세한 논의는 김소남, 앞의 논문, 340~347쪽 참조.

158) 추후 연구 과제지만 장일순은 원주그룹내 젊은 그룹과 다소 상이하게 간디와 비노바 바베의 비폭력운동, 최시형의 동학사상 등을 이 시기 고민했던 것으로

이 글이 다룬 1965년에서 1971년 사이에는 제2차 공의회, 사회정의 그리고 지역주민에 생활에 기초한 운동의 중요성을 지학순이 먼저 제기했다고 평가하는 것이 타당하다. 더불어 1970년대 초반이후 이를 통해 마련된 지역주민의 자립, 협동조합, 평신도 훈련 등을 거치며 장일순과 원주공동체 활동가들은 민주화운동과 궤를 달리하는 운동의 전략과 사상을 점차 고민하기 시작했던 것이다.[159]

보인다. 또한 김지하는 이 시기 운동을 소도시거점론으로 해석하고 있기도 하다. 80년대 전반에 이들 흐름 간의 논쟁, 수렴 과정은 좀 더 면밀한 정리가 필요하다. 자세한 내용은 김소남, 앞의 논문, 47쪽 ; 박재일, 앞의 글, 2004, 172~173쪽 참조.

159) 1970년대 중후반~1980년대 원주공동체 내부에서 생명사상과 운동론이 전화되는 과정은 협동조합과 재해대책사업과 다른 맥락에서 추후 연구 과제로 남겨두고자 한다. 특히 80년대 급진적 사회운동이 원주에도 개입되면서 벌어진 내부 갈등과 이것이 「생명의 세계관과 협동적 생존의 확장」이란 문헌의 형태로 생명운동론으로 제출되는 시기의 쟁점은 별도 논의가 필요할 것이다.

3부

역사

전쟁 경험의 역사화, 한국사회의 속물화

‘헝그리 정신’과 시민사회의 불가능성

소 영 현

제르진스키가 살았던 시대에, 사람들은 대체로 철학을 어떠한 실제적 중요성도 없는 것으로, 심지어는 대상조차 없는 것으로 생각하였다. 그러나 사실 어떤 시대에 한 사회의 구성원들이 어떤 세계관을 가장 널리 받아들이고 있는가 하는 것은 대단히 중요한 문제이다. 그 세계관이 그 사회의 경제와 정치와 풍속을 좌우하기 때문이다. *Michel Houellebecq, 『소립자』*

심리학적 행위인 속물은 일종의 철학의 산물이다. 그 결과로서 속물주의는 하나의 중요한 사회적 현상이다. *Philippe du Puy de Clinchamps, 『스노비즘』*

I. 근대화의 역설과 속물시대의 인간학

19세기 영국에서 신사인 체 허세부리는 사람이라는 뜻으로 사용된 이후로(윌리엄 새커리(William M. Thackeray), 『속물에 관한 책(*The Book of Snobs*)』, 1848), ‘속물(근성)(snobbery)’[1]은 지라르(René Girard)의 ‘욕망의 삼각형’이

1) 알랭 드 보통(Alain de Botton), 정영목 옮김, 『불안』, 은행나무, 2011, 28쪽 ; 필립 뒤 퓌 드 끌랭샹(Philippe du Puy de Clinchamps), 신곽균 옮김, 『스노비즘』, 탐구당, 1992, 14~24쪽 참조. 알랭 드 보통에 의하면, ‘속물근성(snobbery)’이라는 말은 영국에서 1820년대 처음으로 사용되었고, 이 말은 옥스퍼드와 케임브리지 대학의 시험명단에서 일반학생을 귀족 자제와 구별하기 위해 이름 옆에 붙인 sine nobilitate (이것을 줄인 말이 ‘s.nob.’), 즉 작위가 없다는 표기 관례에서 나왔다고 한다.

적확하게 포착하고 있듯이 '타인의 욕망을 욕망하는' 근대 주체의 계층적 정체성 형성 과정의 부산물적 속성으로 이해될 수 있다. 속물의 독특한 특징은 "단순히 차별을 하는 것이 아니라, 사회적 지위와 인간의 가치를 똑같이 본다는 것"[2]에 있다. 화폐가치가 가치의 최종심급이 된 자본의 시대 이후로 속물은 돈과 명예로 상징되는 세속적이고 현세적인 가치에 함몰된 존재 혹은 삶의 태도를 비판적으로 명명하는 말로 사용되었다.[3] 근대 주체에 대한 이러한 이해방식과 관련해서 신분제의 붕괴 이후로 더 이상 세계를 설명해줄 어떤 고정적인 이념이 존재할 수 없는 상황이 배태한 허영심과 모방욕구라는 근대적 자기구성 메커니즘을 떠올릴 수 있을 것이다. 이러한 관점에서 보면 속물성을 근대적 인간의 구성요건 가운데 하나로 이해하는 방식도 과도한 것은 아닐 것이다. 루소나 칸트에 의해서도 속물적 문화의 심각성이 논의된 바 있는데, 이러한 사실은 속물적

이처럼 처음에는 높은 지위를 갖지 못한 사람을 지칭하는 말이었으나, 곧 정반대의 의미 즉 상대방에게 높은 지위가 없으면 불쾌해하는 사람을 가리키게 되었다. 이 과정에서 어떤 사람을 속물이라 부르는 것에 그 사람을 경멸하려는 의도가 있다는 것이 분명해지게 되었다. 그러나 끌랭샹이 지적했듯이, 속물과 속물성의 정의에는 애매하고 모순된 특성들이 포함되어 있으며, 이에 따라 정확한 어원이나 정의를 찾고자 하는 시도 자체가 불발에 이르게 될 가능성이 높다. 오히려 속물과 속물성 관련해서 보다 주목해야 할 점은, 개별적 존재로서의 속물을 포함해서 근대화가 가속화되는 시기에 사회적 현상으로서 속물성이 등장한다는 사실과 그것이 사회 전반에 널리 유포되는 메커니즘 자체일 것이다.

2) 알랭 드 보통, 『불안』, 은행나무, 2011, 29쪽.

3) 근대 주체의 존재론으로서의 '진정성'과 연관된, '탈-내면 시대'의 특질로서의 속물성에 대한 논의, A. Kojev의 『헤겔독해입문』 제6장 주 6)에서 비롯된 역사 이후의 존재론(미국식의 동물과 일본식의 속물)에서 비롯된 동물/속물론으로는 다음의 논의 참조. 東浩紀, 이은미 옮김, 『동물화하는 포스트모던』, 문학동네, 2007 ; 김홍중·심보선, 「87년 이후 스노비즘의 계보학」, 『문학동네』 2008년 봄호 ; 김홍중, 「진정성의 기원과 구조」, 「삶의 동물/속물화와 존재의 참을 수 없는 귀여움」, 「스노비즘과 윤리」, 『마음의 사회학』, 문학동네, 2009 ; 서동진, 「환멸의 사회학」, 『문화와사회』 9, 2010 ; 김종엽, 「동물, 속물, 괴물」, 『비평과 비인간』 국학연구원-UTCP 공동워크숍 발표집, 2011. 6. 11 ; 심보선, 『그을린 예술』, 민음사, 2013, 1부. 헤겔의 논의에서 출발한 속물론의 의미를 인정하면서도, 한국사회의 속물화 경향 검토와 관련해서는 식민지, 해방, 전쟁으로 이어지는 정치역사적 굴곡이 야기한 좀더 복잡한 맥락이 고려될 필요가 있음을 덧붙여둔다.

문화가 신분제가 해체되고 사회문화적 개방성이 강해지던 18세기 초·중엽 근대성의 문화 지평에서 자연스럽게 발현된 것이었음의 반증이 아닐 수 없다. 말하자면 속물주의는 근대 일반의 속성인 동시에 "평등과 사회적 개방성이라는 근대성의 민주적 문화 모태에서 거의 필연적으로 잉태될 수밖에 없는 반평등주의적이고 폐쇄지향적이며 반민주적인 문화 경향" 즉 "근대가 이룬 사회문화적 민주화의 성과이자 동시에 그 성과가 낳은 거의 불가피한 함정 또는 역설"[4]인 것이다.

속물성이 근대화의 불가피한 부산물이며 이에 따라 근대사회의 피할 수 없는 구성요건을 이루고 있음을 고려해보자면 급격한 사회변동을 겪었던 한국사회에서도 속물성이 사회적 속성 가운데 하나로서 작용하게 되었음을 유추하기는 어렵지 않다.[5] 실제로 해방과 전쟁, 분단을 경험한 한국사회에서도 1960~70년대에 걸친 근대화 과정 속에서 개별자의 속물화에 그치지 않는 사회의 속물화가 확산되고 있었다. 구체적으로는 경제적 자본화와 이념적 자유화 경향의 결합으로 부의 축적을 통한 이른바 중산층의 폭넓은 형성이 이루어지기 시작했다. 연동한 변화로서 개인의 욕망에 대한 가치가 달라지기 시작했으며 출세나 이기주의에 대한 인식에도 변화

---

4) 장은주, 『인권의 철학』, 새물결, 2010, 408쪽.

5) 본고에서는 근대화의 부정적 속성이 내재화되기 시작한 1970년대 한국사회의 성격을 사적 맥락 속에서 논의할 수 있는 틀을 마련하기 위한 시도로서 속물성이라는 용어를 채택하고자 한다. 이때 속물성을 실정성을 담지한 용어로서 규정하고자 하는 것은 아닌데, 한국사회의 형성 메커니즘에 대한 관심이라고도 할 수 있는 바, 본고의 관심이 개인의 속물화 여부보다는 한국사회의 속물화 경향임에 착목하여, 시대적 조건과의 조응 속에서 역사적으로 구성된 사회적 속성을 명명하기 위해 애매하고 모순된 특성을 포함하는 '속물성'이라는 용어를 애덤 스미스(Adam Smith)가 자본주의 사회의 도래 이후 공동체의 존재방식의 변화를 논의하면서 활용한 사회적 감정으로서의 도덕 감정, 구체적으로는 죄의식과 수치심의 문제로 범주화하고자 한다. 이에 따라 본고에서는 사회를 결속시킬 수 있는 사회적 감정인 죄의식과 수치심의 상실을 사회의 속물화의 계기로서 파악해보고자 한다. 애덤 스미스, 박세일·민경국 옮김, 『도덕감정론』, 비봉출판사, 2010(1996 초판) 참조. 이러한 방법론을 통해 근대화/산업화로 통칭되는 1970년대 한국사회의 다층적 속성들을 세분해서 다룰 수 있는 용어를 마련할 수 있을 것으로 기대한다.

가 생겨났다.[6] 이러한 변화의 저변에 돈의 배타적 가치우위 현상이 자리하고 있었고, 이에 따라 '속물적 자기주의(自己主義)'와 '비전 없는 이기주의'의 범람이 시작되었으며 동시에 그 반작용으로서 속물성에 대한 비판도 본격화되기 시작했다.[7]

1970년대 소설을 통해 속물성의 범람과 비판의 양상을 확인하기는 어렵지 않은데, 우선 1975년 출간된 신석상의 소설집 『속물시대』(관동출판사)를 통해서도 그 뚜렷한 일면을 확인할 수 있다. 『속물시대』는 1975년 한 해 동안 꾸준히 국내소설 부문 베스트셀러 순위를 지켰던 소설집으로, 개별 소설을 통해 지역별 출신성분에 따라 눈에 보이지 않는 차별이 이루어지던 한국사회의 풍경의 일면(「속물시대」)을 포착하거나 1970년에 발생한 정치 스캔들('정인숙 사건')을 연상시키는 등 직접적 정치성을 표방했다.[8] 1975년 당시 금주의 베스트셀러 순위에 오르던 소설 목록에 최인호의 『바보들의 행진』, 조선작의 『영자의 전성시대』, 김정한의 『인간단지』, 조해일의 『아메리카』, 황석영의 『객지』가 포함되어 있었음을 고려해보자면,[9]

---

6) 이와 관련하여 자유주의에 입각한 경제체제와 속물성 증가의 상관성을 서울에 나타난 히피족 현상과 연결시키는 다음과 같은 언급은 흥미롭다. "美國은 資本主義 나라이다. 資本主義는 自由경쟁을기반으로 한 경제체제이고, 자유경쟁은 出世·能率·利己主義를 조장하고 精神的인 價値까지를 物質的價値로 환원해서 보려는 경향을 낳는다. 또 資本主義가 원숙하면 中產層이 늘어나고 生活이 安定된 中產層은 特有의 俗物根性도 아울러 배양한다. 體面의 尊重, 科學의 崇拜, 數字의 崇仰 등. / 히피들이 나타내고 있는 樣相은 이런 社會體制가 가져오는 副作用에 대한 반발로 간주할 수가 있다. 體面尊重의 풍습은 목욕의 거부와 더러운 服裝으로 能率主義나 功利主義는 일의 거부와 거지행세로, 既成道德은 性의 開放으로, 男女의 差는 누가누군지 분간을 못하게 길러서 늘어뜨린 머리로, 科學數字 論理의 崇拜는 LSD가 자아내는 幻覺으로, 高度의 組織化는 組織의 不在로 맞서고 있는 것이다."(나영균, 「히피族」, 『경향신문』 1968년 8월 10일자).

7) 『속물시대』의 작자인 신석상이 1970년에 문학에서 4·19 정신의 탈각을 지적하면서 규정한 바 있듯이, '俗物的 自己主義'와 '비전 없는 利己主義'의 범람은 4·19 정신의 상실을 가져올 사회적 조건이 되고 있었다. 신석상, 「4·19와 文學」, 『경향신문』 1970년 4월 21일자.

8) 시대 현실에 대한 강도 높은 비판의식을 담은 『속물시대』는 대통령 긴급조치 9호에 의해 판매금지 목록에 포함되었다.

소설적 완성도와는 별도로 표제작을 제목으로 한 『속물시대』에 대한 당대의 관심에서 '속물성'에 대한 관심이라는 시대적 진실의 일면을 확인할 수 있다.

『속물시대』가 보여주었던 속물성의 일면은 무엇이었는가. 1972년 『월간중앙』 4월호에 게재되었던 신석상의 「속물시대」는 일간지 사설에서 다룰 법한 정치사회적 의제를 소설 형식을 빌려 다룬 소설로, 삼선개헌과 같은 정치사회적 사건에 대한 직접적 언급을 피하지 않는 동시에, 사건화되지는 않았으나 사회 구성원을 지배했던 의식의 부정적 일면을 '속물성'이라는 규정 속에서 포착한다. 소설에서는 민주통일 공사의 간행물 제작과에서 발간하는 월간지의 편집을 담당하고 있는 주인공('민후식')이 들여다 본 사회의 실상이 '반공만이 애국'이라 착각하는 시대적 경향과 그것이 야기한 사회적 배제 논리와 결합해 있는 형국으로 그려진다. 가령, 반공이라는 말이 우산이 되면 사회 부조리의 핵심인 부정부패도 아무런 문제가 되지 않을 수 있으며, 심지어 지역차별론이 아무렇지도 않게 유포될 수도 있음이 짚어진다.[10] 이러한 시절 세태를 '돈과 권력'만이 유의미해진 세상으로

---

9) 「금주의 베스트셀러」, 『매일경제』 1975년 2월 18일자, 4월 8일자, 4월 29일자, 5월 6일자, 7월 29일자 참조. 중앙도서전시관과 광화문서적센터가 집계한 1975년 총결산 베스트셀러 목록 가운데 부문별로 5위까지의 목록을 살펴보면 다음과 같다. 국내 소설 부분에서 관심을 끌었던 작품은 『캘리포니아 90006』(홍의봉, 청구서림), 『바보들의 행진』(최인호, 예문관), 『영가』(최인호, 예문관), 『이마』(김성한, 퇴계학연구원), 『속물시대』(신석상, 관동출판사), 해외소설로는 『생의 한가운데』(루이제린저, 문예출판사), 『갈매기의 꿈』(리처드 바크, 문예출판사), 『잃어버린 시간을 찾아서』(마르셀 프루스트, 문학출판사), 『잔잔한 가슴에 파문이 일 때』(루이제린저, 범우사), 『어린왕자』(생텍쥐페리, 문예출판사)가 있었다. 「75 베스트셀러 辨道에 큰 變化없어」, 『매일경제』 1975년 12월 30일자.

10) 간행물 제작과 과장의 발언들을 대표적 사례로 거론할 수 있다. "내가 동부전선에서 중위로 있을 때, 어느 날 대대장이 일금 오천 원을 잃었어. 신상 카드를 조사하여 전라도 출신 사병만 십여 명을 붙잡아 놓고, 마구 족치지 않았겠어. 그런데, 바로 그 사람들한테서 돈이 나왔단 말야. 참 신통하더군. 하하하…" ; "음! 전라도야. 서울서 전라도 사람이 욕먹는 것은 태도가 분명치 않고 거짓말을 잘하기 때문이오. 미스터 민은 물론 그렇지 않을 줄 믿으니 잘 해 주시오. 그렇지 않으면, 나와 함께 있을 수 없습니다." 신석상, 「속물시대」, 『속물시대』, 신세계,

압축하면서 작가는 사기와 배신, 수치와 모욕이 횡행하는 그런 세상의 속성을 '속물성'으로 명명했다. 소설에 의하면, 점차 시대는 아파트, 텔레비전, 냉장고, 자가용, 가정부 등 물질적 가치에 따른 타인과의 비교가 강요되면서 '돈과 권력'이라는 획일적 가치에 의한 인정 구조만이 유일하고도 강고한 것이 되고 있었다(「미필적 고의」). 『속물시대』는 사회에 널리 유포되고 있던 시대인식을 포착하고 나아가 속물화를 넘어선 속물성의 일상화 경향을 보여주었다. 「미필적 고의」에서 주인공이 '가난해도 가족이 함께 있을 수 있는 삶에 행복이 있다고 생각하는' 아내의 만류를 뿌리치고 전쟁 중인 베트남에 가고자 했을 때, 주인공의 의식을 통해 가시화되는 것은 속물적 가치의 일상화가 아닐 수 없다. 「미필적 고의」는 이념과 민족 문제로 뒤얽힌 '월남전'에 대한 휴머니즘적 접근을 허용하지 않는다. 소설은 오히려 주인공에게 '월남전'이 "붐에 편승하여 한몫 잡지 못하면, 다시 그런 기회가 없을" 그런 것, 즉 부로 압축되는 출세와 계층 상승의 유일한 사다리로 이해되고 있었음을 가감 없이 보여준다(「미필적 고의」, 282쪽). 신석상의 소설이 포착한 '월남전'에 대한 이러한 이해를 통해서도 확인할 수 있거니와 어쩌면 1960~70년대 한국사회에서 '자폭을 할 줄 아는 속물'로서의 '거룩한 속물' 즉 성찰성을 내장한 '속물'(김수영)이 존재할 수 있었던 것도 속물성의 일상화에서 기인한다고 해야 한다. 이는 사회적 속물화의 강고함을 역설적으로 재확인하게 하는 대목이라고 해야 하는데, 속물성의 일상화가 야기한 문제는 이러한 경향 속에 "속물권"(「속물시대」, 146쪽)으로부터의 탈출 불가능성을 승인하는 수치와 좌절의 무드까지 포함되어 있었다는 점에서 심각성을 더한다. 이는 성찰 없는 개인이 점차 근대적 주체 모형의 실질을 채우기 시작했음을 말해주는 것이기도 하다.

『연세춘추』에 실렸던 박태순의 소설 「속물과 시민」에서 확인할 수 있는

1994, 118, 119쪽.

것은 속물이 시민의 속성을 채워가던 과정의 일면이다. 「속물과 시민」은 '속물≒시민'이 한국사회에서 근대적 주체의 존재방식으로 안착하면서 주체의 속물성이 근본화되고 상시화되고 있음을 보여준다.

> 장영필이 아들 때문에 낭패를 본 뒤를 이어 여자로 인해서 망신살이 뻗쳐 경찰서에를 들락거리게 되었다더라, 하는 소문이 무쇠골의 시민들 사이에 쫙 퍼졌다.
> 『아 그…돈만 아는 속물?』
> 대보 목욕탕 주인 김황호가 은세계 다방에 앉아 이렇게 말하자
> 『돈 뿐인가? 그 친구는 다른 것도 아는 게 아주 많지.』
> 하고 새나라 수퍼마켓 주인 임진해가 받았다.
> 『잘난 사람들의 세계도 알고 권력의 세계도 알고 환락의 세계도 알고 … 우리 같은 소시민들하고는 달라서 그는 대시민이었을끼구만.』
> 『대시민 좋아하네. 그는 속물이야 속물. 자린고리 같은 속물이 잘도 놀아난다 했더니 그여이 제 꼴값을 한거여.』[11]

한국사회의 속물화 경향과 관련해서 이 소설의 유의미함은 속물이 돈과 권력, 환락의 세계 한복판에 존재한다는 사실의 재확인에만 있지 않다. 이 소설은 1970년대를 통과하면서 한국사회에서 '속물'과 '시민'의 거리가 좁혀진 사정, 심지어 속물이 모범시민과 별다르지 않은 존재가 되는 역전 장면을 포착한다는 점에서 주목을 요한다. 소설의 주인공 '장영필'은 표면적으로 보자면 시대가 요구하는 근대적 주체의 대표이자 건실한 시민의 전형이 아닐 수 없다. 이른바 성실, 각고, 근면, 성공, 출세의 대명사였던 '장영필'은 1970년대를 거치면서 유지 중의 유지이자 도시 새마을운동의 기수였으며, 각종 지도위원, 선도위원, 대책위원, 개발위원을 두루 겸하고 있는 덕망가였다. 더구나 그는 전쟁고아 출신으로, 나이 서른 초반에 적지 않은 재산을 모아 지역사회 발전에 앞장을 서왔다. 그러나 그에게 따라

11) 박태순, 「속물과 시민」, 『연세춘추』 1984년 11월 19일자.

붙는 덕망의 실체가 무엇이었는가는 1972년 10월 유신 이후로 대통령을 뽑는 대의원으로 출마해서 당선되었다는 사실에서 확인할 수 있는데, 그는 사실 고용인이나 가난한 친지들에게 야박했으며 동시에 자신보다 조금이라도 위에 있는 사람들에게 공경을 다했던 사람이다.

소설은 '장영필'이 뒤를 봐주던 여자에게 돈을 떼이고 아들은 자신의 건물을 헐값에 날렸을 뿐 아니라 사기죄에 휘말린 상황을 다루면서,[12] 이러한 상황이 어떻게 이해되고 처리되는가를 보여주는 방식으로 당대 사회인식의 일면을 확인하게 해준다. "속물이 시민들 위에 나서면 그게 언제 어떤 방식으로든 들통이 나기 마련"임을 확신하는 사람들의 기대를 소설은 쉽게 저버리는데, 소설에서 이 사건은 '선량한 시민 장영필이 사기를 당하여 곤욕을 치를 뻔했으나 진상이 백일하에 드러나 결국 재산과 명예를 되찾았을 뿐 아니라 선량한 시민을 골탕 먹이려던 사기꾼 일당은 처벌을 받게 되었다' 식으로 전말이 정리된다. 당대 사회 구성원의 인식을 확정하는 활자 매체를 통한 정리라는 점에서 속물성의 시대적 강고함이라는 의미 확정성은 배가되었다고 해야 하는데, 이는 '장영필'과 같은 이들이 여전히 거들먹거려도 괜찮은 세상이 계속될 것이라는 비관적 전망인 동시에 "잘난 사람에게는 잘난 대접, 못난 놈에게는 못난 취급"이라는 모토가 전쟁과 유신 시대를 거치면서 한국사회를 구조적으로 움직이는 동력이 되고 다수의 인생론의 실질이 되었다는 사실의 확증이라고 해야 한다. 이러한 방식으로 「속물과 시민」은 말하자면 1970년대를 거치면서 속물이 "위대한 대시민"의 유사어가 되고 있음을, 속물화가 야기하는 가치 역전 과정을 확증해주는 동시에, '시민과 속물'이 한 존재의 겉과 속을 채우며 일체를 이루는 위선적 존재론의 전면화를 짚어준다.

---

12) 세금 문제로 타인의 명의로 계약해두었던 황금빌딩을 아들이 복덕방과 짜고 제3자에게 전매한 사건에 연루된다. 그가 뒤를 봐주던 요정을 하던 여자는 보증금과 권리금까지 남에게 넘기고 돈을 챙겨 달아났다.

II. 한국사회의 감성구조와 전쟁 경험의 역사화

1970년대를 거치면서 뚜렷해지는 한국사회의 속물화 경향을 근대화 과정이 수반하는 부정적 속성이라고만 볼 수는 없을 것이다. 급격한 근대화라는 한국사회의 특수한 사정을 고려하더라도 형성 메커니즘의 검토를 통해 한국사회의 개별적 속성에 대한 보다 세심한 탐색이 요청된다고 해야 하는 것이다. 한국사회의 속물성이 근대화의 성과가 낳은 역설적 부산물이라면, 속물성의 가속화는 한국사의 굴곡과 무관하지 않으며, 무엇보다 한국전쟁이 불가피하게 야기한 사회변화와 긴밀하게 연관되어 있음을 환기하지 않을 수 없다. 한국사회의 속물성과 관련하여 한국전쟁의 영향관계를 좀더 세심하게 검토해야 하는 이유가 여기에 있다.

한국사회는 한국전쟁을 어떻게 애도했는가.[13] 이 질문은 단지 한국전쟁 자체에 대한 관심의 환기만을 의도하지 않는다. 그것은 한국전쟁 경험의 일상화에 대한 물음이며 동시에 한국사회가 전쟁을 어떻게 기억하고 그 상흔을 역사화했는가, 즉 한국전쟁의 역사화가 한국사회의 성격 형성에

---

13) 이와는 별개의 접근으로, '소농사회론'을 논거로 '전통 대 근대'의 대결구도를 넘어선 새로운 한국사회론의 거점을 마련하고 있는 역사학자 미야지마 히로시(宮嶋博史)의 연구 또한 염두에 둘 만한다. 그는 양반론을 통해 조선시대가 경쟁이 심한 사회였음을 주장한 바 있는데, 이는 한국사회의 역사적 특이성으로서 고려해 볼만한 사안이다. 동아시아의 사회변동을 둘러싸고 최대의 분수령이 전근대와 근대 사이가 아닌 소농사회 성립 전후 즉 전통 형성 이전과 이후에 놓였다고 보는 그는, 동아시아에서 소농사회가 성립되면서 형성된 사회구조의 여러 특징이 종래 '전통'이라는 말로 일괄적으로 통칭되어 왔으나, 이는 실상 14~17세기에 걸쳐 일제히 형성된 것이며 무엇보다 그 전통이라는 것의 대부분이 근대 속에서 끊임없이 되살아나고 때로 강화되고 있음을 지적한다. 특히 이와 관련해서 주목할 연구로 양반의 세습 신분 여부 즉 조선이 강고한 신분사회였는가를 묻는 양반론을 거론할 수 있을 것인데, 이에 관해 그는, 관직을 세습할 수 없었으나 양반으로서의 사회적 지위는 세습 가능했던 조선시대 양반 지위의 특이성을 지적했으며, 과거제가 지속되었던 사정과 과거를 통한 급제자의 수가 매우 적었다는 사실 등을 통해 조선시대 한국사회가 일본이나 프랑스에 비해 훨씬 경쟁이 심한 사회였음을 주장했다. 宮嶋博史, 『미야지마 히로시, 나의 한국사 공부』, 너머북스, 2013, 80~81쪽, 153~190쪽.

미친 영향관계에 관한 물음이다.[14] 거시적 차원에서 한국전쟁의 가장 크고 결정적 상흔은 한반도에서 분단 상황의 고착이다. 남과 북의 거주자는 말할 것도 없거니와 38선을 지도 위에 그려진 선이거나 땅 위에 세워진 철책일 뿐이라 생각했던 월북/월남인에게 월경 자체보다 삶을 근본에서 뒤흔든 계기는 종전 이후 직면해야 한 월경의 불가능성이었다. 결국 분단된 형태의 두 체제가 고착되면서 월경의 불가능성은 해방과 한국전쟁으로 붕괴되어버린 한국사회의 체제 내적인 재수립 촉구의 기제로 작동하게 되었다.[15] 이데올로기적 색채를 띠고 있기도 한 '남남갈등'이 점차 극심해지는 경향은[16] 전쟁, 휴전, 분단으로 이어지는 일련의 사건적 시간 속에서였다고 해야 한다.

이런 맥락에서 볼 때 한국전쟁이 한국사회에 미친 영향에 관해서는 우선 인구학적 이동 문제로부터 논의가 시작되어야 한다. 전장과 일상이 구분되지 않았던 한국전쟁은 기록에 남을 정도의 대규모 인구학적 변동을 야기했다. 남한만 한정해서 말해보더라도 인구의 비율과 성분을 바꾼 월남인구의 유입과 피난 이동 등을 통해 사회의 변화가 촉진되었음을 간과할 수 없다. 무엇보다 한국전쟁은 특수 계층을 제외한 다수 일반의 안정적 생활기반을 박탈했고 실질적으로 가난으로 경험되는 사회적 지위와 생활수준의 몰락을 경험하게 했다. 이런 하강이동의 경험이 기독교에 대한 몰입과 호전적 반공주의를 불러왔음은 말할 것도 없거니와 지역공동체의 붕괴, 전통적 윤리나 가치체계의 급속한 붕괴를 야기했다.[17]

---

14) 한국사회의 성격을 한국전쟁과 그것이 초래한 분단체제와의 연관성 속에서 논의하는 대표 논자로는 김동춘을 들 수 있다. 김동춘, 「분단과 한국사회」, 『분단과 한국사회』, 역사비평사, 1997, 13~36쪽 참조.

15) 박명림, 「한국전쟁 깊이 읽기 ① : 한국전쟁은 우리에게 무엇이었나?」, 『한겨레』 2013년 6월 25일자 ; 「한국전쟁 깊이 읽기 ② : 한국전쟁은 도대체 무엇을 남겼는가?」, 『한겨레』 2013년 7월 2일자 ; 소영현, 「전쟁과 월경 : '월남작가'론을 위한 전제들」, 『대산문화』 49, 2013년 가을호, 49~52쪽.

16) 손호철, 「분단과 남남갈등 60년」, 『해방 60년의 한국정치』, 이매진, 2006, 16~33쪽.

17) 김동춘, 「한국전쟁과 지배이데올로기의 변화」, 『분단과 한국사회』, 역사비평사,

이에 따라 한국전쟁은 사회의 불의에 무기력하고 사회적 이슈에 무관심한 개인의 등장을 촉진했다. 한국전쟁이 개인과 사회에 남긴 상흔을 파헤쳤던 박완서의 소설이 말해주듯이(대표적으로 『나목』(1970), 『그해 겨울은 따뜻했네』(1983) 등), 한국전쟁을 경험하면서 한국사회에서 공동체에 대한 상상력의 최대치는 가족 단위를 넘지 않게 되었다. 이른바 정치적 행위자라고 할 수 있는 계급적 주체가 형성되지 못한 상황으로 한국에서 근대화는 국가 단위의 자본축적에 매진한 경향이 있는데,[18] 사회의 재생산이 철저하게 개인과 개인의 확장체인 가족 단위로 이루어지게 된 것도 사회 복지 시스템이 미비했던 이 시기로부터이다.

한편 한국전쟁이 갖는 내전으로서의 특수성은 한국사회에 깊은 이데올로기적 트라우마를 남겼으며, 가족 중심주의와 결합하여 한국사회에서 살아남는 일이 미래구성을 통해서가 아니라 생존과 보존으로 축소되는 경향을 야기했다.[19] 결과적으로 한국전쟁이 불러온 개인적/사회적 죄의식이 한국사회의 전반적 기조를 냉소로 일관하게 만들었으며[20] 타인에 대한 공감력을 저하시키고 이기주의가 팽배하게 만들었다. 공동체에 대한 무관심 속에서 개별인들은 현세적 문제에 집중하게 되었고 점차 사회는 '돈'이라는 획일적 가치에 지배받게 되었다. 한국 중산층의 형성과 한국사회의 속물성의 심화가 긴밀한 상관성 속에서 결합되어 간 것은 이러한 사정에 의해서이다.

한국전쟁 경험과 한국사회 성격 형성의 관련성에 대한 검토는 전쟁 경험 자체가 개인에게 미친 영향에 대한 고찰로부터 시작되어야 한다. 그러나 이러한 작업은 구체적 전쟁 경험에 고착된 일면적 고찰로 협소화될

1997, 60~61쪽.

18) 손호철, 「한국전쟁과 이데올로기 지형」, 손호철 외, 『한국전쟁과 남북한 사회의 구조적 변화』, 경남대학교극동문제연구소, 1991, 14쪽.

19) 강인철, 「한국전쟁과 사회의식 및 문화의 변화」, 『근대를 다시 읽는다 1』, 역사비평사, 2006, 393쪽.

20) 김동춘, 「분단과 한국사회」, 『분단과 한국사회』, 역사비평사, 1997, 20~22쪽.

가능성을 피할 수 없다. 전장과 후방이 따로 없었던 한국전쟁 경험은 개인의 실존뿐 아니라 삶의 지향까지도 전면적으로 바꿔놓은 계기였다. 한국전쟁은 사회의 전면적 변화를 야기했으며 이전과는 차별적인 주체 구성에 결정적 영향을 미쳤다. 그러나 그 영향을 두고 말하자면 한국전쟁의 영향은 사후적 애도 작업을 통해 보다 강화되었다고 해야 한다. 전쟁이라는 특수한 경험 자체보다 그것의 영향은 이후 일상을 통해 역사화되는 과정에서 보다 강고한 사회구성 원리가 되었다고 해야 하는 것이다. 따라서 한국전쟁의 영향은 그 역사화 과정에 대한 다면적 고찰로서 재구축될 필요가 있다. 한국사회의 속물성 형성 메커니즘에 대한 고찰을 위해 사회의 유지와 개인의 행위 지평을 마련해주는 사회적 감정 즉 애덤 스미스(Adam Smith) 식의 도덕 감정에 관심을 기울이고자 하는 것은 이러한 요청에서이다. 당겨 말하자면 본고에서는 한국전쟁의 영향관계를 사회적 감정인 죄의식과 수치심 상실 양태와의 관련 속에서 고찰함으로써 전쟁 경험이 공공적 문제에 무관심하며 공동책임의식이 부재한 형태의 사회 형성의 역사적 계기로 작용했음을 포착해보고자 한다.

죄의식 혹은 수치의 감정은 자아의 고양 혹은 위축과 연관된 감정이자, 철저하게 타인의 시선에 의해 활성화되는 감정이다. 죄의식과 수치의 감정은 자아이상과의 간극이 만들어내는 개별적 감정인 동시에 집단적 동의에 의해 남용되거나 소거될 수 있는 감정이다.[21] 애덤 스미스가 『도덕감정론』에서 언급했던 바, 누군가가 타인이 "자신을 어떻게 볼지 의식하면서 그런 시각으로 자기 자신을 바라본다면, 그는 자신이 그들에게는 다른 어떤 사람보다 특히 나을 것이 없는 수많은 사람들 중의 하나에 불과하다는 사실을 깨닫게" 될 것이다. 그리고 "만약 그가 이런 원칙으로 행동한다면 공정한 방관자도 그의 행위원칙에 공감하게 될 것이고, 이처럼 방관자의 공감을 얻는 것이야말로 그가 무엇보다도 가장 바라는" 바가 될 것이다.

21) 게오르그 짐멜(G. Simmel), 김덕영·윤미애 옮김, 『짐멜의 모더니티읽기』, 새물결, 2005, 227~240쪽.

이에 따라 애덤 스미스는 우리가 이러한 전제를 수용한다면 즉 "보다 신성한 정의의 법을 위반한 사람이 세상 사람들이 그에 대하여 품고 있는 감정들을 이해할 수 있게 되면", 우리는 "수치심, 공포, 그리고 경악 등의 모든 고통들을 느낄 수밖에 없게 된다"[22]고 지적한 바 있다. 말하자면 공동체의 눈이 우리를 그저 '본다'는 사실만으로 죄의식과 수치심을 느끼며 행위의 적절성을 의식하게 되는[23] 메커니즘이 공동책임의식에 기반한 사회의 유지를 가능하게 해준다고 판단한다. 자아 내부에 성찰적 대타자를 설정함으로써 스스로의 행위의 적절성을 가늠할 수 있게 한다는 애덤 스미스의 도덕 감정론은 자본주의 사회의 도래 이후 공동체의 존재 방식 변화를 논의하면서 사회구성 방식에 대한 관심으로부터 채택된 논거로서, 급속한 자본주의적 사회로의 전환을 겪고 있던 1970년대 한국사회의 성격 파악을 위해 유용하게 활용될 수 있는 측면을 갖는다. 근대적 감정 가운데에서도 죄의식과 수치심은 그간 사회적 순응에 기여하는 감정으로 논의되었는데,[24] 바로 이러한 사정은 역설적으로 자본주의 사회의 초기 형태를 논의하는 자리에서 죄의식과 수치심이 탁월한 사회적 감정으로 작용했음의 방증일 것이다. 죄의식과 수치의 최저선이 구축되는 과정에 대한 고찰은 사회의 속물화 일단을 포착할 수 있는 계기를 제공해준다고 할 수 있다.[25]

감정과 관련한 논의에서 재차 강조해두고자 하는 것은, 감정의 형성과 흐름에 대한 관심이 존재의 개별적 특성의 형성 과정으로 향해 있지 않다는 점이다. 오히려 그 검토는 뚜렷하게 가시화하기 어려운 사회의 관계적 국면 포착에 유용한 계기를 마련해줄 수 있을 것인데, 사회적 관계의

22) 애덤 스미스, 박세일·민경국 옮김, 『도덕감정론』, 비봉출판사, 2010(1996 초판), 157, 159쪽.

23) Agnes Heller, *A theory of feelings*, Lexington Books, 2nd ed. 2009(1979), p.76.

24) 잭 바바렛(Jack Barbalet), 박형신·정수남 옮김, 『감정의 거시사회학』, 일산사, 2007, 176~186쪽.

25) 아울러 사회적 수치나 무시당한 감정에 내포된 잠재력은 정치적, 문화적 외부 조건의 상태에 따라 정치적, 도덕적 신념으로 나아갈 수도 있다. 악셀 호네트(A. Honneth), 문성훈·이현재 옮김, 『인정투쟁』, 사월의책, 2011, 262쪽.

성격을 포착하기 위해서는 감정의 흐름과 감정적 속성 자체보다 그것이 흐릿해지고 억압되는 계기에 주목해야 할 것이다. 이른바 '2차적 죄의식'으로 명명 가능한 것들, 누군가를 감정적으로 다치게 한 것에 대한 죄의식이나 자신이 부자라는 사실에 대한 수치심(부끄러움)은 표정이나 몸짓으로 외화되지 않지만 사회를 유지하고 움직이게 하는 동력으로서 작동할 수 있다.[26] 죄의식과 수치심의 발현 자체가 아니라 그것의 최저선이 어떻게 형성되고 있는가에 대한 고찰이 초점화되어야 하는 것이다. 이런 맥락에서 한국사회의 속물화 경향과 관련해서 한국전쟁 경험은 죄의식과 수치심이라는 사회적 감정의 상실을 야기한 주요 계기로서 다루어질 수 있을 것이다.

'근대화'의 이름으로 1970년대 한국사회에 대한 폭넓은 이해가 이루어져왔다면, 정치경제적 성과나 폐해와 상호 연동하는 문화적 형성 문맥을 보다 세심하게 고찰해야 하는 시기에 이르렀으며, 무엇보다 역사적 문맥 속에서 한국사회의 성격 형성을 둘러싼 다면적 검토를 보다 본격화할 필요가 있다. 한국전쟁이 이후 한국사회의 문화적 감성구조를 틀 짓는 결정적 계기가 되었음을 새삼 강조할 필요는 없을 것인데, 역사적 문맥의 확보를 위해서는 특히 한국전쟁 경험 자체의 영향과 함께 그 경험의 기억과 애도 과정에 대한 고찰이 절실하다고 해야 한다. 전쟁 경험의 영향을 감정구조 형성과의 상관성 속에서 논의하고자 하는 이러한 문제의식에 입각해 구체적으로 이 장에서는 전쟁 경험의 역사화 과정에서 사회의 성찰성이 점차 상실되는 과정을 강용준, 박완서, 이문구 등의 소설을 통해 추적해볼 것이며, 사회의 속물화 경향이 일상화되면서 계층적 분화 과정과 맞물려 죄의식과 수치심이 상실되어가는 서로 다른 양상을 고찰해 볼 것이다.

---

26) Agnes Heller, *A theory of feelings*, Lexington Books, 2nd ed, 2009(1979), p.77.

1. 속물 정상화의 알리바이, 애도 불가능한 전쟁 경험의 병리화

한국전쟁 경험이 이후 한국사회에 급격한 변화를 야기했다고 할 때, 그에 대한 적응을 모두가 정상적 과정으로서 수용할 수는 없었다. 본고에서 주목하는 바, 그 변화의 주요 속성 가운데 하나를 속물화 경향으로 요약할 수 있다면, 변화에 적응한 이들이 사회의 주동 세력이 되면서 속물의 정상화가 이루어지고 있었던 반면, 그렇지 못한 경우 병리학적 성향을 띠면서 사회의 주변부적 존재가 되어갔다.

일본 요미우리신문이 선정한 1971년 '세계10대소설'이기도 한, 『창작과 비평』 17호(1970년 여름호)에 실린 강용준의 소설 「狂人日記」는 전쟁 영웅이었던 '조대위(조순덕 대위)'가 전쟁이 있었던 1950년대가 지나가고 1960년대가 시작되는 시류 풍조에 녹아들지 못하고 일상에 적응하지 못한 채 간첩단 사건에 연루되는 등의 괴이한 인생 행보 끝에 뇌기능 상실자로 판정받게 되고 결국 자살에 이르게 되는 과정을 회상의 방식으로 기술한다. 「광인일기」는 1960년 『사상계』에 「철조망」을 발표하면서 등단한 이래, 한국전쟁에 참여한 경험과 포로수용소에서의 경험을 바탕으로 전쟁이 인간에게 미친 영향을 다각도로 포착해 온 강용준의 소설적 경향 속에 놓여 있다.[27] 「광인일기」에서도 한국전쟁 당시 제법 전공도 세우고 평판도 좋았던 '민대령'이 고향에서 자신의 부친이 우물 속에 생매장된 것을 발견한 뒤로 일변한 사정을 짚어내는 방식으로 강용준은 전쟁 일반이 인간에게 미치는 영향을 가늠한다. 그러면서도 「광인일기」는 전쟁 이후 한국사회의 속물성이 강화된 사정을 보다 구체적으로 다루고 있으며, 무엇보다 그러한 변화를 개별자들의 문제로 돌리지 않고 사회와의 교호관계 속에서 이루어진 것임을 지적하려 했다.[28] 특히, 거제도 포로수용소

27) 김주연, 「강용준의 6·25 소설」, 『광인일기』, 예문관, 1974 참조.

28) 가령, 손쉽게 파악되지 않는 개인의 내적 변화와 시대적 감성 구조의 변화를 포착하기 위한 시도는 다음과 같은 대목에서 확인할 수 있다. "그렇지만 자네가 예의 자폐적(自閉的)인 우울한 파과형(破瓜型)의 상태에서 망상형의 공격성으로

시절 경험에 바탕한 소설 「악령」을 통해서도 확인할 수 있듯이, 소설에서 전쟁 경험은 오물통에 담긴 잘린 다리와 발가락으로 압축되는 살육과 무참한 폭력 그리고 생생한 공포로 구현되는 동시에 그 경험이 현재를 사는 이들에게 미친 신체적, 정신적 영향으로 끊임없이 반추되었다.29)

강용준의 소설에서 정신적 질환은 대개 권력과의 야합을 통한 '욕된 생'을 일상으로 사는 이와 대척점에 놓인 이들의 존재론적 특징으로 모아진다.30) 「광인일기」에서도 '조대위'의 정신질환과 자살은 전쟁기 영웅이었던 그의 과거와 긴밀하게 연동되어 있다. 그러나 '조대위'가 실성을 하고 자살을 택한 이유를 추적하는 형식을 취하고 있음에도, 「광인일기」에서 전쟁 경험의 영향을 반추하기 위해 선택된 인물은 '조대위'의 삶을 다양한 정보들을 통해 재구성하고자 한 서술자 '나'이다. 과거에 전쟁을 함께 겪었던 시절에 대한 회상을 비롯하여 의학적 진단, 주간지 기자에 의해 허구적으로 재구된 기록을 통해 '나'는 '조대위'의 삶에서 누락된 부분을 채우고자 노력한다. 그러나 그 노력은 소설 전체로 보면 결국 실패로

옮아앉게 된 구체적인 심리적 동인은 무엇인가. 그것을 모르겠다는 것이다. 그 사이 자네는 개인적으로 이혼을 했고, 어린 애를 낳았다가 죽였고, 다시 노모의 사망을 겪었고(자네가 결혼한 다음다음해, 그러니까 자네들이 이혼한 그해 가을에 자네의 노모는 노쇠병으로 사망하였다), 또 사회적으로는 <귀하신 몸>의 자유당 전성기와 4·19 <최루탄 세대>가 있었으나, 그 어느 것도 자네의 증상과 무관하다고는 말할 수 없는 반면 같은 의미에서 그 어느 하나도 구체적으로 지적하여 자네의 증상에 결정적으로 영향을 미쳤다고 단언하기가 퍽 난처하다고 주간지는 변명하고 있었다."(강용준, 「광인일기」, 『창작과비평』 17, 1970년 여름호, 186쪽.)

29) 강용준, 「악령」, 『광인일기』, 예문관, 1974, 115쪽. 신체적 훼손과 「악령」의 주인공이 앓는 정신질환인 '관계망상과 죄업망상'(117쪽)은 전쟁이 주체의 정신에 미친 영향과 관련해서 의미심장하다. 한편으로 오물통 속에 담긴 폭력과 살상의 구체가 주인공을 죄의식에서 헤어날 수 없게 만들었다는 점에서 그러하며, 다른 한편으로 전쟁 경험에 의해 날카롭게 벼려진 그 죄의식이 해소되지 못하고 그대로 유지될 때 죄의식의 주체는 정신적 질환자 혹은 사회의 주변부적 존재로서 살아갈 수밖에 없음을 말해준다는 점에서 그러하다.

30) 강용준, 「일요일」, 『광인일기』, 예문관, 1974, 144쪽. 이는, 강용준이 소위 전쟁문학 혹은 전후문학이라 불리는 소설들에서 폭넓게 이루어지던 인간성 상실의 측면에 천착하면서도 그만의 관점을 마련하고 있음을 특징적으로 보여주는 지점이다.

끝난다. 끝내 '조대위'의 삶은 나에게 풀리지 않는 의문들을 남긴다. 그럼에도 '나'는 '조대위'의 삶의 굴곡을 이해하려는 노력을 포기하지 않는데 그것은 이 소설에서 '조대위'가 "어느 틈에 순응주의자로 전락하고 사회적 희극과 알량한 향락에 젖어들고 있는 <나>"를 자신과 대면하게 하는 "거울"로서 기능하고 있다는 사실과 무관하지 않다.[31]

> 참으로 어처구니가 없다. 사람이 심한 긴장상태에 직면하게 되면 이에 대한 신체적인 증상으로서 심박수(心拍數)의 증가나, 좀더 심하면 수족의 마비 같은 현상을 나타낸다. 말하자면 하나의 정동자격(情動刺激)이 가해질 때 이에 대하여 신체는 여러 가지 기질적(氣質的)인 반응을 나타내는데, 이것을 심신의학(心身醫學)에서는 신체언어(身體言語)라고 부르는 모양이다. 그러니까 자네의 그 이인증(離人症)이나 뒤로만 처져 도는 은폐벽 따위는 자네의 심리상태를 일반적인 통념으로의 말(言語)로써 세상에 고지(告知)하는 대신 신체적인 증세로써 나타내고 있었다는 얘기다.
>
> 그렇다면, 이런 온갖 증상들도 포함한 총체로서의 자네의 모든 생존상의 기복(起伏)이나, 그리고 굉장히 소심하면서도 파렴치할 정도로 무사안일주의에 젖어서 피부적인 쾌락이나 일삼는 이 메마르고 무책임한 나의 생활태도-그러면, 그것은 이른바 사회언어(社會言語)인가.
>
> 같은 식으로 자네의 죽음- 이것은 그러면 존재언어(存在言語)인가. 바보, 바보.(「광인일기」, 『창작과비평』 17, 201쪽)

강용준은 언어화되지 않거나 신체적 증상으로서만 나타나는 사회적 규율권력의 일면에 대한 포착의 중요성을 강조하고 있거니와, '조대위'와 '최대위'가 모두 "모양만 다른 같은 내용의 다른 꼴들"(「광인일기」, 201쪽)임을 포착한다. '아무래도 정상인이 아닌 듯한' "언제나 뒤로만 처져 돌아가고, 어딘지 정신이 나간 사람 같고, 뒤룩뒤룩 눈을 굴리고, 맥풀없이 흔들흔들거리고, 그래서 항상 웃음거리의 대상"(「광인일기」, 152쪽)이 되어버린 '조대

31) 정명환, 「불행과 비극」, 『창작과비평』 35, 1975년 봄호, 147쪽.

위'의 일상에의 부적응의 의미를 좀더 세심하게 들여다보는 한편 「광인일기」는 일상에의 부적응의 역방향 즉 일상에의 적응이 의미하는 바 또한 적시한다. 구체적으로 「광인일기」는 '조대위'의 삶을 결혼한 부인과의 대비 속에서, 다른 한편으로 군대 동료였던 화자 '최대위'와의 대비 속에서 의미화하고 있으며, 그것은 소설 내에서 '등신/병신/바보와 속물'의 구도로 가시화된다.

(1) 가급적이면 안이하게, 그리고 나는 생활을 엔조이할 줄 알고 있었다. 이것은 내가 미국에서 4년을 썩고, 또 계속해서 미국인 회사에 근무하게 된 덕분이 아닌가 싶지만, 요컨대 나는 이 땅에서 50년대가 끝나고 60년대가 시작되는 그 어정쩡한 시류의 풍조를 즐길 줄 알고 있었다. 자네의 출현이 혹시 나로 하여금 어떤 영상을 유발해 내도록 작용하고, 또 내가 그 영상에 집착하여 심각을 가장하며 이러쿵저러쿵 이 사회의 병폐를 얘기해 본다고 하더라도 그것은 어디까지나 하나의 소시민적인 고독을 조작해내기 위한 수단으로서만 그렇게 하는 데 지나지 않는다. 글쎄 따지고 보니 그렇다. 세상만사란 원래가 그런 법이거니, 그러나 깊이는 말려들지 않으려고 극히 조심하면서 적당히 멋으로만 잠겨보는 것이다. 그러니 여기서 내가 자네를 가리켜 「바보」라고 말하고, 「그럴 수가 없다」 하고 말해 보아도 결국 그것은 옹색한 샐러리맨의 어설픈 제스처에 지나지 않는다.(「광인일기」, 164~165쪽.)

(2) 주간지가 전해주는 바에 의하면 결혼 후 자네들은 종종 언쟁을 하였는데, 이런 경우 자네는 곧잘 자네의 여자를 가리켜 <속물>이라고 욕을 하였고 이에 대하여 자네의 여자는 <병신>이라고 응수하고 나왔다 한다.(「광인일기」, 182~183쪽.)

전쟁이 끝나고 서구화 특히 미국화 되어가는 사회 변화의 흐름을 탄 '나'가 '어정쩡한 시류의 풍조'를 즐길 줄 알게 되는 것, 세상만사가 원래 그런 법이라는 식의 냉소를 가장해 그런 흐름의 동력에 대한 판단정지와 불개입의 태도를 취하는 것, 이렇게 사는 것이 아니라면 '등신/병신/바보'가 되어가고 있는 세상의 일면이 포착되고 있다고도 할 수 있는 바, 「광인일기」에 의하면, 그 '속물성'이라는 것은, 일상적 차원으로 살피자면, 샐러리맨의 일상과 과히 다르지 않다. 가령 그것은 "아침 여덟 시에 출근하여 그저 고만한 상황과 늘 대하는 면면들의 한정된 대인관계 속에서 타이프를 짓고, 미국인의 눈에서 과히 벗어나지는 않도록 속에는 없지만 적당히 미소를 짓고, 회사의 발전을 위한다는 생각은 모르고라도 하는 일이 없이 오로지 커미션 나올 구멍만을 생각하고, 그러면서도 뒷일은 시끄럽지 않아야 할 터이니까 굉장히 소심하게 이를 다루"(「광인일기」, 176쪽)는 날의 장기적 반복일 뿐이다.

서술자('최대위') 자신이 고백하고 있듯이, 이 반복되는 일상의 강고함은 전쟁의 의미와 그것이 사회와 인간에 미친 부정적 영향을 떠올리게 하는 '조대위'와 같은 사람의 출현으로는 흔들리지도 반성되지도 않는다. 돈과 쾌락을 목적으로 하는 삶은 '그의 생활이자 오랜 반복이 축적해 놓은 습관과도 같이 견고한 것'이기 때문이다(「광인일기」, 191쪽). 금력 만능 시대에 모든 것이 화폐 가치로 환산되고 있고 정당한 가치의 지불이 곧 윤리가 되어버리는 이러한 구조 속에서는 개인의 영달과 쾌락을 위한 어떤 행위도 개인에게 죄의식이나 양심의 가책을 불러일으키지 않는다. 전쟁 경험으로 압축되는 인간성 상실의 참혹함에 대한 '조대위'의 경험은 '나'('최대위')에 의해 인간성을 상실해가는 사회변화의 저지선으로서의 가능성으로 탐색되지만, 그러나 사실 「광인일기」는 결국 그러한 탐색의 실패를 통해 '최대위'의 삶을 비정상의 자리로 밀어놓게 되며 무엇보다 '나'의 삶의 방식에 정상성의 표지를 허락하는 알리바이로서 작동하게 한다. 반복된 '습관'이 되면서 속물성이 어떤 성찰도 불가능한 일상 자체가 되어버리고 있음을 「광인일기」는 그렇게 선언한다.

2. 계층 위계의 도덕 감정적 재구, 회귀하는 회한 정지의 시간

한국전쟁 경험이 '우리'라는 공동체 의식을 붕괴시키고 '나' 혹은 '나'의 작은 단위 확장체인 '가족'을 중심으로 한 전환적 의식을 낳았으며 결과적으로 이기주의적 속성을 띤 생활원리를 내면화하게 했음은 주지의 사실이다. 박완서의 소설은 이러한 변화에 대한 수많은 소설적 전거를 제공한다.(『나목』(1970), 「부처님 근처」(1973), 「지렁이 울음소리」(1973), 「카메라와 워커」(1975) 등) 전쟁 경험을 즉물적으로 포착했던 1950년대 서사에서도 '우리에서 나'로의 인식전환의 국면과 이기주의적 생활습속이 포착되었다.[32] 그러나 박완서의 소설은 해체된 공동체 일원인 개인들의 속성을 추적하고 폭로하는 데 그치지 않고, 가족 이데올로기의 생산과 재생산에 대한 질문을 반복하는[33] 한편 그것이 한국사회의 중산층 형성과 밀접하게 연관되어 있는 속물성의 기원이 되었음을 짚어낸다. 한국전쟁을 반복적으로 기억하고 역사화하려는 시도를 통해 박완서의 소설은 한국사회가 참회조차 불가능한 시대를 맞이하게 되었음을 포착한다. 한국사회에서 '우리'라는 인식이 존재하기 어렵게 된 이유, '나'의 다른 이름들 즉 '나의 확장체'와 '변이체'만 남게 된 이유가 과거의 그 시간에 담겨 있음을 아울러 상기시킨다. 한국전쟁

---

32) 가령, 이범선의 소설 「몸 全體로」(1958, 『사상계』 5월호)는 전쟁과 피난 경험이 '우리'에서 '나'로의 인식 전환의 계기였음을 전면적으로 보여준다. "「백사장, 그건 꼭 <우리>라는 말과 같은 것이 아닐까요. 그저 수없이 많은 모래알, 그것이 어쩌다 한 곳에 모였을 뿐, 아무런 유기적 관계도 없이. 안 그렇습니까? <우리>, 참 좋아하고 또 많이 쓰던 말입니다. 우리! 그런데 피난 중에 저는 그만 그 말을 잃어버렸습니다. 폭탄의 힘은 참 위대하더군요. 저는 돌아온 이 서울 거리에서 <우리> 대신 폐허 위에 수많은 <나>를 발견했습니다. 나, 나, 나, 나, 나, 나. 정말 한강의 모래알만치나 많은 <나>……」"(이범선, 「몸 全體로」, 『현대한국문학전집』 6, 신구문화사, 1981, 321쪽). 고등학교 영어교사인 주인공은 전쟁 통에 피난민 생활을 하면서 극심한 굶주림 끝에 딸을 잃고 거지와 다름없는 생활을 하면서 세상에 더 이상 '우리'라는 인식은 존재하지 않음을 깨닫게 되고, 아들에게 권투를 가르친다는 명목으로 자신의 세계인식을 생활원리로서 전수하고자 한다. 그런데 전쟁 직후의 이러한 인식은 거리감을 두고 바라보는 청년의 시선을 통해 포착되고 있다는 점에서도 확인할 수 있듯이 경험의 특수성에 입각한 개별적 인식에 더 가까웠다고 해야 한다.

33) 권명아, 「<가족의 기원>에 관한 역사소설적 탐구」, 이경호·권명아 엮음, 『박완서 문학 길찾기』, 세계사, 2000, 299쪽.

을 다룬 박완서의 소설들이 남한사회의 중산층 형성에 관한 충실한 보고서라고 할 수 있다면, 그것은 박완서의 소설이 한국사회의 총체적 속물성과 그 근원을 다시 들여다보고 있기 때문일 것이다.[34)]

박완서의 소설에 의하면 한국사회에서 누군가가 아이들의 기성회비조차 제대로 낼 수 없었던 가난에서 쉽게 탈출했을 때 그것은 결코 근면하고 성실한 삶의 태도 때문이 아니라 이른바 '강남 바람'을 타고 마구 오르기 시작한 "땅값"[35)](「세모」, 『여성동아』 1971. 3) 덕분이었을 가능성이 높다. 1960~70년대는 "우연히 손을 댄 땅장사"가 누군가를 "벼락부자로 만들어 놓"기도 하던 시절이었다(「어느 시시한 사내 이야기」, 『세대』 1974. 5).[36)] 이전이라면 상상도 못했을 부를 누리며 돈을 통해 '사치 할 수 있는 권리'를 얻게 되었다고 해도 그것은 예기치 않은 순간에 주어진 행운 같은 것에 가까웠다. 돈을 통한 급격한 계층 상승을 이룬 이들이 더 이상 가난하지 않은 현실에 행복감을 느끼면서도 "의연한 기품"(「세모」, 13쪽)과 같은 것을 잃어버렸다고 생각하거나 가난의 대물림으로 반복될지도 모를 계층적 낙오에 대한 두려움에 사로잡히게 되는 것은 그들의 부가 외부의 조건변화로부터 주어진 것이자 낙차 큰 획득물이었다는 사정과 긴밀하게 연관되어 있다.

중산층 형성의 배면적 토대로서 하층민에 대한 공포가 자리하게 된 것은 이러한 사정에서 비롯되었다고 해야 한다. 급격한 계층 변화 속에서 누구에게나 능력만큼의 계층적 상승 기회가 주어져 있었지만, 언제나 그 변동 속에서 모두가 상대적 박탈감에 시달려야 했으며 그 간극이 불러오는 감정 즉 열등감과 복수심(시기심/질투심)에서 자유로울 수 없었기 때문이다. 박완서의 소설에 의해 포착되는 계층적 위계 문제는 바로 이 공포심과

---

34) 소영현, 「한국 중산층의 형성과 한국전쟁이라는 죄의식」, 『그해 겨울은 따뜻했네』 2권, 세계사, 2012, 364쪽.

35) 박완서, 「세모」, 『부끄러움을 가르칩니다』, 문학동네, 1999, 20쪽.

36) 박완서, 「어느 시시한 사내 이야기」, 『부끄러움을 가르칩니다』, 문학동네, 1999, 254쪽.

복수심의 대결이라고도 할 수 있는데, 박완서의 소설은 하층민에 대한 공포가 역설적으로 중산층의 형성을 추동하고 결속력을 강화해갔음을 보여준다. "돈을 조금 주고 일을 많이 시키는 것", "세리와의 간교한 '쇼부', 관료에의 아첨, 수지맞는 일이라면 염치 불구하고 송사리의 분야까지 넘보는 대자본의 파렴치한 촉수, 동업자간의 너 죽고 나 죽자 식의 경쟁"[37] 즉 '아랫사람을 부리는 법'에 대한 교육이 어떤 도덕적 회의나 부끄러움 없이 '자수성가한 부모에서 자식에게로' 자연스럽게 이루어질 수 있는 근간에는 "사람 부리는 사람끼리는 서로서로 의리를 지켜 가며, 정보를 교환해 가며 드난꾼을 다스려야 한다"[38]는 식의 강고한 계층의식이 마련되고 있었기 때문이다.

이처럼 박완서의 소설은 상승과 하강의 낙차가 커짐에 따라 계층적/계급적 위계가 도덕을 구성하는 감정 문제로 재구되는 과정을 보여준다.[39] 애덤 스미스가 『도덕감정론』에서 강조했던 '거울-자아(looking-glass self motif)'로서의 성찰적 시선이 시장적 교환관계 문제의 해결에 대한 관심과 무관하지 않다는 점이 여러 차례 지적된 바 있거니와, "근면과 절약, 신중함

---

37) 박완서, 「어느 시시한 사내 이야기」, 『부끄러움을 가르칩니다』, 문학동네, 1999, 244쪽.

38) 박완서, 「창 밖은 봄」, 『엄마의 말뚝』, 세계사, 1994, 352쪽.

39) 중산층의 계층적 감정은 상층과 하층 사이의 관계로부터 도출된 것으로 복합감정체의 성격을 가진다고 해야 하는데, 이는 물론 '맨션'이라는 이름의 고급 아파트를 중심으로 중산층의 계층적 평준화가 이루어지고 있던 사정과 무연하지 않다(박해천, 『콘크리트 유토피아』, 자음과모음, 2011, 237~239쪽). 가령, "남보다 잘 살기 위해, 그러나 결과적으론 겨우 남과 닮기 위해 하루하루를 잃어버"(박완서, 「닮은 방들」, 『부끄러움을 가르칩니다』, 문학동네, 1999, 284쪽)리게 되는 상황이 불러온 것은 상실감과 계층적 자기혐오인데, 이런 감정은 「닮은 방들」(『월간중앙』 1974. 6)에서 아파트 생활을 시작한 이후로 아파트 생활자들이 일상과 의식, 문화가 점차 보이지 않는 작은 경쟁 속에서 결국 같아지게 되는 사정에 대한 신체적 반응으로서의 '메스꺼움'으로 표현되기도 했다. 중산층을 다루는 박완서의 소설의 의미는 사회적 부의 급격한 축적과 함께 점차 세분화되고 격차가 심해지는 계층적 분화가 야기한 복합감정 즉 보다 상층을 향한 열망과 하층에 대한 공포를 상시적으로 뒤섞인 채 신체적으로 겪어야 하는 상황이 적나라하게 포착된 데 있다고 해도 지나치지 않을 것이다.

과 같은 근대정신의 폭넓은 확장의 가장 적절한 보상이 부와 명예 획득이라는 의미의 성공"으로 이해되는 과정에서 도덕 감정은 근대적 자본주의 체제가 수립되는 과정에서 생겨나는 빈틈에 대한 방책의 역할을 할 수 있었던 것이다.[40] 물론 박완서의 소설은 한국사회의 계층적/계급적 위계가 도덕 감정 문제로 재구되는 과정이 전쟁 경험의 역사화를 통해 이루어진다는 점도 간과하지 않았다. 전쟁이라는 특수한 시공간에서 일곱 살 꼬마가 아귀 같이 먹어대던 다섯 살배기 동생을 피난민 대열 속에서 놓친(사실상 의도적으로 손을 놓아버린) 사건이 야기한 죄의식과 불안의 사후적 영향력을 다루고 있는 『그해 겨울은 따뜻했네』를 통해 우회적으로 확인할 수 있듯이, 박완서의 소설은 계층의 도덕 감정적 위계화가 계층 내부의 라이프스타일의 동질화를 야기한 급속한 근대화의 결과만은 아니었음을 짚어주었다.

소설 속에서 전쟁 경험은 '전쟁의 와중에는 영악한 연출력까지 발휘한 끔찍한 범죄였다고 해도 피난길에 짐이 된다면 자신들을 위해 어린아이 하나쯤 아무렇게나 버릴 수도 있었던' 시절로, "난리통의 모든 사람들은 공모자였"고 "인두겁을 쓴 짐승"이었으며(39쪽) 심지어 동생을 버린 일을 어른들의 암묵적 동의 속에서 실행할 수 있었던 때임이 강조된다. 그러나 전쟁이라는 특수상황에서 용인된 사건이 일상이 회복된 시간에도 용인될 수 있는 것은 아니다. 공동체의 도덕이 무용의 것이 되고 개인적 윤리가 행동의 지침이 되지 못하던 때를 지나서 이전과는 다르지만 그러나 일시적 일탈로부터는 벗어난 새로운 질서가 회복되는 때에 이 사건은 반추될 수밖에 없으며 은폐된 죄의식과 불안은 들추어질 수밖에 없다. 『그해 겨울은 따뜻했네』는 전쟁이 언제 있었냐는 듯 옛날얘기가 되어가고 있었고,

---

40) 애덤 스미스, 박세일·민경국 옮김, 『도덕감정론』, 비봉출판사, 2010(1996 초판), 209~215, 309쪽 ; Barbalet, Jack, "Smith's Sentiments(1759) and Wright's Passion(1601): the beginnings of sociology", *The British Journal of Sociology* 56(2), 2005, pp.171~189.

굶주림에 대한 기억이 까마득히 희미해져, 먹을 것을 빼앗기기 싫어 동생을 일부러 내다버린다는 것은 상상도 할 수 없는 시절이 왔으며, 모두가 비인간의 상황에 놓였던 그 시절의 그 사건에 대해 잊고 있으며 관심도 없을지라도, 사회 전체의 차원에서 그 사건이 야기한 죄의식과 불안이 해소되지는 않았으며 망각되지도 않는 것임을 '수지'의 동생 '수인/오목'에 대한 반복된 외면을 통해 확인시킨다.

'수지'가 동생을 찾기 위해 고아원 순례를 하면서도 막상 동생을 발견했을 때 혈육임을 밝히지 않았다는 사실에 주목해보면, 동생 '수인/오목'을 버렸던 '수지'가 이후 동생을 반복적으로 버리는 행위는 회한의 실패에 의한 것이라고 해야 한다. 애덤 스미스가 과거의 행위가 도덕적으로 옳지 않았다는 감각에서 기인한 수치심, 그 행위 결과에 대한 비애, 그 행위로 인해 고통 받은 사람들에 대한 동정, 그리고 스스로 인정할 수 있을 만큼의 처벌에 대한 두려움의 복합적 작용인 '회한(remorse)'을 강조했던 것은, 공동체의 일원으로 하여금 사회윤리의 회복으로 나아가게 하는, 회한이 갖는 힘 때문이었다.[41] 그런데 회한 작용을 통해 질서의 회복으로 나아가지 못한 과격한 에너지 즉 후회로 이어지는 죄의식은 과거에 들어붙어 해소되지 않는 원한이 되며 결국 죄의식을 야기한 대상 자체에 대한 과도한 분노로 표출된다.[42] '수지'가 동생을 외면하는 행위는 이 회한이 불가능한 불가역의 사회가 도래하고 있음의 계기 내지 신호로서 이해될 수 있다.

사실 수치심이나 죄의식의 포기는 「부끄러움을 가르칩니다」(『신동아』 1974. 8)나 『그해 겨울은 따뜻했네』(『한국일보』 1982~1983 연재)가 보여주듯이, 한국전쟁을 통과한 한국사회와 그 일원 다수가 부득이 체득해야 했던 삶의 원리 가운데 하나였다. 작은 일에도 얼굴이 달아오르고 그런 자신이 부끄러워 더욱 얼굴을 붉혔던, '타인의 시선'이라는 이름의 윤리를

41) 애덤 스미스, 박세일·민경국 옮김, 『도덕감정론』, 비봉출판사, 2010(1996 초판), 160~161쪽.

42) 富山一郎, 임성모 옮김, 『전장의 기억』, 이산, 2002, 84쪽.

내면화한 감수성은 당장 굶어죽을 수 있는 상황 앞에서 아니 몸을 팔지 않고서는 목숨을 부지하기 어려운 상황 앞에서 외면되어야 할 것이었다. 자신의 딸을 양갈보를 시키지 못해 분통을 터뜨리는 어머니 앞에서, 딸을 팔아먹지 않고서야 가족의 목숨을 부지하기 어려운 상황 앞에서,[43] 수치심이나 죄의식은 발현되어서는 안 될 것으로 은폐되고 폐기되어야 했다.[44] 『그해 겨울은 따뜻했네』에서도 전쟁 통에 동생을 버린 사건과 그로부터 야기된 죄의식은 이후로 철저한 망각의 대상으로 치부되는데, 이때 해소되지 않는 죄의식을 반복적으로 은폐하려는 시도는 이후의 삶의 방식을 지속시키기 위해 피해갈 수 없는 절차가 되어버린다. 반대로 "죽기 아니면 살기"만이 선택될 수 있었고 "살기 위한 선택은 아무리 비인간적이라도 정당했"던 그런 "난리통"을 계속 현재화하는 것, 그것만이 죄의식을 외면할 수 있는 유일한 방책이 되고 있었다고 말할 수도 있다.

---

43) "어느 날 어머니가 발작적으로 울음을 터뜨리더니 가슴을 풀어헤치고 맨살을 드러냈다. 희끗희끗 비늘이 돋은 암갈색의 시들시들한 피부가 늑골을 셀 수 있을 만큼, 가슴에 찰싹 달라붙어 있고 어중간히 매달린 검은 젖꼭지가 몇 년 묵은 대추처럼 초라하니 말라비틀어져 있었다. 어머니는 그 가슴을 손톱으로 박박 할퀴며 푸념을 했다. 누웠던 비늘이 일어서며 흰 줄이 가더니 드디어 붉게 핏기가 솟았다. 끔찍한 모습이었다./"이년아, 똑똑히 봐둬라. 이 인정머리 없는 독한 년아. 이 에미 꼬락서니를 봐두란 말이다. 어디 양갈보 짓이라도 해 먹겠냐. 어느 눈먼 양키라도 뎀벼야 해먹지. 아무리 해먹고 싶어도 이년아, 양갈보 짓을 어떻게 혼자 해먹니. 우리 식군 다 굶어 죽었다, 죽었어. 이 독살스러운 년아, 이 도도한 년아. 한강물에 배 떠나간 자국 있다던? 이 같잖은 년아."", 박완서, 「부끄러움을 가르칩니다」, 『부끄러움을 가르칩니다』, 문학동네, 1999, 317쪽.

44) 그리하여 결국 '남의 이목을 가리지 않는' 돈과 명예에 대한 기갈은 「부끄러움을 가르칩니다」의 주인공의 전남편들을 통해서 입증되듯이, 중농 정도의 농사꾼에게든 서정적 향토애로 넘치는 것처럼 보이던 지방 대학강사에게든 별다른 차이가 없을 정도로 누구나의 것이 되었다. 부끄러움의 감정은 기껏해야 알맹이는 퇴화된 채 귀부인다운 품위를 갖춘 옛 친구에게서 '계산된 포즈'로서만 남아있게 될 뿐이다. 소설에서 망각했다고 여겼던 부끄러움을 감지하는 감수성은 일본인 관광객들에게 소매치기를 주의하라는 일본어를 듣는 순간 급작스럽게 되살아난다. 이는 개별자를 비추는 거울로서의 성찰적 시선이 국가와 국민이라는 범주에서나 환기되는 것으로, 사회의 일원들 안에서는 더 이상 감지되지도 작동되지도 않는 것이 되고 있음을 말해준다는 점에서 흥미롭다.

그런데 '수지'가 동생을 반복적으로 부인하는 행위는 개인적인 차원의 죄의식의 망각을 위한 몸부림만이 아니라는 점에서 주목을 요한다. '수지'는 '수인/오목'이 혈육임을 끝내 밝히지 않을 뿐 아니라 그녀가 자신의 삶으로 깊숙이 개입해 들어오는 것에 강한 거부감과 불안감을 느낀다. 전 사회가 계층적 상승에의 열망, 즉 출세욕과 성공욕으로 들끓는 시대로 진입하면서, 중산층으로서의 안정성을 확보해가고 있던 '수지/수철' 가족은 고아로 자란 동생 '수인/오목'의 가족찾기를 하층민의 상승욕망으로 규정하는 동시에, 자신들의 계층적 안정성에 대한 위협으로 받아들였던 것이다. 박완서는 죄의식과 그것을 불러온 사건에 대한 기억을 지워버리려는 '수지/수철'의 시도가 계층적 자기보존을 위한 행위임을 지적한다. 핏줄의 힘을 가볍게 떨치게 되는 계층 위계화와 그로 인한 계층 상호 간의 감정적 위계를 포착하면서 『그해 겨울은 따뜻했네』는 계층적 자기보존의 행위가 갖는 부끄러움을 모르는 위선성을 폭로하는 것이다.

박완서의 소설에 의해 죄의식과 수치심의 상실로 짚어진 1970년대 한국 사회의 어떤 일면, 그것은 말하자면 수치와 죄의식 그리고 자기처벌에의 공포를 환기하는 감정복합체의 작동이 정지하고 있으며, (시민)사회에 대한 의식이 점차 희미해지고 있음을 시사한다. 연대, 공공성, 인륜성의 추구라는 도덕적 지향을 가진 시민성의 획득은 가족주의의 외피로 둘러싸인 계층적 자기보존 의식에 의해 포기되거나 거부되어야 할 덕목이 되고 있었다고 말할 수도 있다.[45] 박완서의 소설에서 그 전환국면은 근대 이래로 한국사회에서 근대 주체를 형성한 주된 동력이었던 입신출세 욕망이 전쟁 경험과 돈을 최고의 가치로 여기는 시대 풍조와 결합되면서 비교에 의한 우위 외에 남은 것이 없는, '죄의식 없는/부끄러움 없는' 회한 기능 상실의 장면으로 포착되고 있었던 것이다.[46]

45) 김동춘, 「시민권과 시민성」, 『서강인문논총』 37, 2013, 33~35쪽.

46) 말할 것도 없이 '부끄러움 상실'의 포착은 박완서 소설만의 특장이라 할 수 없다. "나는 가정적으로 불우하고 고생을 겪었던 객지생활 속에서 성년이 되었던

3. 생활습속이 된 기회주의적 생존술과 모럴 정지의 관망하는 무기력

그러나 한국전쟁이 일상 차원에서 모두에게 남긴 당면과제는 빈곤 문제였다. 먹고사는 문제인 가난 자체와 함께 빈곤은 가족들 간에도 악다구니밖에 남지 않은 삶의 바닥과의 대면을 의미했다. 1970년대 중반을 지나고 있었어도, 가족이라는 이름의 가난으로부터 도망쳐서 자신의 가정을 꾸리고자 한 남자가 가족이라는 이름의 짐을 끊어내고자 할 때[47] 그 숨겨진 사정은 대개 삶의 근간을 파괴한 전쟁과 결부되어있게 마련이었다. 한국전쟁은 생과 사를 가르는 폭력적 시공간이었을 뿐 아니라 그 폭력성은 월남 혹은 월북의 방식으로 삶의 근거지를 상실하고 뿌리 뽑힌 존재가 되도록 강제한다는 점에서 치명적이었다. 회복할 수 없는 전락의 경험은 전쟁 경험의 당사자뿐 아니라 다음 세대로까지 유전되는 것이었기 때문이다. 「우리 며느리」를 통해 확인할 수 있듯이, 누군가가 본래 성격도 그렇고 사무를 볼 정도의 학식도 있었으며 실제로 이북에서는 한때 사무원도

만큼 인생의 겉껍질이라 할까, 인생을 포장해 놓는 형식이라 할까, 그런 것에 대해 느끼는 게 있지요. 나 자신을 속이고서라도 출세하고 싶고, 부자집 사위 되고 싶고, 그 뭐라더라 <하면 된다> 따위의 수작을 읊어 보고 싶기도 했지요."(박태순, 「좁은 문」, 『신생』, 민음사, 1986, 95쪽). 박태순의 「좁은 문」의 '장찬승'의 고백에서 확인할 수 있듯이, 가난한 농촌 집안의 자식으로 태어나, 전쟁 때 아버지를 여의고 어머니를 따라 홀아비의 후살이로 들어가야 했으며, 그런 성장배경이 서울로의 이주를 부추겼으며 무엇보다 자신 한 몸을 위하는 생존방식을 체화하게 만들었던 사정은 사회 전반에 걸친 일반적인 것에 가까웠다.

47) "주정뱅이 아버지, 연탄가루에 닦이어서 언제나 번들거리는 지게와 작대기, 그리고 벗어 걸어논 새까만 작업복, 그러한 작업복에서는 언제나 연탄가루와 고약한 냄새가 풍기었다. 하지만 아버지는 언제나 술에 곤드레가 되었으므로 그것이 더럽다는 사실을 잊는다. 그것은 어머니의 경우도 마찬가지이다. 하루 종일 봇짐장사를 하였으므로 집에 들어오기가 바쁘게 큰 댓자로 누워 코를 골기에 바쁘다. 그러나 한 달이면 절반가량은 싸움판이 벌어진다. 그것은 대개는 신세타령부터 시작하는 싸움이다. 어머니는 못난 남편을 타박하기에 열을 올리고 아버지는 자기가 못났다는 열등감을 때우려고 결국엔 주먹다짐이 오고가고 집안의 온갖 집기가 와장창하고 부숴지는 판이 된다." 박용숙, 「우리 며느리」, 『창작과비평』 37, 1975년 가을호, 47쪽.

했다 해도 전쟁 통에 남한으로 와서는 결국 연탄 나르는 지게꾼이 될 수밖에 없는 것이 현실사정이었다. 가난과 악다구니만 남은 계층으로의 전락을 피하기는 쉽지 않았던 것이다. 부모나 형제를 남과 다름없게 여기게 되거나 "아내와 나를 중심으로 해서 무엇인가를 꾸며 보고 싶"은, 이른바 핵가족을 이루고자 하는 욕망과 그것이 이끈 욕망의 연쇄들, 즉 "돈을 벌거나 출세를 하는 길"[48]에 대한 열망은 말하자면 전쟁이 야기한 삶 즉 전락의 삶이 추동한 것이었다.

이문구의 『장한몽』[49]이 관심을 두는 인물들 다수는 이 전락을 체현한다. 1960년대 중후반 마포의 공동묘지를 경기도 광주로 옮기는 과정과 작가 자신의 이장 공사판 경험을 바탕으로 한 소설인 『장한몽』에서 공동묘지 이장 사업에 인부로 흘러든 이들은 하층계급을 위한 제도나 기구의 혜택에서도 배제된 존재들이다. 인물의 입을 빌려 육체노동 외에 생존수단이 없는 날품팔이야말로 권익 보호를 위한 단체와 집단이 절실히 필요하다고 강조될 정도로, 그들은 무능하고 가난하며 사회적 신분이 불안정하다. 이문구 초기 소설의 상당 부분이 떠밀리듯 고향을 떠나 도시로 진입해서 밑바닥 인생을 살게 된 인물들로 채워져 있기도 하거니와, 전락의 삶의 압축판처럼 여겨지는 『장한몽』에서는 전쟁에 의한 가족의 파괴와 고향으로부터 내쳐진 수다한 삶의 사연이 사설처럼 풀려 나온다. 그런데 『장한몽』은 그들의 전락이 단지 경제적 차원의 전락만은 아님을 짚어낸다는 점에서 한국사회의 성격 고찰을 위한 유의미한 통찰을 준다. 전쟁을 통한 죽음과 기아의 공포 체험은 개별 존재들의 생존본능을 뚜렷하게 강화했으며,[50] 전쟁이 야기한 삶의 전락은 사회구조를 묶는 끈으로서의 감정이 파탄지경에 이르게 되는 장면을 적나라하게 노출한다.

박완서의 소설에서 스스로에게 던지는 당부처럼 강조된 "어떻허든 우리

48) 박용숙, 「우리 며느리」, 『창작과비평』 37, 1975년 가을호, 48쪽.
49) 이문구, 「장한몽」1·2·3·4, 『창작과비평』 19~22, 1970~1971.
50) 유영익, 「1950년대를 보는 하나의 시각」, 『사상』 4, 1990년 봄호, 43쪽.

도 한밑천 잡아 한번 잘살아봅시다."[51]라는 식의 다짐의 의미나 이범선의 소설에서 "슬쩍슬쩍 남이 보지 않을 때 손으로 공을 집어다 구멍에 밀어넣는"[52] 방식으로 살아야 한다는 선언의 의미가 결국 삶에서 무엇까지를 용인하게 하는가에 관한 한, 이문구의 『장한몽』이 보여주는 것은 비인간화의 극한 지점이다. 이는 사실 이문구 초기 소설의 두드러진 특징인데, 그러한 특징의 집약적 압축판이라고 할 수 있는 『장한몽』에서 뚜렷하게 가시화된 바, 인물들은 생존에의 요청에 따라 개인적/사회적 모럴의 작동이 정지되는 지점을 보여준다.[53]

일상 층위에서 모럴의 작동정지 상태는 부정부패의 일상화로 다르게 말해질 수 있다. 해방 이후 일상생활에서 기회주의가 판치는 부조리한 현실이 유행어 '사바사바', '모리배', '얌생이' 등을 통해 선명하게 드러나고 있었다면[54] 『장한몽』은 기회주의적 생존술이 1960~70년대를 거치면서 피할 수 없는 생활습속이 되었음을 보여준다. "관공서에서 해결지어야 할 일을 돈이 없어 못한다면 그 사람은 이미 볼장 다 봤다고 해도 지나친 말이 아닐 것이다. 동회서기는 동회서기만큼만 먹이면 되고 경찰관은 경찰관이 바라는 만큼을 먹이면 될 거였다. 가는 데마다 도둑놈 소굴인 줄 아는 이상 뇌물의 상식선인 <공무원 십진법>은 지켜야만 될 게 겨우 되게 될 세상이며 상배 형편으로선 엄두를 내지 못한 거였다. … 오직 할 수 없어 못할 뿐이었다. 그는 그 숱한 오일육 무리 가운데서 친구요 친척이며 친하게 아는 사람 하나가 없었고, 공화당 당원도 아니기 때문이었다. 돈, 돈, 상배는 틈틈이 돈만 찾았다. 담당 공무원에게 바치는 뇌물이

---

51) 박완서, 「부끄러움을 가르칩니다」, 『부끄러움을 가르칩니다』, 문학동네, 1999, 307쪽.

52) 이범선, 「몸 全體로」, 『현대한국문학전집』 6, 신구문화사, 1981, 324쪽.

53) 황종연, 「도시화·산업화시대의 방외인」, 『작가세계』 12, 1992년 겨울호, 61쪽 ; 임경순, 「내면화된 폭력과 서사의 분열–이문구의 『장한몽』」, 『상허학보』 25, 2009, 313쪽.

54) 주창윤, 「해방 공간, 유행어로 표출된 정서의 담론」, 『한국언론학보』 53(3), 2009, 374~376쪽.

법정 수수료의 열 갑절이래서 <공무원 십진법>이라 부르는 만큼, 그만한 준비는 갖추고 나서 착수해야 될 일이기 때문이었다."[55]

5·16 이후 박정희의 혁명공약 가운데 하나로 부정부패 일소를 내세웠던 것은 우연이 아니며, 실질적으로 이승만 정권을 무너뜨린 결정적 계기로 부정부패를 거론하는 것은 과장이 아니다. 원조를 기반으로 했던 1950년대 한국경제는 '귀속재산 불하', '원조물자의 배분', '특혜금융 할당'의 방식으로 국가 중심 부정부패의 온상이 되었다. 고위공무원과 여당정치인을 향한 '사바사바'가 말해주는 바, 부패는 '제한된 재화와 무한한 욕망의 불균형' 보다는 원조경제와 소수 특권층, 즉 경제적 이권을 둘러싼 특권의 편중과 연관되어 있었다.[56] 한 국가 혹은 사회의 부정부패의 수준이 반드시 정치체제나 경제발전 수준과 비례관계를 유지하는 것은 아니지만, 식민지에서 해방되고 국가기구가 정비되는 과정에서 한국사회는 부정부패가 만연할 수 있는 구조적 조건들을 구비하고 있었다. 권력형 부패와 정치부패뿐 아니라 정부의 모호하고도 불투명한 각종 규제와 통제 활동이 다양한 사회활동을 통해 부정부패 행위를 하나의 규범적 사회행위로서 확산시키는 결과를 초래하기도 했는데, 이런 상황에서 부정부패 자체가 사회적 관행으로 일상화되어 총체적 부정부패 상태가 악순환처럼 지속될 수밖에 없었다.[57]

『장한몽』은 다수의 인물을 통해 총체적 부정부패가 개인들에게 어떤 영향을 미쳤는가를 불편할 정도로 적나라하게 기술한다. 가령, 누군가는 전쟁 통에 가족의 복수를 위해 살인을 하고도 정당한 징치였다고 자임하고(구본칠), 과거 협잡선거를 도운 대가로 개발사업의 이권을 얻고 '반공방첩

---

55) 이문구, 「장한몽」 3, 『창작과비평』 21, 1971년 여름호, 283쪽.

56) 고지훈, 「2012년, 부패, 선거 그리고 수치심」, 『역사와현실』 83, 2012, 6~18쪽.

57) 이러한 사정은 2000년대 이후에도 그리 크게 호전되지 않았다. 한국은 세계적으로 부정부패 정도가 심한 국가에 속하는데, 특히 한국은 공공부문의 부정부패 정도가 심각하며, 고위층, 소위 엘리트층의 부정부패가 만연한 국가로 인식되고 있다. 김두식, 「세계화시대의 부정부패의 사회학」, 『한국사회학』 38(1), 2004, 4, 12쪽.

팔이'를 하던 누군가는 무덤을 파면서 나온 그릇을 후일 장사를 할 때 쓰기 위해 모은다(박영감). 결혼식장에서 '오백 원을 부조하고 이백 원'을 거슬러 받을 정도로 셈법만을 중시하는 누군가는 간질병에 걸린 자식의 병 치료를 위해 '해골물'을 찾는 여인에게 가짜로 조제한 물을 팔아먹는다(이상필). 누군가는 마음에 둔 여자에게 선물할 비용을 마련하기 위해 무덤에서 꺼내진 유골의 머리카락을 잘라 파는 일도 서슴지 않는다(왕순평).

> 「머리카락 잘라다 팔아먹는 것쯤이야 이해를 하자면 충분히 이해할 수 있는 일이겠죠. 증산·수출·건설이 이 땅의 윤리로 돼 있는 판이니까.」
> 「폐품 이용이라고 생각해 둬야겠군.」
> 상배는 그런 말밖엔 더 할 말이 있겠느냐 싶어 한 말이었다. 눈만 뜨면 들리고, 보이는 게 모두 증산· 수출·건설이란 아우성이 판치는 세상이니 그만한 일도 양해사항일 수가 있겠던 것이다.
> 「지금 우리가 하는 공사도 공동묘지 면례에 뜻이 있다고 보기보다는 일종의 황무지 개간사업이란 점에 비중을 둬야 할 세상이거던요.」
> 마가는 평소 <생각하는 생활>이란 걸 해 오기라도 한 듯 제법 점잖은 음성으로 예기하고 있었다.
> 「송장 머리카락이라도 끊어다 수출하는 게 국가에 공헌하고 밥도 먹는다 … 그런 점에선 권장할 만한 일이다. 뭐 그런 겁니까.」
> 상배는 자기가 가진 상식 쌈지엔 없는 내용이므로 어리둥절한 채 그렇게 물었다. 마가는 아무런 부담도 받지 않은 투로
> 「두어 썩히느니 보담은 개발을 해야죠. 먹고 살자는 사람 입에 귀천이 있나요. 천원이 돈이면 십원짜리도 돈이죠.」
> 상배는 감탄할 수밖에 없었다. 인부들 가운데 그중 낫다는 마가가 그런 생활 방식을 가지고 있음에 비춰 다른 인부들 사정인들 오죽하랴 싶던 거였고, 나아가 그네들의 마음가짐에 견줘 자기 자신의 일상(日常)이 얼마나 헙수룩하고 허약했으며, 평범했던가 하는 반성이 일방 두렵기까지 하던 것이다. 뿐더러 본받고 싶을 만큼이나 부럽기도 했다.
> 그네들의 그런 사고와 생활방식의 건강함과 솔직함에 열등감을 얻기도

했고, 그네들이 가진 생활 영역의 단순성 및 일방적인 윤리관이 어느 누구의 논리보다도 고차적인 실천이 아닐까 싶기도 하던 거였다.

「운전수가 교통순경 곗돈 내게 해주는 거나, 문방구점에서 초등학교 선생들이 집 사게 해주는 게나, 썩는 송장이 우릴 먹여 살리는 게나 다 마찬가지 아닙니까.」[58)]

유골의 머리카락을 돈으로 환산하는 인식의 근저에 자리한 것은 증산, 수출, 건설을 우선적으로 선취해야 할 임무로 이해하는 근대화의 왜곡된 논리이다. 공동묘지 면례가 황무지 개간 사업으로, 유골의 머리카락을 잘라다 파는 일이 폐품 이용 등으로 해석되는 다소간 자조적인 이러한 이해법에 따르면 죽음은 생존을 위해 손쉽게 돈으로 환산될 수 있는 어떤 것일 뿐이게 된다. 이러한 인식은 상배 식으로 이해하자면, '속물근성에서 우러난 처우법'이자 '나이가 들고 거래를 염두에 두어야 하는 생활인이 되고 나면 종내 많은 사람들이 하는 일', "시추(時趨)에 알맞게 적응하는 것"[59)]이었다. 공적인 차원에서 만연한 부정부패는, 뇌물과 송장의 효용가치를 동일시하는 인식의 일면을 통해서 확인할 수 있듯이 사적 차원에서 인간성 상실을 무감각하게 받아들이게 하는 심각한 폐해를 낳으며 광범하게 확산되었다. 이러한 경향을 두고 사회 유지를 가능하게 하는 인간의 본래성 상실을 언급하지 않을 수 없을 것인데, 『장한몽』에서는 사회 전반에 퍼진 윤리의식의 타락과 인간성 상실의 참혹한 면모가 포착되는 동시에 수치심과 죄의식 망각의 계기들이 역사적 회고를 통해 서사화된다.

윤리의식을 상실하고 이기적 속성만을 가지게 된 인물군에 대한 우회적 고발은 『장한몽』에서 현실로부터 일정한 거리를 유지하고 어떤 판단과 개입도 하지 않는 존재인 '김상배'를 통해 이루어진다. 개별 인물의 행위에 대한 판단기준처럼 존재하면서 전체를 관망하는 '김상배'는 산만하게 흩어

58) 이문구, 「장한몽」 4, 『창작과비평』 22, 1971년 가을호, 563~564쪽.
59) 이문구, 「장한몽」 1, 『창작과비평』 19, 1970년 겨울호, 630쪽.

져 있는 에피소드를 아우를 수 있는 구심점 역할을 한다. 그렇다고 소설 내에서 '김상배'가 인간 본성을 회복시킬 수 있는 거울 기능을 맡을 존재로서 기대되지는 않는다. 오히려 '김상배'는 자신을 포함한 사회 전체를 무기력한 태도로서 그저 관망하는 존재로, 소설 내에서 사회현실에 적응하기는커녕 근대문물에도 설익어 앞날에는 쓰일 데라고 없는 위인으로 치부된다. 물론 그의 무기력이 태생적인 것이라고 할 수는 없는데, 소설에 의하면 그에게서 삶에의 의욕을 빼앗은 결정적 계기는 전쟁 경험이다. 그가 겪은 전쟁은 1950년 여름에 겪은 봉변에 가까운 아버지의 죽음, 형의 이념적 변신과 죽음, 어머니의 죽음이라는 비극의 연쇄를 의미했는데, 비극적 개인사는 한국전쟁이 결국 어떻게 공동체의 일원들을 뿔뿔이 흩어놓고 고향 땅을 떠나게 하는가라는[60] 역사적 전환의 국면을 압축적으로 보여준다는 점에서 사회문화사적 의미까지를 갖는다.

'김상배'의 현실에 개입하지 않는 관망의 태도 역시 기회주의적 생존술을 내면화한 이들과 마찬가지로 전쟁 경험의 결과이자 인간 본래의 공감 능력의 가능성에 대한 불신을 보여준다고 해야 한다.[61] '먹고살기 위해서는 무슨 일이든 할 수 있어야 한다'는 식의 기회주의적 생존술이 전락한

60) 가령, 고향을 떠날 수밖에 없는 사정은 다음과 같은 공동체 파괴의 경험과 깊이 연관된다. "마을 사람들끼리는 누가 뭘 집어다 먹었는지 서로 알고 있나 보았다. 논밭의 곡식들은 치안대에서 와 유치장에 가둬 둔 부역자들 급식용으로 뿌리째 뽑아갔고, 간장이니 고추장 단지 따위의 부엌살림들은 순경이나 형사들이 실어갔다고 했다./ 혼인잔치 감으로 기른 중돼지와 닭 열다섯 마리는 치안대 청년들이 잡아다 먹었고 밀가루 한 독은 구장 여편네가 여갔으며, 장독 속에 들었던 모시 두 필과 광목 세필은 대한 청년단 단장이었던 김 준배 마누라가, 역시 혼인에 쓰려고 뽑아다 뒀던 국수 쉰 근은 박 병창 형사주임 어머니가 손자 시켜 자전거로 실어갔다고 했다. 두 마지기 목화밭을 뿌리째 들어간 건 둔목 사는 의용소방대 대장 김 창식이가 머슴 시켜 한 짓이며, 헛간에 쌓았던 장작 서른 평은 모퉁이집 장복이 아버지가 저다 땠다고 했다.", 『창작과비평』 22, 594~595쪽.

61) 애덤 스미스는 타인의 고통이나 슬픔에 공감하는 능력을 인간의 이기적 속성에도 불구하고 부인될 수 없는 인간 천성으로 강조한다. 그는 공감 능력이 '인간의 본성' 가운데 모든 원시적 감정들과 마찬가지로, 도덕적이거나 인자한 사람에게만 있는 것이 아니라고 본다. 애덤 스미스, 박세일·민경국 옮김, 『도덕감정론』, 비봉출판사, 2010(1996 초판), 3쪽.

하층민의 삶에서 생존을 위한 유일한 방책이 되고 있었다면, 삶 자체로부터 거리를 유지하고 그저 무기력으로 일관하는 생존술 또한 전략의 경험이 낳은 쌍생아적 생존술이 아닐 수 없다. 더욱이 후자의 생존술은 무기력한 태도로 전자의 생존술을 폭넓게 용인하게 하는 토대가 되었다는 점에서 더욱 문제적이다. 1960~70년대에 사회적/계층적 간극이 빈곤이라는 물질적 차원의 것으로 치환될 수 있는 것이었다는 점에서, '먹고살기 위해서는 무슨 일이든 할 수 있어야 한다'는 식의 요청이 후자 식의 태도에 의해 폭넓게 받아들여진 측면이 있음을 간과해서는 안 된다. 무기력한 관망의 태도가 허용한 '헝그리 정신'에 대한 한국사회의 이해와 용인은 속물적 인간형을 한국형 근대적 인간상으로 주조하는 사회문화적 토대가 되었다고 해야 하는 것이다.[62]

III. 강요된 평등과 시민사회의 불가능성

한국사회의 속물성은 근대 일반의 속성으로서의 세속화 과정에서 점차 확대되어간 중심과 주변들의 격차를 사회의 일원들 각자가 의미화하는 과정에서 한국사회의 주요 속성으로 형성되었으며 그 격차를 극복하고자

---

62) 장은주, 『인권의 철학』, 새물결, 2010, 416쪽. 말하자면 한국사회에서 살아남기 위해서 "사람들은 사회 상태 속에 구현된 만인의 만인에 대한 투쟁의 자연상태에서 처절한 생존경쟁을 견뎌 내어야 했으며, 그러기 위해서는 예컨대 '줄서기'를 잘해야 했고, 환경에 자신을 무조건적으로 맞출 줄 알아야 했으며, 또 무엇보다도 자신을 실제보다 과장해야 했고 다른 사람을 희생시켜서라도 자신의 우월성과 사회적 유용성을 드러내고 또 그렇게 할 수 있는 모든 수단을 이용할 수 있어야 했다. 그렇게라도 세상으로부터 인정받지 못한 사람에게는 체계적인 모욕과 무시가 뒤따르며, 심지어 생존의 가능성 자체를 박탈당할 위협마저 가해졌기 때문이다. 달리 인정받을 길이 없었고, 그렇게라도 인정받지 못하면 생존이 불가능했다. 속물이 되어야만 우리는 살아남을 수 있었던 것이다. 생존의 이데올로기와 터무니없이 좁은 문화적 인정 지평의 악순환적 상호작용, 바로 이것이 우리 사회를 지배하는 유례없이 전면적인 속물주의적 근대 문화의 비밀"인 것이다.

한 노력들 가운데에서 안착되었다. 바로 이런 점에서 1960~70년대에 두드러진 한국사회의 속물성(의 팽창)을 폐기되어야 할 사회의 부정적 속성으로 일방적으로 매도하기는 어렵다. 사실상 1960~70년대 한국사회의 속물성은 '잘살아보세'라는 변형된 입신출세 욕망과 그것을 가능하게 할 수단으로서의 부정부패를 동시적으로 포괄하는 의미영역이었으며, 사회변동의 긍정적/부정적 동력을 동시에 지칭하는 말이었다.[63]

한국사회의 속물성은 또한 급속한 근대화의 부정적 효과에 노출된 한국사회가 한국전쟁 경험을 역사화하는 과정에서 강화되었다. 한국전쟁 경험으로 한국사회는 전반적 삶의 붕괴와 전락에 의한 역설적 의미의 평등사회의 성격을 마련해야 했으며,[64] 개별적으로는 구체적인 죽음과 기아라는 공포 체험에 의해 극단적 생존의식을 강요받았다.[65] 근대화 정책에 대한 평가를 단선적으로 내리기는 쉽지 않으나, 빈곤이라는 이름으로 구현된 사회 구성원 사이의 역설적 평등은 경제발전을 기조로 한 초기 근대화 정책이 광범위한 지지와 암묵적 동의를 이끌 수 있었던 물적 토대라고 하지 않을 수 없다. 역설적 평등이 구현된 사회적 정황은 고등교육을 획득 가능한 자본으로 여기게 하는 경향을 부추겼는데, 사회의 물질적, 제도적 자원들이 새롭게 마련되어야 한다는 시대적 요청은 교육자본의 시대적 효력을 극대화하고 있었다. 이에 따라 1960~70년대에는 교육자본의 획득을 통한 개인의 사회적 계층상승이 동시적으로 사회 자체의 발전이라는 거대한 기획 속에서 의미를 부여받을 수 있었다.[66] 이른바 '한강의

63) 일상의 층위에까지 확장된 세계의 속물성을 포착한 1960년대 문학에 의하면, 근대화의 속성이 근대 주체의 속물성의 강화로 표출되었다. 고봉준, 「속물의 계보학」, 『유령들』, 천년의시작, 2010, 372~373쪽.

64) 유영익, 「1950년대를 보는 하나의 시각」, 『사상』 4, 1990년 봄호, 46쪽 ; 송호근, 『한국의 평등주의, 그 마음의 습관』, 삼성경제연구소, 2006, 107~109쪽 참조.

65) 유영익, 「1950년대를 보는 하나의 시각」, 『사상』 4, 1990년 봄호, 43쪽. 다른 한편 이러한 경험은 한국사회에 기독교로 대표되는 종교의 확산을 야기하는 한편, 신앙체계의 샤머니즘화를 촉진했다. 김흥수, 「한국전쟁의 충격과 기독교회의 기복신앙 확산에 관한 연구」, 서울대 박사학위논문, 1998, 5장 참조.

기적'이라는 이름으로 가진 것 없는 하층민이 교육자본의 획득을 통해 사회의 상층부로 수직상승할 수 있는 가능성이 열린 시대였던 것이다. 교육을 통해 근면과 성실, 자기규율로 대표되는 자본주의 노동윤리를 내면화하면서 즉 노동을 통해 자신을 '입증'하면서 명실상부한 근대 주체가 탄생하고 있었다고 말할 수도 있다. 이러한 과정에서 근검절약이나 쾌락의 억제 등으로 구체화된 노동의 존엄성이라는 논리는 이후로 특정 계급에 한정되지 않고 전 존재의 실천적 윤리가 되었다.[67)]

물론 이때 계층 상승을 위한 유력한 획득자본인 고등지식과 고등교육의 위력이 강화되는 한편, 그 효과의 부정적 측면도 거론되기 시작했다. "공부 열심히 해서 훌륭한 사람 되어라"라는 말이 "초등학교에 입학한 날로부터 학교 마치는 날까지 부모와 스승으로부터 수없이 들어온 말"임에도, '훌륭한 사람'에 대한 충분한 합의가 이루어지지 않았음을 지적하는 소설의 한 대목을 통해서도 분명하게 드러나듯이, "훌륭한 사람이라는 것"이 "손에 때 묻히지 않고 턱으로 사람을 부리는 '권력출세' 일변도"가 되어가는 추세를 막을 수 없었다. 이에 따라 "공부하라는 말은 곧 '출세하라'는 말", "보다 많은 사람을 '지배'하라는 말"로도 이해되기 시작했다. 교육이

66) C. Wright Mills, *White Collar: The American Middle Classes*, Oxford University Press, 2002(Afterword copyright by Russell Jacoby), pp.259~260.

67) 이런 의미에서 보자면 사회적 계층상승을 독려한 선전선동의 후방적 동력 가운데 노동의 존엄성이 보편적 가치가 되어간 과정을 빼놓을 수 없을 것이다. 이때 노동의 존엄성 가치의 보편화와 관련해서 기억해야 할 것은, 그것이 갖는 담론적 이중성의 측면이다. 노동의 존엄성은 노동을 통해 주어진 조건이나 여타 사회적 계층차를 극복할 수 있는 원동력 즉 평등사회의 기초 원리로서 작용하는 한편, 그 논리 자체는 평등사회의 실현을 더욱 불가능하게 하는 것이었다는 사실이다. 사회가 모든 존재의 존엄성을 존중했다 해도, 노동의 존엄성은 사실 매우 불평등한 결과를 갖는 가치이다. 그것은 이미 자체로 경쟁적일 뿐 아니라 특정 소수에게만 성취될 수 있는 것이고, 무엇보다 비교우위에 의해서만 가치를 평가받을 수 있는 것이다. 격차가 강조될수록 노동의 존엄성도 강조되지만 노동의 존엄성은 상대적 박탈감이라는 말로 번역 가능한 사회적 격차를 결코 해결할 수 없음을 기억해야 한다. 리처드 세넷(Richard Sennett), 유강은 옮김, 『불평등 사회의 인간 존중』, 문예출판사, 2004, 83~84쪽.

본래 목적이라고 해야 할 '건전한 시민사회 형성'과는 무관한 '출세와 지배만의 야망인'을 양성하고 있음이 실제 현실의 일면으로서[68] 지적되고 있었고 사회 전체가 개인의 이해관계와 충돌하는 공공적 문제들의 해결에 미숙해지는 경향을 띠게 되었다. 연쇄적 반응으로서 타인에 대한 무관심과 겹쳐 있는 개인적 생존에 대한 집중된 관심은 종친회·향우회·동창회 등에 기반한 연고주의 혹은 패거리 문화를 가족 혹은 소규모 공동체의 주된 특성으로 자리잡게 했다.[69] 사회 구성주체이자 일원으로서의 개인의식이 충분히 마련되지 못한 상황에서 근대적 시민의식이 형성되어야 할 자리에 전근대적 공동체 의식이 전통의 이름으로 놓이게 되었으며 그런 의식이 사회를 구성하는 도덕의 실질을 채우게 되었다.

이처럼 1970년대를 거치면서 근대화의 부정적 효과들이 사회 전반에 걸쳐 가시화되었다. 1970년대 초 경제성장의 둔화와 함께 특히 3차 5개년 계획이 실시된 1972년 즈음부터는 경제구조의 불균형성이 심화되었는데, 경제구조의 불균형성은 그즈음 심지어 '한국사회가 해결해야 할 가장 심각한 문제 가운데 하나가 되고 있었다. 무엇보다 농촌과 도시, 농업과 공업 사이의 자본 배분의 불균형이 심각한 수준에 이르고 있었다.'[70] 이는 1960~70년대에 걸쳐 이루어진 경제성장이 농촌과 주변부, 즉 변두리의 자본과 노동력이 도시로 유입되면서 가능했던 대도시 중심의 성장이었음을 역설적으로 입증한다고 해야 한다. 농촌사회의 붕괴와 함께 농촌과 도시의 일상에서 경제적, 문화적 격차가 극심해지고 있었는데, 한국사회의 속물성은 그 도농간의 격차와 함께 도시 내의 중심과 변두리 삶 사이의 격차와 같은 수많은 격차가 겹쳐지고 중첩되는 과정에서 증폭되고 있었다.

요컨대, 한국사회의 속물성은 전쟁 경험을 통해 역설적 평등사회가

---

68) 신석상, 「미필적 고의」, 『속물시대』, 신세계, 1994, 298쪽(『다리』, 1972년 7월호).
69) 강인철, 「한국전쟁과 사회의식 및 문화의 변화」, 『근대를 다시 읽는다 1』, 역사비평사, 2006, 394쪽.
70) 김병걸, 「한국소설과 사회의식」, 『창작과비평』 26, 1972년 겨울호, 758~760쪽.

된 한국사회에 불균형적이며 격차가 극심한 계층적 위계가 다시 뚜렷해지기 시작한 1960~70년대를 거치면서 본격화되었고 중첩된 격차를 극복하려는 시도들 속에서 심화되었다. 한국사회의 속물성 문제가 사회에 대한 무관심과 공동책임의식 부재로 모아진다고 할 때, 1960~70년대는 한국사회의 급속한 발전의 시대였던 동시에 사회 차원의 도덕 감정을 상실함으로써 이후 한국사회가 고질적으로 반추하는 문제 즉 개인과 국가 사이의 매개 공간에 대한 고민과 국가가 전유한 공공적 문제에 대한 질문이 본격적으로 지펴진 시기라고 해야 한다.

노동의 로고스피어
산업-금융자본주의 회랑의 삶-언어에 대하여

김 예 림

I. 노동과 글쓰기

자본주의 체제에서 언어는 어떤 위치에, 어떤 의미로 정위될 수 있을까. 이 물음을 성찰하는 데 프랑코 베라르디의 언급이 도움이 될 듯하다. 그는 금융자본주의에서 진행되는 거대한 인지적 전환을 검토하면서 이렇게 말한다. "돈과 언어는 공유하는 것이 있다. 그것들은 아무것도 아니지만 모든 것을 움직인다. 그것들은 상징들, 관습들, 내뱉은 소리에 불과하지만 인간 존재를 행동하도록, 노동하도록, 물리적 사물을 변형시키도록 설득하는 힘을 갖고 있다."[1] 물론 베라르디가 최종적으로 강조하고 있는 것은 이러한 공유점에도 불구하고 결코 동일하지 않은, 돈과 언어의 "운명"에 관해서다. 둘의 "운명"을 말하면서 그는 시(詩)를 바라본다. "경제적 교환을 초과"하는 언어의 가능성을 찾는 것이 자본주의와 언어의 길항 흔적을 좇는 그의 목적이었다.[2]

---

1) 프랑코 베라르디, 유충현 역, 『봉기』, 갈무리, 2012, 142쪽. 자본주의와 언어의 관계는 자율주의 이론가들의 중요한 아젠다이기도 하다. 크리스티안 마라치는 프랑코 베라르디와는 좀 다른 관점에서 금융자본주의의 언어적, 소통적 성격에 집중하고 있다. 관련해서는 크리스티안 마라치, 서창현 역, 『자본과 언어』, 갈무리, 2013 참고.

사실 자본이 구사하는 것과는 다른 언어-문법의 생산은 자본주의 전개와 더불어 비판적 지성이 오랫동안 추구하고 변주해 온 가치였다. 지배 질서의 정치적, 감각적(aesthetic) 전복을 꿈꾸는 현실적, 상징적 시도들은 여러 방향에서 이루어져 왔다. 일반적으로 비판적 지성의 소유나 행위의 주체로 지식인 집단을 떠올리지만, 우리는 그 주체가 단지 하나가 아니었음을 알고 있다. 중심에 있는(있을 수 있는) 자와 그렇지 않은(그럴 수 없는) 자, 이렇게 서로 다른 위상과 성격의 집단이 복수로 존재하고 또 움직였다. 일반적으로 전자가 '탁월한' 언어-지성 능력을 가졌다고 간주되는 집단이라면, 후자는 이들보다 '낮은' 언어-지성 능력을 가졌다고 간주되는 집단이다.

언어의 세계에서 오랫동안 주변에 머물렀던, 후자를 '대표'하는 집단의 사회적 이름은 바로 '노동자'다. 이들의 언어-지성 혹은 발화 행위는 '탁월성'의 소유자인 지식인 집단의 쓰기-말하기 실천에 비해볼 때 역사적, 문화적으로 충분히 인지되거나 인정받지 못했다. 읽고 쓰는 능력의 계발 기회가 구조적으로 불평등하게 분배되고 또 이런 불평등 체계 자체가 이데올로기적으로 당연한 것으로 받아들여졌던 시절에 이들은 아렌트가 말한 사적 영역에 배치될 것을 강요받아 왔다. 그러나 노동하는 자를 중심으로 하는 기나긴 배움의 역사,[3] 독자적인 리터러시 문화, 그리고 (노동) 운동의 역사를 떠올려보자. 이러한 역사적 증거들은 폭력적인 사적 존재화의 구조가 노동자의 앎에의 욕망, 지성의 활기, 자기 표출의 열망을 억누르고 배제하면서 작동한 것임을 역으로 알려준다.

노동자 글쓰기라는 하위문화적 실천이 발아하고 성장한 것은 이와 같은 반노동의 적대적 환경에서였다. 그리고 그들의 지성이 할 수 있는 일은 크게 없다는 부당한 판단 아래서이기도 했다. 노동자 집단이 '말하고 쓰는'

---

2) '그 너머의 것'으로서의 시는 금융 시대의 추상화와 정보화를 넘어서는 언어로 인식된다. 시는 "특이성으로 들어가는 인식의 문"을 열어주는 "언어의 과잉"이다. 또 "정보로 환원될 수 없는 것이며 교환할 수 없는 것이지만 공유된 의미를 이해하는 새로운 공통의 토대에 길을 내주"는 것이기도 하다. 위의 책, 153쪽.

3) 야학운동사에 대해서는 천성호, 『한국 야학운동사』, 학이시습, 2009 참고.

존재임을 적극적으로 표현하기 시작한 것은 대체적으로 1970년대 후반부터라 할 수 있다. 이어 1980년대로 접어들면서, 거대한 노동운동의 물결이 기존 질서의 재배치를 요구하면서 솟구쳤다. 이 시간을 거치면서 노동자의 글쓰기는 본격적으로 발현되었다. 특히 1980년대에는 시와 소설, 르포, 생활글 등에 걸쳐 정치의식과 운동열기로 가득찬 노동자 언어가 만개했다. 노동하는 주체 즉 당사자들의 언어가 대량으로 들어와 퍼지기 시작하면서 노동의 로고스피어는 치열하게 그 지평을 연 것이다.[4] 이런 점에서 노동의 로고스피어에 대한 이해는 1980년대 특유의 인식론적, 문화정치적 맥락에 관한 고찰 없이는 충분히 이루어질 수 없을 것이다. 하지만 이것이 단지 1980년대적 현상으로 한 시절을 구가하다 잦아든 현상은 아니라는 점에서, 우리는 좀더 폭넓은 발견의 시야를 가져야 한다.[5] 지금, 금융자본주의 (파국의) 국면에 노동의 로고스피어는 새로운 결을 더해가며 움직이고 있기 때문이다. 노동 및 노동자 문제가 다시 한번 전면적으로 제기되고 있는 상황을 고려해볼 때, 노동의 로고스피어에 대한 접근은 보다 장기적이고 입체적인 관점에서 이루어질 필요가 있다.

이 글은 1970년대부터 최근에 이르기까지 지속되고 있는 노동자의 자기기술(記述)이 갖는 의미를 고찰한 것이다. 노동자 정체성에 기반한 글쓰기 문화를 핵심으로 하는 노동의 로고스피어는 노동하는 자의 말과 글 혹은 노동에 관한 말과 글이 공생하는 거대한 서식지다. 일하는 자가 직접

4) 1980년대 노동자 글쓰기를 비롯한 노동문학의 전면화 양상에 대해서는 조정환, 「사회주의 리얼리즘의 종말 이후의 노동문학」, 『실천문학』, 2002 봄호 ; 홍기삼, 「산업시대의 노동운동과 노동문학」, 『한국문학연구』 10, 1987 ; 황광수, 「80년대 민중문학론의 지향」, 『창작과비평』 58, 1987 참고.

5) 1980년대 이후의 노동문학 혹은 민중문학이 갈 길을 묻는 일련의 논의들이 있었다. 이들은 사회주의 붕괴 이후, 문학운동의 종결 이후, 노동자계급 헤게모니의 약화 이후에 노동문학이 무엇을 고민하고 어떻게 존재해야 하는지를 탐색했다. 정남영, 「노동문학의 현재적 의의와 문학의 창조성」, 『실천문학』, 1997, 여름호 ; 조정환, 위의 글 ; 김명환, 「민중문학의 길다지기를 위하여」, 『창작과비평』, 1996, 여름호 ; 백낙청, 「2000년대의 한국문학을 위한 단상」, 『창작과비평』, 2000 봄호 참고.

쓰거나 한 말 그리고 대서(代書)하는 자가 받아 기록한 말이 서로 만나거나 흩어지면서 이 공간을 유영하고 있다. 노동의 로고스피어는 언어-지성이 '저 위'의 특정한 누군가에 의해 독점될 수 없음을 알리면서 출현했다. 이 장의 핵심적인 주체인 글쓰는 노동자는 "각자 행위하고 자신이 한 것에 대해 이야기하고 자신의 행위의 실제성을 입증하는 수단을 제공하는 곳"[6]에 지적 능력이 있다는 것 그리고 이 지적 능력은 평등해져야 하는 것이 아니라 이미 평등한 것이라는 자크 랑시에르의 전언을 증명한다. 기존의 문화적, 이데올로기적 배치를 크게 동요시켰다는 점에서 이들은 지극히 정치적인 문화이자 문화적인 정치를 이끈 주체였다. 이러한 입장은 노동자 글쓰기에 주목했던 1970~90년대의 논의에서뿐만 아니라 최근의 새로운 연구에서도[7] 공통적으로 제출되고 있다.

내가 특별히 관심을 두고 있는 것은 노동의 로고스피어를 좀 더 긴 안목에서, 통시적으로 관계 지어 통찰하는 일이다. 즉 산업사회의 생산·노동 체계로부터 포스트산업사회의 생산·노동 체계로의 이행 과정에서 노동자 글쓰기가 어떤 식으로 현실의 국면적 차이나 유사성을 반영하면서 생산되고 있는지를 고찰하는 것이다. 이러한 연속적 배치를 통해 노동자 글쓰기가 1970~80년대라는 특정한 단위에 한정된 시대적 제한물이 아니며 지금도 살아 움직이는 문화실천이라는 점을 환기시키고 싶다. 지금까지 노동자 글쓰기는 주로 1970~80년대적 현상으로 상정되어 온 듯하다. 이 문화에 적극적인 의의를 부여하는 논자들에게서도 1970~80년대에 무게중심을 두는 시기적 특화나 제한의 경향은 마찬가지로 나타난다. 1970~80년대를 향한 배타적 관심과 강조에는 물론 그럴만한 근거가 충분히 있다. 하지만 이러한 시각은 결과적으로 그 후의 정황에 대한 고려나

---

6) 자크 랑시에르, 양창렬 역, 『무지한 스승』, 궁리, 2008, 70쪽.

7) 천정환, 「서발턴은 쓸 수 있는가」, 『민족문학사연구』, 2011 ; 김성환, 「1970년대 노동수기와 노동의 의미」, 『한국현대문학연구』 37, 2012 ; 박수빈, 「1980년대 노동문학(연구)의 정치성」, 『상허학보』 37, 2013 참고.

연계적 해석의 가능성을 차단하는 결과를 낳는다. 위치를 바꿔 오늘날 생성되고 있는 쓰기 문화의 입장에서 생각해 보면, 조명의 편중으로 인해 현재적 양상 자체는 특별히 조망될 여지가 없어졌다는 점, 그래서 맥락이나 계보 없는 현상으로 단기화(短期化)되어 다뤄지고 있다는 점을 지적할 수 있겠다. 전반적으로, 1970~80년대의 글쓰기 문화와 현재의 글쓰기 문화 모두 각각 후신(後身)없는 전신(前身) 혹은 전신 없는 후신이 되어 결국 어느 편으로 보나 '역사 없는' 단신(單身)의 문화로 취급되고 있는 셈이다.

물론 40여 년의 짧지 않은 시간에는 현실의 변전도 있고 세대의 전환도 있으며 감각의 변화도 있다. 그러나 노동의 로고스피어 내부를 두텁게 보기 위해서는, 즉 오랫동안 퇴적된 것과 연속된 것 그리고 새로 와서 쌓이는 것이 함께 이루는 층과 결을 보기 위해서는 오늘의 현실 풍경, 언어 풍경과 과거의 그것을 연접시켜야 한다. 연장과 소급이 함께 일어나야 하는 것이다. 언어들은 서로가 서로를 비추면서, 이런 마주-닿음이 아니었다면 현상하지 않을 어떤 문제와 의미를 드러내 줄 것이다. 이 작업을 위해 우선 1970~80년대의 대표적인 노동자 자기기술지 두 편을 선택했다. 1970~80년대의 노동자 글쓰기도 시대와 운동의 전환과 함께 변화를 겪기 때문에 하나로 동질화하기 어려운 면이 있지만,[8] 이 시기 글쓰기 문화의 대표적인 성과로 인정되는 텍스트의 원형질을 파악한다는 점에서는 유효한 선택일 것이다. 특히 한 명의 필자가 완성한 단행본을 주된 논의 대상으로 삼고 그밖의 다양한 연관 문헌들은 보조적인 자료로 참고하고자 한다.[9]

---

8) 1970년대와 1980년대 노동자 글쓰기가 보여주는 차이는 노동운동의 전개 및 방향성의 변화에서 파생된 것으로 볼 수 있다. 1970년대 노동운동이 주로 종교계와의 연계를 통해 이루어졌다면 1980년대에는 대중성 획득, 정치운동으로의 전환이라는 큰 전환을 겪는다. 이에 대해서는 유경순, 「쟁점으로 보는 1970~86년 노동운동사」, 역사학연구소, 『노동자, 자기 역사를 말하다』, 서해문집, 2005 참고. 그리고 당시에도 많이 언급되었듯이, 1987년 노동자 대투쟁을 기점으로 노동자 글쓰기를 포함하는 노동문학은 또 한번 달라져, 정치성이 훨씬 더 강화된다.

9) 노동자들이 쓴 단편적인 글들은 노동자 글쓰기의 형식이나 내면을 파악하는

그리고 여기에 현재의 양상을 연관지어 살펴보기 위해, 1970~80년대의 텍스트와 유관한 양식으로 계열화할 수 있을 몇 편의 단행본을 골라 함께 검토할 것이다. 모두 최근에 출간된 20~30대의 노동지(勞動誌)=자기기록에 해당한다. 근래 활발하게 나오고 있는 노동지는 노동하는 자가 노동하는 자로서의 자기를 서술하고 있다는 점에서 1970~80년대적 양식의 뒤를 잇는다고 볼 수 있다.[10]

과거에도 그랬지만 지금도 역시나 노동(자)의 언어가 기록되는 방식은 하나가 아니다. 잠시 언급했던 것처럼, 크게 나눠보자면 노동하는 자가 직접 자기에 대해 쓰는 패턴이 있는가 하면 인터뷰, 구술 등을 통해 다른 누군가에 의해 이들의 말이 옮겨지는 패턴도 있다. 두 경우 모두, 노동의 로고스피어 내부를 채우는 핵심적인 자료이자 이 자료를 만들어내는 중요한 공정 방식이라 할 수 있다. 그러니까 노동의 로고스피어는 말하려 하는 자, 쓰려 하는 자, 들으려 하는 자, 받아 적으려 하는 자가 모두 참여하는 다채로운 공동 작업의 세계인 것이다. 이 가운데 내가 초점을 맞추고 있는 쪽은 노동하는 자 당사자가 직접 자신을 기술한 유형이며 특히 글쓰기 주체가 많은 이야기를 일관되게 책임지고 서사화하면서 통어해나가는 전작에 해당한다. 이것은 '일하는 자가 쓴다' 혹은 '일하는 자로서 쓴다'라는 뚜렷한 자의식에서 출발하는 노동자 글쓰기 특유의 양식과 형질을 높은 밀도로 구사하는 형식이다.

데 큰 의미를 지닌다. 주체의 일상, 감정, 경험, 의식을 적은 짤막한 형태의 글은 노동자 글쓰기의 주요한 내적 특성을 보여줄 뿐 아니라 당시 노동자 글쓰기의 매체론적 특질과 문화운동적 성격까지도 종합적으로 드러내주고 있기 때문이다. 그런 점에서 이 문헌들 역시 분석이 요구되는 지대라 할 수 있다. 그러므로, 이 글에서 많은 단편적인 글들을 일단 괄호 안에 넣은 것은 '중요도'에 따른 것은 아니다. 사회적 존재로서의 자기(생애)를 반추하고 자기 정체성을 인식하며 이로부터 서사를 구축하는 보다 일관되고 본격적인 문헌들이 나의 문제의식을 지탱할 적실성을 좀더 많이 갖고 있다고 판단했기 때문이다.

10) 그 외, 나는 최근의 노동자 글쓰기의 현황을 파악하기 위해 『작은책』의 글쓰기모임에 참여하여 현장조사를 했고 몇 명의 필자들을 인터뷰하였다. 구체적인 조사 대상은 각주 25)과 36)에서 밝힌다.

1970~80년대의 기록물과 최근의 기록물은 꽤 긴 시간적 간격을 두고 있기 때문에, 질감이 달라 보일 수 있고 실제로 이질적인 부분도 많다. 둘 사이의 차이는 특히 한국 자본주의의 구조적 변화를 반영하는 쓰기 주체의 차이에서 비롯될 것이다. 하지만 사실상 장기 지속되고 있는 노동자 글쓰기 문화의 연쇄적 재편을 위해서 그리고 노동의 로고스피어를 서로 다른 듯 닮은 언어들이 공존하는 씬(scene)으로 이해하기 위해서, 이 상호 연결된 차이들을 같은 장소에 함께 불러 모아 배치하고자 한다. 두 개의 장면을 병치하는 방법론을 통해 의도하는 바가 있다면 그것은 차이나 동일성에 대한 규명을 경유하여 궁극적으로는 이들을 관통하고 있는 '공통'의 것이 무엇인지를 발견하는 것이다. 이 때 '공통'의 것은 일하며-쓰는 자들에 의해 표현되는 공통의 곤란이기도 하고 공통의 욕망이기도 하며 공통의 움직임이기도 하다.[11]

II. 공장과 성장

1970~80년대 노동자 글쓰기의 전형적이고 결정적인 성격은 공장 노동자의 자기 기술을 통해 형성되었다. 일기, 생활글, 르포는 노동자 글쓰기를 대표하는 양식이다. 당시 노동자들이 쓴 다양한 글은 야학문집이나 노보 혹은 노동문학 이론(비평)가들이 출간한 단행본에 게재되곤 했다.[12] 1980년

11) '공통적인 것'은 특히 다중(多衆)론자들의 중대한 아젠다이자 정치적 전망의 핵심이기도 하다. 네그리에 따르면 중요한 것은 "동일성의 재발견도 아니고 차이에 대한 순수한 찬양도 아니며 오히려 동일성과 차이를 넘어선 공통성이 존재할 수 있다는, 즉 어떤 공통적인 것이 존재할 수 있다는 사실에 대한 인식"이다. 공통적인 것이란 "창조적 활동들의 증식"으로, "다양한 연합적 관계들 혹은 형식들"로 이해할 수 있다. 안또니오 네그리, 정남영 외 역, 『다중과 제국』, 갈무리, 2011, 153쪽.

12) 노동자 글쓰기의 실제적인 장이었던 야학 문집, 노조회보 등에 대한 총괄적이고 학술적인 연구는 아직 이루어지지 않고 있다. 내가 주로 참고한 것은 이러한

대에 지식인 집단은 노동자 글쓰기를 노동운동의 문화적 수행으로 파악했다. "생활과 문예의 통일"로서의 노동자 글쓰기는 단지 "여가선용이나 한가로운 일"이 아니라 "노동자의 생활의 개선과 노동현실의 변혁에 하나의 특수한 실천으로서 기여"하는 행위로 자리매김되었다.[13] 노동자 글쓰기는 이처럼 노동(문예)운동을 이념적으로 지지한 학생운동 집단이나 지식인 집단에 의해 의미를 부여 받고 또 (재)생산을 자극받기도 했다.[14]

물론 문예운동에 앞장선 지식인 집단 '동반자'의 지지나 지원이 아직은 미미했던 때, 일찍부터 글쓰기를 시작한 한 노동자가 있다. 전태일이 바로 그다. 전태일은 노동의 가혹함과 노동자의 비참함을 처절하게 적어 내려간, 노동하며-글쓰는 자 혹은 그 문화 자체를 상징하는 독보적인 존재다. 그는 일기, 수기(단상, 소설 형식의 자기역사 등), 소설 초안, 편지, 진정서 등 여러 형식의 글을 통해 자기와 사회를 향한 뛰어난 수준의 사유를 남겼다.

매체를 통해 발표된 글을 특정한 편집 주체가 선별하여 묶은 단행본으로, 목록을 제시하면 다음과 같다. 『우리가 우리에게』(김태숙 외, 돌베개, 1985), 『그러나 이제는 어제의 우리가 아니다』(김경숙 외 125명 지음, 돌베개 편집부 역, 돌베개, 1986), 『거칠지만 맞잡으면 뜨거운 손』(정윤희 외, 광주, 전남지역 생활야학연합회 편, 1988), 『인간답게 살자』(전점석 편, 녹두, 1985), 『이제는 주장할 때가 되었다』(형성사 편집부, 1987), 『노동자가 되어』(이달혁 외, 형성사, 1985). 그 외 저널로는 『노동해방문학』(노동문학사, 1989. 4월~8월).

13) 김경숙 외 125명 저, 『그러나 이제는 어제의 우리가 아니다』, 편집부 엮음, 돌베개, 1986, 4쪽.

14) 노동문학에 대한 논쟁이 심화되고 여러 입장의 논자들이 참여하면서 노동자 글쓰기에 대한 논의도 '진영'에 따라 복잡하게 전개된다. 특히 노동문학과 노동운동이 과학적 인식과 현실개혁이라는 의제와 강력하게 맞물리면서 계급주의적 목적의식과 혁명의지에 기반한 문예운동이 강조되었다는 점은 1980년대 노동문학 및 노동문학론을 재평가하는 데 어떤 의미로든 주목되어야 할 것이다. 조정환은 노동문학운동 내부의 "진영" 분화를 언급하면서 노동자 계급 당파성을 강화해야 한다고 주장한다. 그는 "문학주체 문제는 누가 쓰는가 하는 차원에 제한되어서는 안된다"는 입장에서 주체중심주의에 이의를 제기한 바 있다. 이에 관해서는 조정환, 『노동해방문학의 논리』, 노동문학사, 1990 특히 1부 참고. 이 가운데 「민주주의민족문학론에 대한 자기 비판과 노동해방문학론의 제창」과 「'민족문학주체노쟁'의 종식과 노동해방문학운동의 출발점」은 1989년 4월에 창간된 저널 『노동해방문학』에 실렸었다.

그의 글은 벗어날 수 없는 현실에서 상처 입은 자의 기록이 어느 정도의 핍진성을 가질 수 있는지 보여준다. 이것은 외부의 동반자나 지원자의 '도움' 없이 홀로 자기증명되는 내재적인 어떤 것이다. 노동자 글쓰기에 접근할 때는 이처럼 핍진성에서 비롯되는 '울림'을 충분히 고려해야 할 듯하다. 운동과 투쟁 논리의 이론적, 현실적 강화가 강조되던 시기에 노동자 글쓰기는 변혁운동이라는 현실적이고 정치적인 요구에 강하게 틀지워졌고 또 이에 초점이 맞춰져 평가되곤 했다.[15] 이 문제는 보다 신중하게 다뤄져야 하겠지만, 1970년대와 1980년대 초중반에 쓰여진 노동자의 자기 기록에는 '의식화' 과정에 동반되거나 아니면 이 과정에서 배제되어 온 복잡한 감정과 개인적 소회 그리고 집단화될 수 없는 존재론적 고투의 흔적이 생생하게 나 있다. 1970년대에서 1980년대에 이르는 노동자 글쓰기의 질감의 전환과 문법적 변화에 대해서는 별도의 고찰이 요구될 텐데, 어떤 경우든 전태일의 글쓰기가 긴 세월의 노동자 글쓰기를 이념적, 감각적, 양식적으로 선취했다 해도 틀리지 않을 것이다.

전태일의 글쓰기는 당시로서는 오히려 예외적인 현상이었지만 1970년대로 들어서면서부터는 그 후예들이 출현하기 시작한다. 일반적으로 1970~1980년대 노동자 글쓰기의 전범으로 평가되는 대표적인 텍스트로는 석정남과 유동우의 글을 들 수 있다. 두 필자 모두 1970년대 중후반 『대화』지에 개인사, 일상생활, 노동현장, 클럽활동, 노동조합 결성투쟁 등을 담은 글을 게재했다. 그리고 얼마 뒤 단행본이 출간되었는데, 『어느 돌멩이의 외침』(유동우, 1978/1984)과 『공장의 불빛』(석정남, 1984)이 그것이다. 이

15) 이 문제와 관련하여 지식인 집단과 노동자가 맺는 관계를 비판적으로 성찰하고 있는 논의를 환기해보자. 여성 노동자의 자기역사 쓰기에 대한 김원의 연구가 중요하다. 그는 노동운동의 절정기인 80년대에 오히려 여성이나 노동자의 자기기록(수기)이 잦아든 현상에 주목하면서 "계몽의 서사란 이름으로 이루어졌던 80년대 노동운동사"가 "자생적 지식을 타자화"한 측면이 있음을 지적하고 있다. 김원, 「여성들의 자기역사 쓰기, 또하나의 실험」, 『경제와 사회』, 2011 참고. 노동-문화-운동에서 노동자 '당사자'와 '동반자'가 실제로 어떤 역학을 가졌었던가를 되묻는 데 참고해야 할 시사적인 관점이다.

텍스트들은 노조 결성 투쟁 이야기를 담고 있지만 이것이 전부도 아니고 보고서적 성격이 강한 것도 아니어서, 이런 요소와 목적을 전면화하는 보통의 조직운동 및 투쟁의 기록과는 좀 다른 성격을 갖는다.[16] 석정남이 처음 『대화』지에 실었던 것은 「인간답게 살고 싶다」(1976. 11), 「불타는 눈물」(1976. 12)이라는 제목의 일기였다.[17] 이 글에는 고된 작업과 불합리한 노동 조건에 대한 비판, 행복한 삶에의 욕망과 개인적 불행의 토로 등, 사회적 편견과 부조리를 감내해야 하는 여공의 생활과 내면이 솔직하게 기록되어 있다. 노동하는 자의 문화실천(cultural practice) 욕구 그리고 열망과 분열을 동반한 자기구성 기술(技術)에 초점을 맞춰 일기를 읽을 때 특히 주목하게 되는 것은 작가가 되고 싶다는 꿈이다.

> 나는 장래에 어떤 사람이 될까? 종일 그런 생각으로 하루를 보내었다. 나는 진정으로 문학가가 되고 싶은데 모든 환경은 넘무나 엉뚱하다. 내가 이런 공장 구석에서 썩게 될 줄을 그 누가 알았더냐? 문학가, 화가, 내 소망 중 하나도 이루어질 것 같지 않다. 그렇다면 나는 아무것도 이루지 못하고 늙어갈 것인가. 그렇다면 너무 아쉽다. 아, 지금보다 좀더 나은 생활을 할 수 없을까. … 소설가가 되었으면 더욱 좋겠다. 그렇게 되면 나는 나의 일생도 책으로 엮어 보아야지. 아 신경질난다. 나는 왜 이렇게 주제넘게 어울리지 않게 꿈이 화려할까?(1974년 3월 1일, 184쪽)

석정남은 개인적으로 많은 인문서적을 읽고 시를 쓰기도 하면서 문학가

16) 1970~90년대 노동자 글쓰기를 일별하고 있는 정경원의 「노동자 자기역사 쓰기」는 노동자 글쓰기를 세 유형으로 나눈다. 노동조합이나 해고자 모임의 활동을 상세하게 적은 조직 및 투쟁기록물, 개인이 노동자로서 눈떠가는 과정과 노동 현장을 기록한 르포와 수기, 그리고 이것과는 방향을 크게 달리하는 일련의 '모범수기'가 그것이다. 논자에 따르면 석정남과 유동우의 경우는 두 번째 유형에 속하는 것으로, "개인 역사"의 기록물이라는 의미를 갖는다. 정경원, 「노동자 자기역사 쓰기」, 『노동자, 자기 역사를 말하다』, 서해문집, 2005 참고.

17) 일기는 1974년 1월1일자로 시작하여 1976년 8월 7일자로 끝난다. 게재 당시 그녀는 20세였고, 동일방직 직포과에서 일하고 있었다.

의 꿈을 키웠다.[18] 그녀의 꿈은 "교양과 지성을 길러 건전한 인간이 되도록 노력"(1974년 1월 7일, 180쪽)하겠다는 의지로 표현되기도 했다. 전체적으로 이 일기에는 진정으로 바라는 것은 공장 저편에 둔 채 힘들게 노동해야 하는 문학소녀의 기복 큰 감정이 적혀 있다.[19] 그런데 절박한 소망과 비참한 현실에서 오는 절망, 자기 위안과 자기 모멸 사이에서 진동하던 젊고 가난한 여공의 영혼도 어느 시점부터 점차 변화하는 것으로 보인다. 대략 1975년 2월 동일방직에 취직한 후 서클 활동을 시작하면서부터라 할 수 있다. 노동조합에 대해 알게 되고 노동법을 공부하기 시작한 것도 이 무렵이다. 노조활동에 참여했던 그녀는 동일방직 사건을 거치면서 투쟁에 적극 동참하고 이후에는 복직운동을 전개한다. 이 과정은 『공장의 불빛』에 자세하게 기록되어 있다. 『공장의 불빛』은 『대화』에 실린 일기 후반부에 기술되어 있던 여러 활동과 투쟁에 초점을 맞춰 그 추이를 본격적으로 서술한 텍스트다. 『공장의 불빛』을 내면서 그녀는 "이것을 70년대 노동운동의 종합이나 총정리가 아니라 그에 참여했던 개인의 느낌과 감정을 넘겨다보는 정도로 이해해 주었으면 좋겠다"고 언급한다. 『공장의 불빛』은 석정남의 초기 일기보다는 지난한 싸움의 과정을 묘사하는 데

---

18) 석정남은 1985년 『노동의 문학, 문학의 새벽』(자유실천문인협의회 편, 이삭, 1985)에 소설 「장벽」을 게재하고, 그 연작에 해당하는 「불신시대」도 쓴다. 개인사적으로 보자면 작가가 되고 싶다는 오랜 소망을 실현한 것이라 할 수 있다. 당시 「장벽」과 「불신시대」에 대해 비평가들은 전반적으로 긍정적인 논평을 했다. 논평의 구체적인 내용은 「민족문학과 민중문학」(좌담), 『창작과비평』, 1988 봄호 참고. 그 외 석정남은 1979년 좌담회 <대중문화의 현황과 새 방향>에 참석하여 신문, 티브이, 문학 등 대중매체가 생산하는 문화 경향에 대해 비판적인 입장을 피력하기도 했다. 좌담회는 「대중문화의 현황과 새 방향」, 『창작과비평』, 1979 가을호 참고. 참여자 명단에 그녀는 "노동자"로 소개되어 있다.

19) 1974년 4월 25일 일기에서 "오늘은 종일 시를 썼다. 헬만 헷세, 하이네, 윌리엄 워즈워드, 바이런, 괴에테, 푸쉬킨. 이 얼마나 훌륭한 이름인가? 나는 감히 상상도 못할만큼 그들은 훌륭하다. 나도 그들의 틈에 끼고 싶다. … 나같은 건 어림도 없다. 내 최고의 실력을 다해 지은 이것도 결국은 보잘 것 없는 낙서에 지나지 않는다. … 아무 지식도 배움도 없는 나는 도저히 그런 영광을 가질 수 없다."(188쪽)고 적고 있다.

전력을 기울이고 있기는 하지만, 집합적 가치와 사적 심경 가운데 어느 한편으로 크게 치우쳐 있지는 않다.

유동우의 『어느 돌멩이의 외침』의 서사 역시 『공장의 불빛』과 크게 다르지 않다. 이 글을 준비하던 때 그는 "75년 공장에서 쫓겨난 후 복직투쟁을 하는 과정에서 잠시 구속되었다가 풀려나온 뒤", 의류행상, 장사 등 몇 가지 일을 시도했지만 실패를 거듭하면서 실의에 빠져 있었다. 글을 쓰기 시작한 것은 1976년 11월이고, 이것이 『대화』지에 연재된 것은 이듬해인 1977년 1월~3월에 걸쳐서다. 글을 쓸 당시 그는 "그토록 동경하던 성직자에의 꿈도 포기한 채 온갖 정열을 쏟아왔던 노동조합활동을 할 수 없는 데서 오는 좌절감과 패배의식, 전과자가 되었다는 정신적인 압박감, 건강치 못한 신체, 장래에 대한 불안감 등으로 무척 방황하고"(5쪽) 있었다. 이런 상태에서 기록을 남기기로 결심한 것은 다음과 같은 이유에서다.

> 그럼에도 불구하고 청탁을 받아들인 것은 나름대로 이유가 있었다. 우선은 삼원섬유에서 내가 겪었던 일들은 앞으로의 나의 삶에 있어서 길잡이가 된 너무나 소중한 체험이었다. … 이 과정에서 나는 인간이 인간답게 산다는 것과 더불어 함께 사는 일이 어떤 것인가를 어렴풋이나마 알게 되었고 또한 그것이 얼마나 소중한 것인가를 알게 되었다. 나는 할 수만 있다면 이와 같은 소중한 체험은 나처럼 열악한 노동조건과 비인간적 대우 속에서 고통당하는 이 땅의 수많은 동료 노동자들의 공동의 체험으로 나누어 가지고 싶었던 것이다. 그리고 당시에 개인적으로 겪어야 했던 갈등을 정리한다는 의미에서도 글을 써보고 싶었다(5~6쪽).

위의 내용은 『어느 돌멩이의 외침』 1984년 판본 「머리말」의 일부다. 유동우의 설명에 따르면 1978년에 첫 책이 나왔으나 절판되고, 1984년에 두 번째 판본이 나온다. 인용 부분은 글을 쓰던 시점으로부터 약 6, 7여 년의 시간적 간격을 두고 당시의 심경을 회상하고 있는 부분이다. 그의 글쓰기가 갖는 의미와 관련해서는 우선 '공유'에의 바람에 주목해볼 수 있겠다. “공동의 체험으로 나누어 갖”고 싶다는 소망이 그로 하여금 자신과 자신이 겪은 사건을 기록하게 만들었다. 한편으로는 기억을 되짚어 객관화하는 과정을 통해 “좌절과 갈등”에서 벗어날 수 있을 거라는 기대도 했던 것으로 파악된다. 그는 소년기의 가난과 상경, “야간함빠” 취업, 자살 시도로 고통스럽게 이어지는 개인사를 「나의 슬픈 이야기들」이라는 제목 아래 적어 내려갔다. 그리고 책 중후반에는 삼원섬유에 들어가 노조 결성에 투신하는 과정이 이어진다.[20] 전반적인 구성이 말해주듯이 유동우의 글 역시 정치경제적 투쟁에 쓰일 공공재를 생산한다는 목적론에 입각하여 쓰여진 것은 아니다. 앞서 말했듯 이러한 경향은 주로 70년대 말에 쓰여져 80년대 초반까지 재생, 공유된 노동자의 자기 기록이 보여주는 특징인 바, 노동자 글쓰기를 운동사적 차원에서 조명하기보다는 주체의 자기 구성 지평에서 의미화하려는 이유도 여기에 있다.[21]

두 텍스트에서 두드러지는 특징은 이들의 기록이 ‘성장’과 ‘성숙’의 서사로 구성되고 있다는 점이다. 성장과 성숙이란 ‘비애’에서 ‘투지’로의 이행을 의미한다. 이행 과정은 끊임없이 혼란, 동요, 좌절을 동반하는데 이러한 양상 또한 특별한 생략이나 배제없이 서술되어 있다. 인물들의 고뇌는 노동자의 권리에 대한 자각을 거치면서 순간순간 극복되고 있다. 산업화 시대에 공장으로 흡수된 젊은 층은 거의 예외 없이 유년기부터 불우, 극빈, 비참을 체험한 자들이고, 소년 소녀 시절에는 자신과 유사한 조건에 처한 존재들이 몰려드는 비인간적 작업장으로 흘러들어간 자들이다. 그리고 바로 이 장소에서, 비슷한 삶의 조건과 감각을 지닌 자들과 만나 현장-작업-생활 공동체를 형성하면서 집합세력화의 가능성을 찾고

20) 유동우의 근황 및 회고는 유동우·김원, 「돌멩이는 아직도 외친다」(대담), 『실천문학』, 2013 여름호 참고.

21) 여성노동자들이 파업, 노동조합 가입, 소모임 활동과 같은 “‘사건’과의 만남”을 통해 어떤 식으로 자기를 구성하고 정체성을 형성하게 되는지 분석한 글로는 김경일, 「한국 산업화 시기 노동자의 생애와 사건」, 『사회와 역사』 85, 2010 참고.

실행한 자이기도 하다. 따라서 성장과 성숙의 서사는 곧 연대와 인간적 이해의 가능성을 자기 자신에게서 또 바로 옆의 동료에게서 발견해 나가는 서사라 할 수 있다. 무엇을 어떻게 함께 할 것인가와 관련해서 이들은 서로서로 가르치고 배웠다. 감정과 행동을 공유한 동료들은 우정과 연대의 정념을 함께 나누는 '작은 영웅들'이었고, 기억과 쓰기의 주체는 그 영웅됨에 관한 소박한 묘사와 상찬을 아끼지 않는다.

물론 이들의 활동에는 배신, 절망, 좌절이 산재했고 이에 대한 언급도 적지 않게 나온다. 하지만 이야기의 텔로스는 '그럼에도 불구하고' 움직이고 운동하는 주체의 진전하는 역능을 전하는 데 있다. 그들의 역능은 고통과 감수를 기반으로 커지고 있다. 글쓰기 주체가 경험하고 기억하고 있는 것은 노조결성 투쟁을 거치면서 얻은 "특별한 감정적 이익" 즉 "행위에서 느끼는 자부심"이라 할 수 있다. 감정정치학의 관점에서 사회운동 참여의 구조를 분석한 논자에 따르면, 다양한 감정적 이익이 개인이나 집단의 사회운동 참여를 자극할 수 있지만 "행위에서 느끼는 자부심" 같은 감정적 이익이 모두에게 똑같이 강력한 동기로 작용하는 것은 아니다. 오랫동안 종속적인 위치에 있던 집단이, 그렇지 않은 집단에 비해 자신들의 수행성 자체에서 훨씬 더 자부심을 느끼고 이로부터 강한 참여 동기를 얻는다는 것이다.[22] 두 텍스트는 이 점을 뚜렷하게 증명하고 있다.

그러나 이 성숙과 성장의 서사를 보면서 잊지 말아야 할 것은 그들의 이야기가 결코 단순한 '희망'의 서사는 아니라는 점이다. 노조결성 투쟁의 여파는 또다른 지난한 싸움 즉 부당 해고에 맞서는 복직투쟁으로 이어질 수밖에 없었다. 하지만 복직의 기회는 주어지지 않는다. 그것은 끝없이 유예되고 끝까지 주어지지 않을, 철저하게 침해된 권리인 것이다. 석정남의 『공장의 불빛』은 "이제 우리 앞에 남겨진 일은 무엇인가. 노동조합을 지키는 일도 복직투쟁도 아닐 것이다. 열심히 살아가는 일만이 남았다"(254)

---

22) 제임스 재스퍼 외, 박형신 외 역, 『열정적 정치』, 한울, 2012.

는 확인으로 끝난다.[23] 유동우의 『어느 돌멩이의 외침』은 집합 주체가 "빛나는 승리를 쟁취"(239)하는 장면으로 마치지만, 개인은 결국 해고와 구속으로 이어지는 극심한 고통의 길을 피할 수 없었다. 그러므로 이들의 기록에 접근할 때, 쉽게 바뀌지 않는 현실과 그래도 지속되는 운동 또 집단이 얻은 성취와 개인이 얻은 상처 등 서로 상충하면서 양립하는 상황의 복잡한 공존을 놓쳐서는 안 될 것이다.

그렇다면 우리는 1970~80년대 현실에 뿌리를 둔 노동자의 자기 서사를 궁극적으로 무엇으로 읽어야 할까? 아마도 '의지'의 서사로 읽어야 할 것이다. 이들의 '의지'는 물론 승리나 쟁취에의 의지를 포함하겠지만 결코 이것이 전부이거나 핵심은 아니다. 정확히 표현하면 핵심은 단지 승리나 쟁취에의 의지가 아니라 성숙과 성장에의 의지라 할 수 있다. 승리나 쟁취에 머무르는 의지는 그것을 이루지 못하면 꺾일 수 있지만, 성숙과 성장에의 의지는 승패 여부를 넘어 계속 움직이고 깨어있을 수 있는 역능에의 의지다. 이들의 글쓰기는 현실적 패배(가능성)나 사적 고통뿐 아니라 이러한 조건에도 불구하고 생성되는 역능을 함께 적는 행위였다. 비록 이런 문법이 이후 노동자 글쓰기에서 반복되면서 고착되고 나아가 기능주의에 함몰되어버린 면이 있지만,[24] 두 텍스트에서 반노동적, 비인간적 착취를 연료삼아 비대해진 산업자본주의를 향해 노동자 글쓰기가 내놓은 대항언어의 체질을 확인할 수 있음은 분명하다.

1970~80년대의 정치열이 식고 소비사회로의 급격한 전환이 일어난 1990년대에도, 노동의 로고스피어를 채우는 언어들은 계속 쌓였다. 그러나 이 시기에 일어난 국면 전환을 결코 무시할 수는 없을 것이다. 주지하듯이

---

23) 동일방직에서 해고된 이후의 합판 공장 취업과 그곳에서의 노동의 열악함에 대해서는 석정남, 「노동자와 문화」, 『기독교사상』, 1985. 2 참고.

24) 최근에 이르기까지의 노동자 자기역사 쓰기를 검토하고 있는 정경원은 특히 1990년대 초반에 이러한 성향이 강했음을 언급하고 있다. 즉 "선전선동 강화, 정치의식 강화"가 강조되면서 개인의 기록이 "목적을 달성할 수 있는 매개"로 활용되었다는 것이다. 이에 대해서는 정경원, 앞의 글 참조.

1990년대 초반 이래, 담론장은 소비사회(화 되어가는)의 현장을 묘사하고 해석하는 언어들로 가득 찼다. 이 과정에서 노동(자)을 둘러싼 사유와 언어의 뭉치는 뚜렷한 위치 변동을 겪게 된다. 적어도 1980년대에 그랬던 것처럼 노동자 글쓰기가 시대의 이슈로 혹은 지식계가 대거 동참하는 관심사로 전면화될 수 없었다. 하지만 1970~80년대의 흐름을 잇는 노동자 글쓰기의 사슬이 끊어지거나 사라진 것은 아니었다. 그 사슬을 이어간 대표적인 플랫폼으로는 1988년 제정되어 지금까지 지속되고 있는 전태일문학상, 1995년에 창간된 월간지 『작은책』,[25] 1998년에 창간된 『삶이 보이는 창』, 그리고 2001년 창간된 『비정규노동』 등을 들 수 있겠다. 이러한 문화적 매개를 통해 포스트산업 시대의 노동자 글쓰기는 노동(자)문학이나 생활글, 기록문을 포괄하는 기존의 노동자 글쓰기 양식을 재생산하면서 현재진행형의 문화로 꾸준하게 이어지고 있다.[26] 글을 투고하거나 기고하는 '노동자'의 범주도 1970~80년대와 비교해볼 때 훨씬 넓어지고 다양해졌으며 글의 소재나 화법 역시 다채로워졌다. 그러나 이 매체들의 노동자 및 노동 문제 정향성은 뚜렷하고 실행적이다. 외환 위기 이후 사회 안전망의 붕괴와 노동-고용 시스템의 변화로 인해, 노동 문제는 이제 '모두'의 것이 되어버렸다. 위에서 언급한 플랫폼들의 존재는 1990년대 후반을 거치면서

---

25) 『작은책』은 한 달에 한 번씩 글쓰기 모임을 갖는다. 이 모임에는 다양한 직업의 사람들이 참여하는데 각자 자유롭게 생활글을 써와서 발표하고 서로 의견과 조언을 나누는 방식으로 진행된다. 나는 2012년 12월부터 세 차례에 걸쳐 모임에 참여했다. 글쓰기 모임은 일반적인 글쓰기 강연이나 강의와는 다른 방식이었고, 특별한 구심점 없이 개방적인 분위기에서 읽고 이야기하는 세미나 형식을 취한다. 『작은책』의 발행인 안건모 씨와 서울 글쓰기 모임 회장 이근제 씨는 『작은책』 및 글쓰기 모임과 관련하여 많은 이야기를 해주었다. 이들은 모두 오랫동안 글을 써왔다. 안건모 씨는 『거꾸로 가는 시내버스』(보리, 2006)를 출판하고 이후에도 많은 활동을 했으며 이근제 씨는 「바보처럼 살아온 나날」로 제10회 전태일문학상 생활·기록문 부분에서 우수상을 수상했다. 그의 글은 『실업일기』, 일하는 사람들의 작은책, 2001에 실려 있다.

26) 2000년대 노동자 글쓰기 현황에 대한 대략적인 스케치로는 김해자, 「노동문학의 현주소와 나아갈 길」, 『진보평론』, 2002 겨울.

한국사회를 뒤덮은 심각한 재난과 결코 무관할 수 없다.

제정된 이래 매년 이어져온 문학상이나 노동(자)을 이슈화하는 정기간행물 외에도 1970~80년대 노동 현장 활동을 둘러싼 참여 주체의 자기 기술 및 인터뷰를 모은 단행본 역시 꾸준히 출간되고 있다.[27] 증언과 회고를 수집하는 작업은 노동자의 투쟁, 감정, 기억, 의식, 행위의 미시사를 구성한다는 점에서뿐만 아니라 비정규직, 실업 등 현재적 문제를 논하는 길로 연장되고 있다는 점에서도 의미를 가질 것이다.[28] 2000년대의 위기와 그 위기를 살고 있는 노동자의 삶과 의식을 기록, 보관, 공간하는 흐름은 노동자의 정치적 역량뿐 아니라 언어-지성의 힘을 동시에 발견하고 실행했던 1970~80년대 노동자 글쓰기의 에스프리에 그 깊은 기원을 두고 있다. “과연 노동자에게 안녕을 말할 때인가”[29]라는 질문을 향해, 이 언어들은 결코 “안녕을 말할 때”가 아니며 상황은 정확히 그 반대라고 답한다.

III. 이동과 지탱

지금까지 살펴본 것처럼 1970~80년대에 전면적으로 분출한 노동자의 문화정치적 실천은, 일하는 당사자의 육성과 육필을 통해 노동의 로고스피어가 발아하고 부풀어오르는 극적인 장면을 연출했다. 그렇다면 잠시 시선을 이동하여, 노동의 로고스피어에 새롭게 진입하여 그 지평을 넓히고 내부를 다양하게 만드는 또다른 언어에 주목해보자. 이 언어는 비교적

---

27) 그밖에 중요한 흐름으로, 2000년대에 노동사 연구가 활발해지면서 진행된 일련의 노동자 자기역사 쓰기 작업들이 있다. 여성 노동자의 자기역사 쓰기에 관한 논의로는 김원, 앞의 글 참고.

28) 이러한 시도를 보여주는 대표적인 성과로는 유경순의 『같은 시대 다른 이야기』(메이데이, 2007), 『나, 여성 노동자』(그린비, 2011) 등을 들 수 있다.

29) 알렉스 캘리니코스, 크리스 하먼, 이원영 역, 『노동자 계급에게 안녕을 말할 때인가』, 책갈피, 2001.

최근에 태어나 그 어떤 생명체보다도 빠르게 자라고 있다. 이것은 자기보다 먼저 도착하여 번성해 있던 언어들과는 다른 환경에서 생겨났다. 그런 만큼, 구사하는 자 그리고 구사하는 방식 면에서 두 언어 체계는 차이를 갖는다.

노동자 글쓰기의 계보에서 신생의 존재를 제2세대의 언어체라 부를 수 있다면, 그 생성과 운동의 맥락은 어떠할까. 이 언어체의 생산자를 존재론적으로 규정하고 있는 것은 모든 경제 관계에서 연속성과 안정성을 거세하고 유동성과 탈영토성을 극대화한 신자유주의-금융자본주의라는 조건이다. 산업시대의 대량 노동과 대량 생산 메커니즘이 근대적 노동윤리를 근저로 노동을 착취했다면, 금융이 지배하는 후기산업사회는 채무 효과를 운용하며 노동을 착취한다.[30] 금융사회에서 노동의 위상과 가치는 산업사회와는 또다른 경위로 급격하게 몰락했고 전면적인 붕괴의 위기에 처했다. 노동의 파국이자 삶의 파국인 것이다. 자본이 인간 삶의 전영역을 지배하고 고갈시키고 있는 상황을 성찰하지 않고 오늘의 인간학과 문화학을 구성하기란 불가능하다.

그렇다면 이와 같은 현실에서 자기를 기술하는 노동자의 언어는 어떤 주체에 의해 어떤 모양새로 출현하고 있는가. 1990년대 이래 한국사회에 내화된 노동의 성격은 부유성(浮游性)과 유동성으로 압축할 수 있다. 대다수가 비정규직, 시간제 노동이라는 불안정 노동의 장으로 내몰렸다. 이 체제에서 장단기적 실업 상태는 특별하거나 예외적인 것이 아니라 상시적이고 잠재적인 것으로 보편화되었다. 부유성과 유동성을 '즐길' 수 있는 예외적 소수를 제외하고는 태반이 자기 삶의 지반이 언제 꺼질지 모르는 불안을 안고 사는 잡노마드 처지이다. 군둘라 엥리슈는 잡노마드의 세계에서 기회와 위험을 동시에 보고 있지만 확실히 기회와 가능성을 발견하는 쪽에 기울어 있는 듯하다. 그러나 적어도 선택적 노마드로 보기는 어려운

30) 안또니오 네그리, 마이클 하트, 조정환 역, 『선언』, 갈무리, 2012.

다수의 보통 사람들에게, 떠돈다는 것은 기회보다는 위험과 불안이 압도적으로 큰 조건이다.[31] 그가 "노동 세계의 난민"이라고 표현한 잡노마드에도 여러 유형과 레벨이 있다. 아래에 넓고 두텁게 퍼져 있는 하층 노마드는 말할 것도 없이 일생 내내 가혹하게 혹사당한다. 어떤 점에서는, 불안을 견디는 것이 그들의 유일하게 장기적이고 안정적인 '일'이 된 듯하다.

이렇게 2000년대의 삶-노동의 처지를 기록하는 당사자 기술지는 특히 젊은 일꾼들에 의해 기존의 것과는 좀 다른 형태로 쓰여지고 있다. 『88만원 세대』(2007)를 계기로 청년실업이 중대한 사회 문제로 인식되기 시작했고, 그 뒤를 이어 노동 문제를 포함하여 젊은 층이 직면한 여러 문제를 다루는 논의들이 쏟아져 나왔다. '진정한 삶의 지침'을 주겠다는 각종 '힐링 상품'에서부터 다양한 방식의 청년층 생태보고서[32]에 이르기까지 그 스펙트럼은 아주 넓다. 이 과정에서 2, 30대 논객들이 등장하여 '우리 이야기는 우리가 한다'는 모토 아래 자기 발언의 문화를 추동하기도 했다. 젊은 세대의 사회비평은 지금도 활발하게 진행 중이고 이 가운데는 이제 꽤 유명해진 논자들도 있다. 관련해서는 많은 논의들이 있지만, 일단 이러한 사회비평들은 앞으로 다룰 핵심적인 분석 대상의 동시대적 배경 정도로만 참고하기로 한다.

노동자 글쓰기 혹은 노동자 자기 기술의 시대적 연쇄라는 면에서 주목할 만한 최근의 텍스트 역시 일하는 자가 직접 쓴 자기 이야기이다.[33] 이 양식 자체를 비교적 일관되게 적극적으로 활용한 기획물도 나오고 있다. 텍스트사에서 기획한 <우리시대 젊은 만인보> 시리즈가 그것으로 보통

---

31) 군둘라 엥리슈, 이미옥 역, 『잡노마드 사회』, 문예출판사, 2002. 인용은 120쪽.

32) "생태보고서"라는 표현은 정상근, 『나는 이 세상에 없는 청춘이다』, 시대의 창, 2011에서 빌어 온다. 이 책 역시 당시 30살이 된 필자가 자기의 이야기와 함께, 직접 인터뷰한 30여명의 20대 친구 및 선후배들의 이야기를 종합하여 구성한 것이다.

33) 오늘날의 노동 현실을 청년세대에 초점을 맞춰 논하면서 문학적 재현 차원에서 분석한 글로는 소영현, 「한국사회와 청년들 ; '자기파괴적' 체제비판 또는 배제된 자들과의 조우」, 『한국근대문학연구』 26, 2012 참고.

사람들의 글쓰기 혹은 당사자의 글쓰기 문화라는 측면에서 흥미롭고 시사적이다. '젊은 세대가 쓰는 자서전'을 표방하는 이 기획물은 주로 언어노동이나 창조 노동에 종사하는 젊은 인지노동자들을 주요 필자로 삼고 있다. 이들이 자유분방하게 써내려간 자기 역사에는 자신의 성장과정, 생활, 일, 꿈에 대한 미시적인 기술이 담겨 있다. 당사자가 직접 자기 삶을 기술한다는 점에서, 이 양식은 자기역사 쓰기라는 기존의 노동자 글쓰기의 주요 문법을 응용하여 이어받고 있는 것으로 보인다.

21세기 노동인류학의 기술지가 늘어가는 현상에서 내가 주목하고 싶은 것은 이렇게 당사자가 쓰는 노동이야기 군(群)으로, 앞에서 살펴본 노동자 글쓰기 계보에 닿아 있는 유형이다. 지금 2세대 노동자 글쓰기의 필자들은 이 일, 저 일 안 해본 일이 없는 자신의 '잡스러운' 경험을 기록하는 데 집중하고 있다. 리처드 세넷은 커리어(career)와 잡(job)의 어원적 차이를 언급하면서, 신자유주의가 마차가 다니는 쭉뻗은 길(career)을 거두고 짐수레로 실어 나를 수 있는 한 덩어리나 한 조각의 물건(job)만을 놔두었다고 했는데,[34] 이 '잡(job) 시대'의 젊은 노동 주체의 자기 기술은 말 그대로 저임금 임시-일용 노동 박물지의 형태를 띠는 것이 특징이다. 앞서 살펴본 1970~80년대 텍스트가 공장노동자의 집합적 각성 및 행동을 중심축으로 삼아 짜여진 것과는 매우 다른 전개를 취하고 있는 것이다. 이들의 기록은 아르바이트 경험의 연쇄를 서사의 골조로 삼고 있다. "아르바이트 경제"[35]의 시대에, 아르바이트 노동하는 자들의 자기 기술이 이런 식으로 편성되어 장면 전환하는 것은 당연해 보인다.

부분적으로 혹은 전체적으로 이러한 양식을 취하고 있는 『은근리얼 버라이어티 강남소녀』(김류미, 2011), 『너는 나다-우리시대 전태일을 응원한다』(손아람 외, 2010), 『인간의 조건』(한승태, 2013)을 살펴보자. 자신의

34) 리처드 세넷, 조용 역, 『신자유주의와 인간성의 파괴』, 문예출판사, 9쪽.

35) 서동진, 「아르바이트 경제, 우리 시대 노동의 초상」, 서동욱 외, 『한평생의 지식』, 민음사, 2012.

노동 경험을 핵심 컨텐츠로 삼아 워킹푸어의 삶을 전하고 있는 필자들은 거듭되는 아르바이트 경험을 통해 노동의 피로와 세상의 혹독함을 경험했다. 이 과정에서, 결국 값싼 노동기계에 지나지 않을 존재들의 사회적 위상이라는 것도 뼈아프게 배웠다. 김류미는 「강남소녀 노동일기」절에서 맥도널드, 노래방, 동대문 옷가게, 전단 돌리기 등 자신이 거친 수많은 파트타임 일자리에 대해 그리고 일의 환경과 노하우에 대해 쓰고 있다. 출판 편집인이 되는 것이 꿈이었던 그녀는 최근에 한 출판사에 취직하여 편집자가 됐으나 그 이전까지는 정말 "버라이어티한" 다종의 노동에 종사해야 했다.[36] 젊은 세대의 자기 기록은 다양한 방식으로 노동의 곤경을 말하는 공통 언어를 생산하고 있다. 『88만원 세대』를 출간한 레디앙, "진보생활문예"를 표방하는 삶이보이는창 등 현실개입적이고 진보적인 성향의 출판사들이 합작하여 공동으로 기획, 출판한 『너는 나다』역시 유사한 성격을 갖는다. 다수의 필자가 참여하고 있는 이 책에는 각 출판사가 동일 주제로 서로 달리 구성한 기획들이 가감 없이 함께 묶여 있는데 전체적으로 젊은 층의 노동생활 풍경을 보여주고 있다. 하나의 통일된 편집 체제를 따르지 않고 의도된 듯한 산만함에 기대어 젊은 층의 노동을 조망하는 이 텍스트는 "우리 시대 전태일을 응원한다"는 부제를 갖고 있다. 산업 노동의 비참과 저항의 절박성을 상징하는 전태일을 오늘의현실에 접합시킴으로써, 무시못할 변화에도 불구하고 40여 년을 관통해온 노동 문제의 연속성과 노동 주체의 공통 체험을 강조한다. 즉 1970년의 전태일을 매개로 2010년대의 수많은 전태일들을 호명하고 있는 것이다.

최근에 나온 가장 주목할 만한 텍스트인 한승태의 『인간의 조건』 역시 마찬가지다. 아마도 이 노동지(勞動誌)는 워킹푸어의 일상을 전하는 가장 본격적이고 전면적인 기록일 것이다. 글쓰는 주체는 꽃게잡이, 편의점,

---

36) 김류미는 넉넉지 못한 가정형편 때문에 계속 아르바이트를 하면서 지냈지만, 이때도 블로그 활동을 열심히 하고 많은 글을 썼다. 2012년 2월 인터뷰를 통해 글쓰기와 일하기에 대한 그녀의 생각을 들을 수 있었다.

주유소, 생산직, 돼지농장 등 직종을 불문하고 닥치는대로 끊임없이 일한다. 필자는 "1차, 2차, 3차 산업, 더 세밀하게는 농업, 어업, 축산업, 제조업, 서비스업계에서 모두 일해 본다면 그 때는 책을 한 권 써야겠다고 마음먹었"는데, 『인간의 조건』은 이 갖가지 노동 체험의 결과물인 셈이다. 매우 잘 쓰여진 이 두툼한 노동기는 아르바이트 노동의 풍속도, 아르바이트화되어 가는 노동 시장의 풍속도를 작성하면서 파트타임, 임시고용으로 유지되는 생(生)의 내면을 인상적으로 보여준다. 한승태는 1970~80년대의 석정남이 그랬던 것처럼 문학을 향한 열망을 갖고 있다.[37] 그는 "전국을 떠돌며 닥치는대로 일했고 일하는 틈틈이 영원히 출판되지 못할 게 분명한 시와 소설들을 썼"다고 한다. 『인간의 조건』 자체는 오직 노동의 서사로 가득한데, 필자의 개인적인 지향과 노력 때문인지 한편의 소설처럼 읽히는 구성력을 확보하고 있다.[38] 하지만 글쓴이가 분명히 밝히고 있듯이 이것은 분명 소설이 아니며 "판타지 소설"은 더더욱 아니다. 그는 "누구라도 대수롭게 여기지 않을 법한 사람들이 어떻게 먹고살고 있는지를 보여주고 싶"었고 그래서 "조금만 시간이 지나도 잊힐 게 분명한 사소한 사항들로" 기록의 공간을 가득 메웠다. 이렇게 해서 젊은 워킹푸어의 육화된 자기 기술이

---

37) 인터뷰 기사들에 따르면 필자는 전업 작가가 꿈이다. 하지만 그러기 위해서라도 최소한의 생계유지를 위한 노동을 피할 수 없다고 말한다. 그에게 노동은 두 가지 의미를 갖는 듯하다. 즉 생활유지의 수단이자 글쓰기의 핵심적이고 실제적인 자원인 것이다. 『인간의 조건』은 출간 당시 르포르타쥬와 문학작품의 경계에 있는 작품으로 평가되기도 했는데 한승태는 "문학작품" 쪽이 더 "어울리는 것 같다"고 말한다. 물론 이 말이 이 텍스트가 소설이라는 의미는 아니다. 인터뷰는 『서울신문』, 2012. 12. 29, http://www.seoul.co.kr/news/newsView.php?id=20121229019002.

38) 서문에서 "이 책의 내용은 내가 2007년에서 2011년 사이에 경험한 일들을 바탕으로 하고 있지만 100퍼센트 사실만 담긴 것은 아니다. 특히 마지막 6부는 픽션이다. 나는 6부의 배경이 되는 이야기를 잠깐 동안 함께 일했던 친구에게서 들었다. … 그의 이야기는 내게 깊은 인상을 남겼고 나는 좀더 공식적인 자리를 통해 그 이야기를 들려주고 싶었다"(8쪽)고 적고 있다. 사실, 텍스트 자체가 소설인가 아닌가는 그리 중요한 사안은 아니다. 이 기록물의 성격이나 의미는 글쓰는 주체의 사회경제적 위치 그리고 글쓰기에 대한 의식면에서 고찰되어야 한다.

탄생할 수 있었다. 기록자 자신의 생활과 직접 체험은 글의 몸과 의식을 양적, 질적으로 구성하는 절대적 토양이 되고 있다. 자신의 소년기를 소설의 형식을 빌어 기록했던 전태일을 떠올려 본다면,[39] 노동하는 삶을 원료로 하는 소설적 자전(自傳)은 수기, 르포, 소설 사이의 경계를 지우는 유동성 자체를 특징으로 갖는다고도 할 수 있다.

나는 앞에서 1970~80년대 노동자의 자기 기술을 성숙과 성장 그리고 의지의 서사로 파악했다. 이에 비한다면 지금 나오는 자기 기록의 서사는 계속되는 '이동'의 서사라 할 수 있다. 이 일에서 저 일로의 이동 말이다. 이것은 목적 없는 왕래이다. 이동을 통해 자신이 누군가와 함께 성장하거나 성숙해간다는 감각이 이동자들에게 과연 있을까? 이동은 단지 새로운 상황에 '적응'하는 기술을 단련시킬 뿐이다. 비슷하게 연속되는 반복의 구조에서 주체의 영혼은 상승과 확장의 기회를 쉽게 얻지 못하고 고갈된다. 사회적으로 '별로 중요치 않은' 잡역에 종사하는 저급 일용직 세계의 업무는 당연히 부당한 대우와 조건을 동반한다. 하지만 이 일에 종사하는 노동자들은 밑바닥에서 혼자 조용히 움직이고 옮겨 간다. 저류(底流)의 이동은 어느 누구도 눈여겨 보거나 중요하게 생각지 않는, 비루하기 짝이 없고 고독하기 이를 데 없는 모험인 것이다. 그래서이겠지만 소통불가능, 파편화, 지루함, 고통을 특징으로 하는 전형적인 산업노동의 시대에 공장 노동자가 작업장과 작업시간 외부에서 공동체를 만들어내고[40] 이 과정을

39) "태양은 마른 대지 위의 무엇이든지 태워버릴 것 같이 이글거린다. 열네 살의 한 소년이 허기진 배를 달래면서 부산진역에서 엣(옛)날 그가 살던 영도섬 다리쪽으로 무거운 다리를 옮겨놓고 끌어놓으면서 이글거리는 태양 아래 국제시장 입구어는 양화점 쇼윈도우 그늘진 곳에서 잠시 갈증나는 더위를 피하고 있다"로 시작되는 「나는 왜 언제나 이렇게 배가 고파야 하나」가 그것이다. 이 글은 서울로 가기 위해 부산역 근방을 떠돌던 상황을 쓴 것인데, 마지막 부분에서는 주체의 육성이 수기처럼 직접 들리는 쪽으로 바뀐다. 이밖에도 전태일은 자기 경험을 소재로 하여 소설 초안을 남긴 바 있다. 전태일, 『내죽음을 헛되이 말라』, 전태일기념사업회 엮음, 돌베개, 1995 참고.

40) 이에 관해서는 프랑코 베라르디, 서창현 역, 『노동하는 영혼』, 갈무리, 2012, 114쪽 참고. 그는 산업노동과 인지노동을 대응시키면서 노동, 소통, 조직 구성의

자기 서사의 중심으로 삼았던 것과는 달리, 단기 이동 노동자들의 기록에는 이러한 경험이 주가 되지 않는다.

일생이 이렇게 기약 없는 이동의 사슬로 이어질 것이라는 인식은 노동 주체에게 어떤 감정과 태도를 갖게 할까? 『너는 나다』와 『인간의 조건』에는 일하는 빈곤한 존재에 스며들어 있는 절망을 직접적으로 내비치는 부분이 있다.

> 그럼에도 아이스크림을 파는 그는 비가 세차게 쏟아지는 가운데서도 전혀 어두운 표정이 아니었다. 이런 날이 원래 하루이틀쯤은 있는 거라고 내일 더 많이 팔면 되는 거라고, 아무렇지도 않게 말했다. 그의 말이 낙천적으로 들리기는 했지만 희망적이라고까지 느껴지지는 않았다. 어차피 한철 장사로 떠돌아다녀야 하는 삶에 낙천성은 깃들 수 있어도 희망은 쉽게 깃들지 않는다. '들치기' 인생은 그런 거겠지. … 그렇게 일자리를 찾아 떠돌아다니는 우리도 결국 이 시대의 '들치기'가 아닐까? 지금 나는 '들치기'다. 그리고 서울에 아직 남아 있는 내 친구들도 결국 한국사회의 '들치기들'이다.(『너는 나다』, 119쪽)

> 항구에서는 모든 사람의 삶이 하향 평준화된 사회가 주는 만족감이 있었다. 모두가 헌 추리닝을 입고 형편없는 식사를 하고 매일같이 위험하고 힘들게 일했다. … 누구도 드러내놓고 표현하진 않았지만 거기엔 실패를 받아들인 데서 오는 편안함도 있었던 것 같다. 항구에선 더 이상 내 인생이 아무 문제없는 척할 필요가 없었다. … 자기계발서가 권하는 어설픈 거짓말로 자신을 속일 필요도 없었다. 밑바닥까지 떨어진다는 건 말처럼 쉬운 일이었고 나는 그 밑바닥에 있었다. 내가 신경 쓸 일은 그저 하루하루를 살아가는 것뿐이었다. 놀랍게도 항구에선 그것만으로도 위안이 됐다.(『인

특징 및 변화를 살펴본다. 물론 인지노동자 역시 자신의 작업 자체와 관련해서는 산업노동자들과 같은 방식으로 관계한다. 그러나 이들의 노동은 "소통의 노동" 또는 "노동하도록 배치된 소통"(같은 책, 117쪽)으로, 네트워크 상에서의 소통을 그 결정적 성격으로 갖는다. 따라서 소통이라는 점에서 보면 "가능성"과 "빈곤화"를 모두 갖는 구조인 셈이다.

간의 조건』, 83쪽)

잉여라는 자의식이나 밑바닥이라는 인식은 '언제든 대체가능한 인력'들의 자기 이야기에 공통적으로 깔려 있다. 그런데 자신의 심경을 토로하는 2세대의 화법에는 어떤 유사성이 있는데, 상황의 비참함을 '가벼운' 것으로 만드는 치환 기술이 그것이다. 유머나 발랄함은 그들의 글쓰기에서 중요한 역할을 하는 듯 보인다. 무엇보다도 2세대의 노동기는 심층의 무거움에도 불구하고 웃음을 유발하는 부분을 곳곳에 갖고 있다. 물론 이들이 구사하는 것은 블랙유머에 가깝지만, 비교해보자면 1970~80년대의 노동자 글쓰기에서 이러한 치환 기술을 찾기란 거의 불가능하다. 투쟁의 기록이 아닌 보통의 생활이나 일터의 일상을 다루는 생활글의 경우에도 유머의 코드는 부재했다. 기쁨이든, 슬픔이든, 분노든, 실망이든 직접적인 방법으로 표현되었고, 어떤 면에서도 유머의 요소는 보이지 않았다.

2세대 글쓰기에서 나타나는 치환의 기술은 글쓰는 주체가 과거에 비해 상당히 계발된 쓰기 기술을 갖고 있기 때문에 가능한 것일지도 모른다. 실제로 윗세대 글쓰기 주체의 태반이 저학력 산업 노동자였던 것과는 달리, 2세대 기술자들은 힘겹고 불안한 노동에 시달려도 상대적으로 높은 리터러시 능력을 갖고 있는 게 보통이다. 개인적인 편차나 기질의 차이가 있겠지만, 글을 읽거나 쓰는 일이 오늘의 젊은 층에게는 그리 어렵거나 예외적인 일이 아니며 자기(의 상황)를 '재치있게' 표현한다는 것도 많이 낯선 일은 아닐 것이다. 특히 짤막한 생활글이 아니라 단행본 수준의 서사력과 구사력을 발휘해야 하는 자기 기술의 경우, 필자들이 글쓰기 자체에 대해 갖는 애정이나 자의식은 특별한 데가 있다. 이들에게 글쓰기는 자기의 아르바이트 노동을 잘 기술하는 또하나의 노동으로, 전자의 노동과는 다른 질감의 노력과 힘을 요구한다. 물론 육화된 노동 체험 없이는 쓸 수 없다는 점에서 일과 글은 긴밀하게 내통하며 순환한다. 하지만 그가 누구건 창조적 인지노동을 수행하기 위해서는 어떤 식으로든 저장된 문화자본이 있어야 한다. 문화자본 축적의 기회가 많았던 이 세대는 글쓰기와 관련된 상대적 수월성이나 익숙함 그리고 목적의식적 수행의지를 바탕으로, 앞선 노동자 글쓰기가 갖고 있지 않은 일종의 스타일이나 코드를 계발했다.

문화사회학적 관점에서 생각해보면 스타일과 코드의 계발은 발랄한 필치의 젊은 세대 자기 기술지나 노동기가 일정한 대중성과 시장성을 얻게 된 현실과 무관하지 않다.[41] 일반적으로 기록자들은 자신의 이야기를 공유할 잠재독자를 상정하기 마련이다. 이 과정에서 보편 언어(감각) 또는 또래 언어(감각)의 (재)생산을 통해 공유자와 소통하려는 전략을 구사하게 된다. 이 점에서 오늘날의 글쓰기 주체는 1970~80년대의 그들에 비해 특정한 내집단을 형성하거나 반대로 이로부터 벗어나는 데 훨씬 더 자유롭고 민활해 보인다. 이후에 살펴보겠지만 이러한 현상의 저변에는 노동자 및 노동에 관한 개념적, 사회적 범주화가 변화되고 있다는 사정이 있다. 따라서 나는 2세대의 글쓰기 양식과 전략을 단지 시장과 쉽게 교섭하기 위한 선택으로 섣불리 파악하지는 않을 것이다. 무엇보다도 이들의 언어는 그것이 표면적으로 어떤 표정을 짓고 있든간에 비인간적 노동의 궤도를 도는 힘겨운 체험을 바탕으로 하고 있으며 결국 그 이동의 궤적이 자기 생의 궤적이 될 거라는 씁쓸한 짐작을 내화하고 있는, 뚜렷한 시대적 산물이기 때문이다.

후기자본주의의 외롭게 흔들리는 생의 문법을 반복되는 '일자리 전전하기'를 통해 파악하고 있다는 점에서, 이들은 너무 빨리 많은 것을 알아버린 조로한 젊음일지도 모른다. 청년 워킹푸어는 "이 세상이 돌아가는 비밀을 엿본" 자이다. 즉 "이 괴상망측한 사회가 비틀거리면서도 여전히 굴러갈

---

41) 한승태는 한 인터뷰에서 "열악한 노동 현장에 관한 책이라고 관심 있는 관계자끼리만 돌려보는 내부문서처럼 쓰고 싶지는 않았"으며 "평소 이런 책을 보지 않는 외부인들도 재밌게 읽을 수 있는 글을 쓰는 게 목표였"다고 언급하고 있다. 인용은 http://free2world.tistory.com/638.

수 있는 이유는 수많은 사람들이 정당한 보상을 받지 못하고 있음에도 자신이 하는 일에 최선을 다하고 있기 때문"(『인간의 조건』, 437쪽)이라는 것을 알고 있다. (블랙)유머나 발랄함이라는 코드는 궤도이탈의 가능성이 보이지 않는 상태를 향한 분노와 항변 그리고 두려움의 '한숨 돌린' 표현인 셈이다. 이런 맥락에서 2세대의 자기 기술은 '이동'의 서사인 동시에 '버팀'과 '지탱'의 서사라 할 수 있을 것이다. 이동과 적응(에의 압력)이 반복되고 존재론적 위축과 마모가 지속되다가, 그 피로가 극도에 달해 언젠가 파열지점에 이르게도 될 것이다. 한승태는 마지막 장에서 파열의 장면을 도망-탈주의 시도로 그리고 있다. 하지만 도망과 탈주 역시 별다른 것을 기약해주지 않는다. 게다가, 유일하게 주어진 하나의 가능성을 묻고 있는 이 부분은 필자가 말한대로 "픽션"이다. 이와 같은 서사 구조 자체가 출구 없는 오늘날의 삶-노동의 리얼리티를 반영하고 있다 해도 크게 틀리지 않을 것이다.

IV. 공유와 공통

지금까지 노동의 로고스피어를 채우는 '오래된 언어'와 '새로운 언어'의 공생의 풍경을 탐색해 보았다. 이들은 작게 자율적으로 군집해 있기도 하고 어떤 경우에는 시간을 거슬러 올라가 만나려는 시도를 하기도 한다. 또 차이를 보이기도 하고 때로는 유사성을 드러내기도 한다. 복수의 언어들이 만들어내는 흐름과 교접 자체를 하나의 장으로 볼 수 있고 또 봐야 한다면, 중요한 것은 다양체를 연결짓는 연계소를 찾는 일이다. 이것은 충분히 가능하다. 지금까지 살펴본 쓰기 주체는 "하나로 통일된 프롤레타리아"로서가 아니라 "다양한 프롤레타리아적 입장에 처한 사람들"[42]로서

---

42) "하나의 프롤레타리아 집단"을 상정하는 시각에 대한 비판 및 "프롤레타리아적 입장"에 대해서는 슬라보예 지젝, 인디고연구소 기획, 『불가능한 것의 가능성』,

역사사회적으로 연결되고 공통된 존재이기 때문이다.

산업자본주의와 금융자본주의의 저변을 흐르는 프롤레타리아적 입장의 존재들은 모두가 사회의 가장 궁벽한 일자리(들)에 묶여 있다는 점에서 서로 만난다. 이제는 이러한 처지가 넓게 퍼지고 전이되고 만연되기에 이른 까닭에, 이와 같은 삶의 상태를 더 이상 특정한 소집단의 것으로 국부화할 수 없다. 한 필자가 말하고 있는 것처럼 "나는 노동자"고 "내 친구 민일이도 노동자"며 "우리 엄마 친구 아들도 노동자"[43]인 것이다. "전태일과 전태일과 전태일과 … 전태일들"[44]이 있다. 그런데 "자꾸 어떤 사람들이 노동자들에게 예외를 두려고 한다. 우리 사장이 그렇게 하고 우리 조직이 그렇게 하며 우리 사회가 그렇게" 한다. 이들의 문제가 해결되지 않는 한 절망은 모두의 것이 된다. 불행도 마찬가지다.

이러한 현실에서 연대의 시도가 나타나고 그에 대한 기록이 나오는 것은 나름의 의미를 가질 것이다. 위에서 언급한 『너는 나다』는 '서로 모르는 채로지만 깊이 연결되어 있는 전태일들'이라는 의식을 분명하게 표현하고 있지만, 특정한 연대의 현장 자체를 기술하지는 않는다. 실제적인 연대의 기록이라는 점에서는 "연세대 청소노동자들과 함께한 2000일간의 기록"인 『빗자루는 알고 있다』가 주목할 만하다. 이것은 미래의 노동자인 대학생과 지금의 노동자인 청소-경비 노동자가 노동조합 결성 및 권리투쟁을 위해 함께했던 시간을 기록한 책이다. 20대 초반의 학생은 미래의 노동자고 중장년의 청소-경비 노동자는 현재의 노동자다. 한국사회에서 '인정받는' 학력자본의 소유자인 학생들은 아주 위쪽은 아닌 어딘가쯤에 화이트칼라 노동자로 자리잡고 살아갈 확률이 높지만, 세대와 직종을 떠나 두 집단은 만날 수 있었다. 무엇이 이 만남을 가능하게 했을까.

궁리, 2012, 특히 101~109쪽 참고.

43) 정상근, 앞의 책, 265쪽.

44) 손아람 외, 『너는 나다』, 레디앙, 후마니타스, 삶이보이는창, 철수와영희, 2010, 14쪽.

> 마음 한 켠에서 우리들은 이랜드의 노동자들이 특별히 힘든 상황에 처해 있는 특별한 사람들이라고 여기고 있었다. 그러나 아니었다. 그녀들은 '해고'된 사람이 아니라 해고된 '사람'이었다. 그녀들에게 일어난 일은 우리와 우리 주변 사람들 누구에게나 일어날 수 있는 일이었다. 상암에서 일어나는 일들은 희귀한 질병이 아니었다. 곳곳에 흩어져 잠복한 만성질환이었다. … 우리는 학교로 돌아왔다. 방학때의 경험이었을까. 청소노동자, 경비원, 식당 조리원 같이 그전에는 보이지 않던 사람들이 보이고 시간강사, 비정규직 교직원들도 달리 보였다.(『빗자루는 알고 있다』, 55쪽)

누구에게나 일어날 수 있는 일이라는 인식은 학생들로 하여금 보이지 않던 사람들을 보게 만들었다. 어느 한 편이 무엇인가를 보는 눈을 얻으면서 교류와 만남의 가능성이 열렸다. 이 짧지 않은 과정을 기록해서 책으로 묶은 것은 학생들이다. 하지만 텍스트를 구성하는 언어는 다성적이다. 전반적으로는 글쓰기 주체인 학생들의 언어가 기록을 주관하고 있지만 곳곳에 청소경비 노동자의 생각, 생활, 생애를 전하는 언어가 산포되어 있다. 이러한 언어는 간접화되어 녹아들어갔다. 더불어 "이 책이 온전히 우리 셋의 힘으로 쓰여진 것이 아니기에 마땅히 이런 공간이 필요하다고 생각"[45]하여 노동자가 직접 쓴 짧은 글을 몇 편 따로 싣기도 했다.[46]

오랜 기간 여러 모습으로 나타난 노동자의 자기기술지에서 우리는 어떤 마음과 열망의 흔적을 잡아낼 수 있을까. 관련해서, 1976년 석정남이 쓴 일기의 제목이 "인간답게 살고 싶다"였다는 점 그리고 이로부터 40여 년이 지난 시점에 나온 한승태 노동기의 제목이 "인간의 조건"이라는 점은 기억할 만하다. 석정남의 일기는 "우리는 함께 울었다. 서로의 불쌍한

---

45) 김세현 외, 『빗자루는 알고 있다』, 실천문학사, 2012, 248쪽

46) 대학생이 노동자를 향해 움직인 현상은 역사적으로는 1970~80년대로 거슬러 올라간다. 그러나 『빗자루는 알고 있다』의 그것은 1980년대의 '학출'이나 '존재이전'과 같은 이념어로 상징되는 학교 바깥으로의 이동 문화와는 다른 양상을 보인다. 학출의 이념과 운동의 전개에 대해서는 오하나, 『학출-80년대 공장으로 간 대학생들』, 이매진, 2010 참고.

처지를 동정하는 의미없는 눈물이 아니라 이 조국의 자랑스런 산업역군으로서의 힘찬 눈물이었다. 정말 산다는 것은 괴로운 것이다. 우리는 어둠속에서 우리의 괴로움 때문에 오랫동안 일어날 수가 없었다"[47]는 다소 어석거리면서 연접되고 있는 문장으로 끝난다. 한승태의 경우는 어떤가? "체스의 졸은 한 번에 한칸씩 전진하는 것밖에 못하는 절름발이 말이지만 그런 졸이라 해도 상대편 진영 끝에 도달하게 되면 여왕으로도 변신할 수 있다. 하지만 인간이 남의 돈을 빌어먹고 살아야 하는 이 세상에선 졸이 아무리 노력한다 해도 평생 졸에 머무르는 게 아닐까, 생각하면 나는 조금 두려워진다."(447쪽)는 절망적인 고백으로 끝난다. 모두, 괴로움과 두려움이 마치 소금 결정처럼 응결되어 긴 이야기의 맨끝에 남는다.

이 두 일하고-쓰는-주체는 결국 같은 것을 말하고 꿈꾸고 있다. 노동의 로고스피어에서 오랫동안 울려왔고 또 지금도 울리고 있는 소리는 서로 공명하고 있는 것이다. 이 말들은 무엇을 기다리고 있는 것일까? 낸시 프레이저는 공론의 정치적 유효성을 논하면서 공동체의 번역(translation) 조건과 능력(capacity) 조건에 관해 언급한 바 있다. 이 논의는 한 사회나 집단의 공론이 어떻게 차원을 달리하여 현실 레벨에서 실행될 수 있는가를 문제화하고 있다. 그녀가 말하는 번역 조건에 따르면 공론=의사소통 권력은 먼저 구속력 있는 법률의 층위로 번역되어야 하고 그 다음으로는 행정 권력으로 번역되어야 한다. 그리고 능력 조건에 따르면 공적 권력은 토론을 통해 형성된 의지를 실행할 수 있어야 한다.[48] 한 사회가 법제와 행정으로의 번역-능력 조건을 갖추고 있거나 갖추고자 하는 의지가 있다면, 울울하게 공명(共鳴)하는 언어들은 더 이상 공명(空鳴)하지 않아도 될 것이다. 요구와 욕망을 담은 사회적 언어들이 실제적인 제도와 체제의 개선으로 이어진다면 우리는 이 언어들이 어느 정도 응답받고 있다고 판단할 수 있다. 이러한 총체적인 응답 구조의 확보는 현실적으로 중요한 의미를 가질 것이다.[49]

47) 석정남, 「불타는 눈물」, 『대화』, 1976.12, 243쪽.

48) 낸시 프레이저, 김원식 역, 『지구화시대의 정의』, 그린비, 2010, 168~169쪽.

하지만 궁극적으로, 날아와서 쌓이고 들어와서 흐르며 조우하면서 섞이는 노동 언어의 의미는 법제화나 행정화를 추동한다는 '쓸모'의 틀에서 측정될 수 없을 듯하다. 법제나 행정은 그것이 극대화된다고 해서 모든 것을 커버할 수 있는 게 아니다. 대의 기구는 오히려 대의할 수 없는 것을 끊임없이 낳고 또 버린다. 대의될 수 없는 존재의 기척, 번역될 수 없는 욕망의 흔적은 계속 생겨나고 남을 것이다. 산업자본주의와 금융자본주의를 잇는 좁고 길고 어둡고 낮은 회랑에서 떠도는 대항언어는 그 흔적을 기록한다. 이들을 문서고로 불러들여 봉제공장에서 나온 말과 편의점에서 나온 말을 서로 닿게 하는 일, 이것이 긴 시절에 걸쳐 형성된 한 어족(語族)의 의미와 역사를 구성하기 위해 먼저 해야 할 일일 것이다.

이 어족의 랑그와 빠롤은, 태고적에 처음 쓰고 말했던 자가 작성한 "자기훈련"의 표현을 빌자면 "메마른 길바닥 위에 아무렇게나 내던져"진, "저주받아야 할 불합리한 현실이 쓰다버린 쪽박"[50]으로서의 존재성, "기술과 집중력, 결단성, 인내력, 깊은 생각, 믿음성 등에서 현재의 내 지위에 가장 필요한 것"을 묻는 자기구성 역량, "나의 교양과 지위 향상에 준비를 위해서 수입의 몇 활(할)을 정해서 쓰"[51]려는 지적 욕망의 복합적 결합 속에서 생겨났다. 노동자 글쓰기는 이 결합을 창조하고 변주하는 수행성의 표현이자 성과라 할 수 있다. 따라서 지금 이 공적이면서도 내밀한 기록을 마주하고자 한다면 노동자 글쓰기가 집합적이고 정치적인 효과를 어느 정도 발휘했는지, '노동해방'이라는 과업에 얼마만큼 투신했는지, 실천 주체가 얼마나 진정하고 각성적이었는지를 묻는 수준에서 벗어나야 할 것이다.[52] 새로운 해석의 틀을 모색하기 위해서는 논의 지점들을 섬세하게

49) 이러한 응답 구조의 공고화를 정당민주주의적 전망에서 역설하고 있는 것으로는 최장집, 『노동없는 민주주의의 인간적 상처들』, 후마니타스, 2013을 들 수 있겠다. 하지만 최근의 그의 행보가 보여주듯이, 노동 집단의 요구와 욕망을 대변하거나 '충족'시켜줄 정치조직의 실체화는 여전히 요원하고 어려워 보인다.

50) 전태일, 앞의 책, 120쪽.

51) 위의 책, 114~115쪽.

발견하고 구성해 나가야 하겠지만[53] 이 글에서는 우선 노동자의 언어실천 양식과 이 양식에 반영된 쓰기 주체의 삶-형식의 문제에 초점을 맞춰 해석해보고자 했다. 그러나 노동의 로고스피어라는 넓은 지평을 의미화하는 과정에서 특히 1970~80년대 노동자 글쓰기 문화를 규명하는 데 필수적인 복잡한 역학 관계(지식인/노동자, 의식화/감정 등의 응대 체제)에 대해서는 온전히 고려하지 못했다. 이에 관한 고찰은 차후의 과제로 넘긴다.

52) 김원은 "노동사로부터 거리두기"라는 문제제기를 통해 노동조합, 공동체 등에서 노동자 및 노동운동의 정치성을 사유한 노동사의 역사기술 관점을 비판적으로 검토하고 있다. 하위주체의 재현 (불)가능성이라는 사안과도 연관되어 있는 그의 논의는 "사건성"과 "차이의 공간"이라는 이론적 틀에서 노동자 및 노동자 봉기의 정치성을 새롭게 의미화할 것을 제안하고 있다. 노동자 글쓰기에 대한 파악에도 시사적인, 의미 있는 시각이라 생각한다. 김원, 「노동사로부터 거리두기」, 『사회와 역사』 85, 2010 참고.

53) 이런 점에서 장남수, 석정남을 비롯한 여성 노동자의 자전적 글쓰기를 읽고-쓰는 문화 및 감정과 욕망의 관점에서 살펴보고 있는 Ruth Bellaclough, *Factory Girl Literature,* (University of California Press, 2012)의 4장 "Slum Romance"의 문제의식은 시사적이다. 더불어 여성노동자의 수기를 통해 이들의 내밀한 의식과 체험, 구체적인 삶의 문화를 복원하고자 하는 이정희, 「여성노동자의 경험 읽기」, 『여성과사회』 15, 2004도 참고할 수 있다.

4부

현재

글로벌 빈곤의 퇴마사들
국가, 자본, 그리고 여기 가난한 청년들

조문영

"자신 안에 있는 정체성에 대한 집착을, 일반적으로 말해 노예상태의 조건을 일소하는 것은 매우 고통스러운 일이지만, 그래도 우리는 웃는다. 가족·기업·민족처럼 공통적인 것을 부패시키는 제도들과의 긴 싸움에서 끝없이 눈물 흘리게 될 것이지만, 그래도 우리는 웃는다. 자본주의적 착취, 소유의 지배, 공적·사적 통제를 통해 공통적인 것을 파괴하는 자들에 맞선 투쟁에서 끔찍한 고통을 겪게 될 것이지만, 그래도 우리는 기뻐하며 웃는다. 그 모든 것이 웃음에 묻히게 될 것이다."

네그리·하트, 『공통체』

I. 우리 시대의 반(反)빈곤

글로벌 빈곤을 논하기 전에 십여 년 전 석사논문을 쓴답시고 드나들었던 서울의 '달동네' 난곡 얘기부터 해야겠다. 소위 IMF사태가 터지고 한국사회가 당장에 무너져 내릴 것처럼 언론이 들썩였을 때 긴급구호의 손길이

* 본 글은 한 대기업의 대학생 해외자원봉사에 대한 인류학 현지조사(2011-2012)와 정부, 기업, NGO에서 주관하는 각종 해외봉사에 참여한 경험이 있는 청년들과의 인터뷰, 국제개발협력 관련 행사에 대한 비정기적 관찰 자료를 바탕으로 쓰였다. 본문의 일부 내용은 2013년 발표한 저자의 논문 「공공이라는 이름의 치유 : 한 대기업의 해외자원봉사활동을 통해 본 한국사회 '반(反)빈곤'과 '대학생'의 지형도」(『한국문화인류학』 46집 2호)를 인용했음을 밝혀둔다.

가장 먼저 닿았던 곳은 난곡처럼 "빈곤이 눈앞에 펼쳐져 있는" 현장이었다. 비좁은 언덕길, 담벼락에 쌓아놓은 연탄, 퀴퀴한 공중화장실까지, 공중파방송의 뉴스나 다큐에서 빈번히 등장한 난곡은 OECD 진입에 잔뜩 들떠 있다 구제금융 날벼락을 맞은 대한민국의 자화상과 다름없게 느껴졌다. 빈곤, 실업 관련 정부지원은 물론, 기업이나 종교단체, 개인 독지가의 후원이 급증하면서 지역 동사무소는 밀려드는 도움을 적시적소에 배치하느라 골머리를 앓기 시작했다. 오랫동안 주민들과 동거하며 외로운 싸움을 지속해 온 지역의 빈민운동 단체들 역시 실업, 자활 관련 '프로젝트'의 장에 갑자기 초대되면서 "민관 파트너쉽", "클라이언트"와 같은 생경한 언어들과 씨름하고 있었다. 활동가들이 정부나 기업과 파트너쉽을 맺고 각종 후원 프로젝트의 실무자로 일하면서 "반정부투쟁", "주민조직화"와 같은 종래의 상용구들은 지난 역사의 기록으로 화석화되고 있었다.[1)]

그렇게 밀레니엄 한국사회의 '진풍경'으로 주목을 받았던 난곡이 2003년 윗동네 철거를 끝으로 우리의 시야에서 사라졌다. 2014년 그곳은 서울의 여느 동네와 다름없이 고층 아파트와 사설학원이 숲처럼 우거진 형상으로 방문자를 맞고 있다. 엄밀히 말하자면 가시적인 빈곤이 사라졌을 뿐이다. 산동네 원주민들은 인근의 임대아파트로, 다세대주택으로, 지하셋방, 쪽방으로 뿔뿔이 흩어진 채 다달이 숨통을 조여 오는 방세, 전기세, 가스비 고지서와 게릴라전을 치르고 있지만, 이들을 찾았던 외부의 손길은 가난의 '풍경'이 사라지자 뜸해지기 시작했다. 십여 년 전 <추적 60분>의 결식아동 보도 탓에 '호황'을 맞았던 지역운동단체의 밥집은 후원이 줄어든 데다 막강한 자본력을 가진 대기업의 도시락배달사업과 경쟁해야 하는 처지에 놓였다.

이다 수서(Ida Susser)가 "사라짐의 체제(new regime of disappearance)"라 불렀던 신자유주의적 가난[2)]이 밀레니엄 한국사회에 똬리를 트는 가운데

1) 조문영, 「'가난의 문화' 만들기—빈민지역에서 '가난'과 '복지'의 관계에 대한 연구」, 서울대학교 인류학과 석사학위논문, 2001.

빈곤에 대한 한국사회의 개입은 점차 그 성격을 변모해갔다. 무엇보다 반(反)빈곤 활동의 무대가 한국을 넘어 전 세계로 확장되었음을 지적해야겠다. 용산철거 참사, 쌍용차 해고자 복직 시위, 장애등급제와 부양의무제 폐지 투쟁 등 한국사회 가난의 현장에는 여전히 피비린내가 흥건하다. 하지만 영어 조기교육을 받고, 해외여행을 즐기고, 인터넷을 통한 글로벌 네트워크에 누구보다 정통한 한국의 많은 청년들은 국내의 살벌한 현장을 '소수 과격분자'에게 맡긴 채 아프리카나 동남아시아, 라틴아메리카의 가난을 구원하기 위해 발 벗고 나서기 시작했다. 1990년대 말 이후 해외봉사나 해외문화탐방 관련 서적들은 선풍적인 인기를 끌었는데, 가령 긴급구호 활동을 다룬 한비야의 『지도 밖으로 행군하라』(2005)는 청년들의 필독서가 되었고, 『왜 세계의 절반은 굶주리는가』(2007)처럼 국제기구 종사자들이 쓴 해외 빈곤 관련 서적들이 속속 번역되기 시작했다. 젊은 활동가가 충원되지 못하는 한국의 주민(빈민)운동은 점점 고령화되는 반면, 글로벌 자원봉사 실무를 담당하는 개발 NGO의 각종 행사에는 수백 명의 청년들이 몰려들고 있다.

반(反)빈곤 활동의 글로벌라이제이션은 비단 한국사회에 국한된 현상은 아니며, '전 지구적 빈곤(global poverty)'이라는 새로운 패러다임의 등장과 궤를 같이한다. 아나냐 로이(Ananya Roy)는 빈곤이 전 지구적 이슈로 가시화되었다는 점을 현 시기 빈곤에 대한 개입이 갖는 새로운 특이성으로 주목하고 있다. 빈곤에 대한 대응은 더 이상 개별 국가의 근대화를 도모하는 차원이 아니라 하루 1.25달러 이하의 소득으로 살아가는 14억 빈민들의 삶을 개선하는 인류 공통의 미션이 되었다는 것이다.[3] 이 미션은 2000년 UN이 '밀레니엄 개발목표'(Millenium Development Goals, MDG)를 공식 의제로

---

2) Goode, Judith, and Jeff Maskovsky (eds.), *The New Poverty Studies: The Ethnography of Power, Politics, and Impoverished People in the United States*, New York: New York University Press, 2001, p.3.

3) Roy, Ananya, *Poverty Capital: Microfinance and the Making of Development*, New York: Routledge, 2010, p.7.

선택하고[4] 2015년까지 하루 1달러 이내 소득으로 생활하는 사람들의 수를 절반으로 줄이겠다는 야심찬 선언을 단행하면서 정점에 달했다.[5] 빈곤의 문제는 개별 국가뿐만 아니라 국제기구와 글로벌 NGO, 다국적 기업과 종교단체가 MDG 달성을 위해 이합집산 하는 새로운 국제질서의 장에 편입되었다. 한국사회 역시 이 장의 적극적인 참여자로 나섰다. 공적개발원조의 대대적 확대를 선언한 정부와 사회적 책임을 자신의 본분이라 선전하기 시작한 기업은 물론, 개발 NGO와 각종 시민단체, 대학, 복지관, 종교단체 모두 적나라한 전 세계 가난의 현장을 찾아 대항해를 시작한 것이다.

빈곤에 대한 개입은 글로벌화된 동시에 쉬워졌다. 해외아동결연사업의 후원자가 되어 월 만원을 적립하는 것으로, 스타벅스에서 공정무역 인증커피를 구매하고 탐스 신발을 신는 것만으로도 우리는 전 지구적 가난을 완화하는데 기여했다는 보람을 얻게 된다. 자본주의의 구조적 폭력에 대한 저항과 사회적 혹은 종교적 대의를 위한 희생을 암묵적으로 전제하는 빈곤에 대한 '무거운' 개입은 여전히 남아있지만, 그것은 너무나 무거워서 공정무역이나 공정기술, 사회적 기업, 빈민을 위한 마케팅의 유행에서 보듯 사회의 '지속가능성'을 추구하는 작업으로 대체되어야만 할 것 같다. 한 청년 활동가는 빈민지역에서 수십 년간 살면서 협동조합의 기틀을 다진 원로 주민운동가를 "성인군자"라 부르며 존경했지만 따라야 할 삶이라

4) UN의 '밀레니엄 개발목표'는 (1) 절대빈곤 및 기아 퇴치, (2) 보편적 초등 교육 실현, (3) 양성평등 및 여성능력의 고양, (4) 유아사망률 감소, (5) 모성보건 증진, (6) AIDS 등 질병 퇴치, (7) 지속가능한 환경 확보, (8) 개발을 위한 글로벌 파트너십 구축의 8대 목표로 집약된다(http://ko.wikipedia.org/wiki/밀레니엄_개발_목표).

5) 전 세계 유명인사들이 미션 수행의 선봉자 역할을 자임했는데, 가령 U2의 보컬 보노(Bono)는 『빈곤의 종말』 추천사에서 극단적 빈곤을 전 인류에 대한 "모욕"으로 간주하면서 서구 사람들의 도덕적 책임과 즉각적 대응을 주문했다. "해답은 … 바로 우리 어깨에 달려 있다. 우리는 위도의 고저가 아이들의 삶과 죽음을 결정하는 것을 더 이상 용인하지 않는 세대가 될 수 있다. 그러나 우리는 과연 그런 세대가 될 의지를 가지고 있는가?"(삭스, 제프리, 김현구 역, 『빈곤의 종말』, 파주 : 21세기 북스, 2006(2005), 10쪽)

고 생각하지는 않았다. 그녀가 보기에 너무 "혹독한" 삶인 것이다.

이렇게 희생을 전제하지 않는 반(反)빈곤 활동이 지향하는 것 중 하나는 즐거움이다. 기업이나 대학의 자원봉사팀들 사이에서 유행하는 '볼런테인먼트(voluntainment)'라는 신조어는 자원봉사(volunteer)와 놀이(entertainment)의 결합, 즉 도움이 신나고 재밌어야 함을 강조한다. 때문에 봉사는 '창의적'인 방식으로 진화한다. 향수를 불러일으키긴 하나 진부하기 짝이 없는 구세군 냄비 대신, 마케팅과 신기술, 독창적인 아이디어를 결합한 나눔 아이템이 속속 등장하고 있다. 예를 들어 한 게임업체는 2013년 세계 식량의 날을 맞아 '착한' 모바일 게임을 출시하고, 이용자가 각종 학습과 관련된 퀴즈를 풀고 정답을 맞힐 때마다 쌀알 10톨을 적립해 기부하는 시스템을 마련했다.[6] 재밌고 교육적인 게임을 즐기면서 동시에 기아로 고통 받고 있는 전 세계 아이들에게 쌀을 기부한다는 발상은 디지털 네트워크 시대 반(反)빈곤 활동의 특이성을 보여준다.

II. 글로벌 빈곤퇴치의 전사가 된 청년 빈자들

빈곤에 대한 개입이 보다 쉽고, 창의적이고 발랄한 글로벌 봉사의 성격을 띠게 되었다는 점을 어떻게 바라볼 것인가? 빈곤이 우리 모두가 관심을 갖고 해결해야 할 인류 공통의 과제가 되었다는 점, 누구나 쉽고 재밌게 그 해결에 동참하기 시작했다는 점은 곧 우리가 공동의 세계에 대한 '공적' 관심을 회복하기 시작했음을 의미하는가? 한나 아렌트(Hannah Arendt)는 '공적'이라는 용어로 두 가지 현상에 주목했다. 이 용어는 "공중 앞에 나타나는 모든 것은 누구나 볼 수 있고 들을 수 있으며 그러므로 가능한 가장 폭넓은 공공성을 가진다는 것"을, 그리고 세계가 사적인 소유지와

---

6) http://www.thisisgame.com/webzine/news/nboard/5/?n=51687

구별되는 "우리 모두에게 공동의 것"임을 의미한다.[7] 그녀는 이 공동 세계에서 구축되는 공공성만이 세계의 불멸성을 보증하는 힘이라 보았다. "지금은 더 이상 그렇지 않지만, 우리 이전 시대의 사람들은 수세기 동안, 단지 자신이 소유하거나 타인과 공유하는 어떤 것이 자신들의 현세적 삶보다 더 오래 영속하기를 원했기 때문에 공론 영역에 참여하였다."[8] 아렌트가 공동 세계의 파멸을 선언했던, 수동적 개인들로 구성된 전체주의의 시대를 지나, 이데올로기적 대립으로 얼룩진 냉전 체제를 지나, 이제 세계가 본격적으로 그 지속성과 공통성을 고민하기 시작했음을 선언해야 할까?

세계에 대한 공적 관심의 회복은 국가주의적 사고가 팽배한 한국사회에도 시사하는 바가 크다. 1991년 정부차원의 대외무상협력사업을 전담 실시하는 기관으로 정식 출범한 한국국제협력단(Korea International Cooperation Agency, KOICA)은 유네스코의 업무를 이어 받아 본격적인 한국해외봉사단 사업을 시작했는데, 1990년 4개국 44명에 불과했던 해외봉사단원은 2013년 46개국 1,600명으로 급증했다.[9] "2012년 정부파견 봉사단 기준으로 미국에 이어 세계 2위 규모로 성장했다"는 KOICA 이사장의 소감[10]에서 보듯 '전 지구적 빈곤'에 대한 정부의 개입에는 밀레니엄 개발목표 달성에 협조하겠다는 초국가적 사명 외에도 급속한 경제성장을 바탕으로 원조 수원국에서 공여국으로 전환한 대한민국의 위상을 널리 알리겠다는 국가주의적 인식이 여전히 팽배하다. 그러나 이 기회를 이용해서 일이년 간 전 세계를 누비고 온 봉사자들이 인터넷 동호회나 NGO 참여 등 다양한 채널을 통해 빈곤 문제에 대한 초국가적 사고를 확장해가는 것 역시 사실이다. 심지어 1980~90년대 한국사회 철거현장에서 잔뼈가

7) 아렌트, 한나, 이진우 역, 『인간의 조건』, 파주: 한길사, 2002(1998), 102~105쪽.
8) 위의 책, 108쪽.
9) http://kov.koica.go.kr/hom/
10) 한국국제협력단, 『한국해외봉사단 20년 발자취(1990~2010)』, 성남: 한국국제협력단, 2011, 4쪽.

굶은 활동가조차 국내 빈곤에 초점을 맞춰온 전통적인 주민운동과 해외 빈곤에 관여해 온 개발 NGO간의 통큰 연대를 제안한다. "큰 범위 안에서 보면 비영리, 비정부, 자발성의 시민사회 원칙에 기준하고 가난, 소외, 배제를 거부한다는 차원에서 보더라도 큰 공감대와 교류, 협력이 있을 만한 이 두 곳이 … 타인 아닌 타인이 되었다면 이제는 그 관계에 좀 더 적극적일 때가 왔다는 생각이다. 적어도 '한국에도 가난한 사람이 얼마나 많은데 딴 나라까지'라거나 '한국에서도 제대로 못하면서'라는 궁색 맞고 보수적인 이유가 아니라면 말이다. 특히나 가난한 사람들의 문제가 한국사회만의 특수성이 아니라 전 인류가 공동으로 해결해야 할 과제임을 자명하게 알고 있는 우리로서는 더더욱 말이다."[11]

밀레니엄 한국사회 곳곳에 스며든 인류애는 우리가 책임져야 할 타인의 범위를 확대시킨다는 점에서 분명 의미 있는 현상이다. 그러나 반(反)빈곤 활동의 글로벌라이제이션은 세계에 대한 공적 관심의 회복을 증거 한다기보다는 그 역설을 더 많이 드러낸다는 게 나의 생각이다. 전 세계 빈곤퇴치를 위해 나선 전사들은 빈곤 현상과 싸울 뿐 이 현상을 초래한 구조에 점점 침묵하고 있다. 슬라보예 지젝(Slavoj Žižek)의 언어를 빌자면 '구조적' 혹은 '객관적' 폭력과의 싸움을 포기한 채 눈에 보이는 '주관적' 폭력 앞에서만 분노한다. 구조적 폭력은 자본주의 체제의 변동과 더불어 새로운 형태를 취했다. 2차 대전 이후 국가의 적극적인 개입과 자본-노동간 타협으로 산업 및 복지체계에서 일정한 성과를 거두었던 '착근된(embedded)' 자본주의는 1970년대 이후 실업과 인플레이션, 장기침체가 겹치면서 자본축적의 위기에 직면했고, 이에 대한 대응으로 출범한 신자유주의는 무분별한 금융자유화와 탈규제로 전 지구적 삶의 위기를 일상화하는데 기여했다.[12]

---

11) 강인남, 「국제협력현장을 중심으로 한 주민운동의 과제」, 『한국주민(빈민)운동 40주년기념행사 자료집』, 2011, 137쪽.

12) 하비, 데이비드, 최병두 역, 『신자유주의 : 간략한 역사』, 파주: 한울아카데미, 2007(2005) ; 아리기, 조반니, 백승욱 역, 『장기 20세기 : 화폐, 권력, 그리고 우리 시대의 기원』, 서울: 그린비, 2008(1994).

특히 1980년대 외채위기를 겪은 국가들을 구제한다는 명목으로 세계무대의 전면에 나선 국제통화기금(IMF)이 정부의 재정지출 삭감과 고용 유연화와 같은 요구를 부채탕감을 위한 패키지의 조건으로 내걸면서 제3세계 국가의 사회적 고통은 가중되고, 국가 간 불평등은 확대될 수밖에 없었다.[13] 자본주의 체제 재생산에 대한 위기가 심화되는 반면 이에 대한 집단적, 조직적 저항이 퇴색하는 시점에 새롭게 등장한 패러다임이 바로 '전 지구적 빈곤'인 것이다.

이 '전 지구적 빈곤'을 둘러싼 전장에서 전사들이 맞서 싸워야 할 적은 말라리아와 AIDS, 학교와 병원의 부재, 부패와 무기력으로 가시화된다. 원재료를 수출해야 하는 피식민지와 완제품을 수출하는 식민모국 사이의 부등가 교환이 낳은 체계적 착취, 채무국의 정부 지출을 줄이라는 IMF의 압력에 따른 보건, 교육, 복지사업의 축소, 에너지 자원을 차지하기 위해 강대국들이 여전히 불사하는 전쟁 등[14] 불평등한 세계체제를 낳은 구조적 모순들은 이 전장에 모습을 드러내지 않고 있다. 구조적 폭력을 따지자면 마땅히 자본주의 발전 과정에서 입은 착취와 피해에 대해 정당한 보상을 요구해야 할 나라들이 주관적 폭력만 가시화된 전장에서는 원조와 차관, 봉사의 손길을 간절히 기다리는 '수원국(受援國)'으로 전락하는 것이다. 이 전장의 선봉에 선 빌 게이츠(Bill Gates)는 이제 독점과 편법을 자유자재로 구사하는 세계 최고의 갑부가 아니라, 해외원조 삭감을 요구하는 대중에 과감히 맞서고, "가난한 나라들은 가난한 운명을 타고났다"는 "미신"에 저항하는 영웅으로 추대되고 있다.[15] 지젝이 언급했듯, 자선을 베풀면 무자비한 이윤추구도 상쇄되는 것이다.[16]

반(反)빈곤 활동의 글로벌라이제이션이 드러내는 가장 심각한 역설은

13) 백승욱, 『자본주의 역사강의』, 서울: 그린비, 2006, 380쪽.
14) 로빈스, 리처드, 김병순 역, 『세계문제와 자본주의 문화』, 파주: 돌베개, 2014.
15) http://annualletter.gatesfoundation.org/
16) 지젝, 슬라보예, 이현우·김희진·정일권 역, 『폭력이란 무엇인가 : 폭력에 대한 6가지 삐딱한 성찰』, 서울: 난장이, 2011(2008), 52쪽.

'거대 기업의 투기'가 아니라 '말라리아'가 빈곤의 적(敵)이 되면서 빌 게이츠뿐 아니라 자본주의 체제의 질곡에 빠진 수많은 사람들이 모두 빈곤퇴치의 '전사'로 등장하게 되었다는 점이다. 나는 현재 한국사회의 청년들이야말로 글로벌 빈곤퇴치를 위해 싸우는 가장 역설적인 전사들이라고 생각한다. 현재 한국사회는 각종 자기계발서적을 비롯해 자기계발에 지친 수험생들을 위한 힐링서적, 이들의 실종된 정치성을 비판하는 서적, 소위 '청년논객'들의 냉소적 항변을 담은 서적에 이르기까지 '청년'에 관한 무수한 담론들로 넘쳐난다. 이 과잉의 근저에 자리 잡고 있는 것은 무엇보다 불안일 것이다. 오늘날 많은 청년들은 기술 발전이 노동을 대체하고, 더 싼 노동을 찾아 자본이 쉽게 이동하고, 가치증식이 실물경제 활성화와 점점 무관해지는 금융자본주의 세계에 살면서도 여전히 수천 통의 자소서(자기소개서)를 써야 한다. '고용 없는 성장'의 세계에 살면서 언젠가 충원될 '산업예비군'이 아니라 내 노동을 더 이상 사회가 원하지 않는 '잉여'가 될 거라는 불안은 커졌지만, 나이 세 살 때부터 시작한 경주를 차마 포기할 수가 없다. 경제적으로 가장 열악한 집단은 이 경주에서 일찌감치 탈락한 탓에 청년문제를 둘러싼 각종 담론과 정책으로부터도 배제되었다. 반면 학벌구조 "내부"에 위치한 대부분의 "잉여인간들"[17]은 밥숟가락을 뜨게 되자마자 시작한 경쟁으로 대학 진입 전부터 심신이 피로해졌고, 고도 성장기를 거치면서 교육을 통한 탈빈곤을 제 눈으로 목도한 부모들이 쏟아 부은 투자를 회수하지 못하는 데 대한 죄책감에 시달리고, 대학이라는 목적지에 당도해서도 결정된 것이 아무 것도 없다는 상실감에 사로잡히면서 쉽게 공황 상태에 빠져든다. 구직에 삐거덕거리고 소비의 경주에서 뒤처지면서 경험하는 "물질적 빈곤화"뿐 아니라, 나의 영혼마저 기약 없이 노동해야 하는데서 겪는 소외, 즉 "실존과 소통의 빈곤화"[18]에서

17) 한윤형, 『청춘을 위한 나라는 없다』, 서울: 어크로스, 2013, 147쪽.
18) 베라르디(비포), 프랑코, 『노동하는 영혼 : 소외에서 자율로』, 서울: 갈무리, 2012(2009), 112~113쪽.

자유롭지 못한 것이다.

경주가 불확실성의 시대에도 지속된다는 점 때문에 지그문트 바우만(Zygmunt Bauman)은 현재를 '탈근대'로 명명하는 대신 산업자본주의 하의 '무거운, 고체(solid)' 근대성과 대비되는 '가벼운, 액체(liquid)' 근대성의 시대로 묘사했다. "21세기에 진입한 우리 사회는 20세기에 진입했던 과거 사회 못지않은 '근대성'을 지닌다. 다만 좀 다른 방식의 근대라고 할 수 있겠다. … 그것은 강제적이고 강박적이고 지속적이고 멈출 수 없는, 영원히 미완에 그치는 '근대화'(modernization)이다."[19] 자본과 노동이 암묵적 타협 하에 상호 결속을 맺었던, 이 세상을 통제 가능하고 예측 가능하도록 만들었던 고체성의 근대는 자본이 쉽게 결속을 끊고 도주해 버린, "고공비행 중인 비행기 안의 승객들이 조종실에 아무도 없다는 것을"[20] 불안하게 자각하면서도 비행을 계속해야만 하는 액체성의 근대로 자리를 내주게 되었다. 지리적 차이와 역사적 경험에 따른 복수의 근대성(modernities)을 강조해 온 나 같은 인류학자에게 근대를 마름질하는 이 같은 이분법이 불편한 것은 사실이다. 그러나 수업에서 내가 만난 대학생들은 경쟁의 무모함을 알면서도 그 중독에서 벗어나기 힘든 자신들의 현재를 이 같은 논의를 통해 언어화하고 있었다. 이 청년들의 빈곤이 일차적으로 '결핍'에 근거해 정의된다면 부족한 것은 당장의 현금뿐 아니라 삶에 대한 안정감일 것이다. 이 점에서 '88만원 세대' 담론의 시선이 향하는 곳이 "원래부터 88만원 정도를 벌었던 젊은이들"이 아니라 "혹시 나도 88만원 정도를 벌게 될지도 모른다고 불안감을 느끼게 된 젊은이들"한테 가 있다는 한윤형의 지적[21]은 일리가 있다.

이쯤에서 '전 지구적 빈곤'이 인류 공통의 해결 과제가 되었다는 점을 우리가 공동의 세계에 대한 '공적' 관심을 회복하기 시작한 것으로 봐야하는

---

19) 바우만, 지그문트, 이일수 역, 『액체근대』, 서울: 강, 2005(2000), 47쪽.
20) 위의 책, 217쪽.
21) 한윤형, 앞의 책, 162쪽.

가라는 초기의 질문으로 돌아가 보자. 아렌트는 세계의 지속성과 불멸성을 추동하는 힘으로서 공공성의 가치를 강조했으나, 오늘날 빈곤퇴치의 전사로 나선 청년들은 궤도에서 이탈하지 않으면서 한 발이라도 먼저 내닫기 위해 삶의 영속성을 포기해야 하는 폐허에 선 채 공공성의 깃발을 흔들고 있다. 내게는 이 깃발보다도 이들이 발 딛고 있는 폐허가 먼저 눈에 들어온다. 조금이라도 헛발질하면 경쟁에서 뒤질지 모른다는 불안감, 실패의 책임을 온전히 자신이 떠맡아야 한다는 부담감, 나의 경주를 지체시키는 공적 세계는 결국엔 시간낭비라는 조급함이 이 폐허를 배회하고 있다.

청년, 특히 대학생 집단은 쉽고, 창의적이고 발랄한 글로벌 반(反)빈곤 활동의 적임자로 손꼽히지만, 많은 대학생들이 해외자원봉사를 취업준비 과정의 한 단계로 여기는 것은 어쩌면 당연한 귀결이다. 인터넷 포털사이트에서 운영하는 웹 카페 중 회원수가 150만에 가까운 '독취사'(독하게 취업하는 사람들)의 경우[22] 해외봉사활동을 인턴십, 자격시험, 어학시험, 공모전 등과 더불어 스펙을 쌓는데 필수적인 '대외활동' 목록에 포함시키고 있다. 또 다른 웹 카페 'SPEC UP'의 경우[23] 각종 모집 프로그램들을 실시간으로 공지하는 것은 물론, 해외자원봉사를 비롯한 국내외 모든 대외활동의 합격자소서(자기소개서), 면접후기, 활동수기를 한 데 모아 「최신 대외활동 족보」를 발행하기도 한다. 대학이나 봉사 현장에서 내가 만난 학생들은 '해외자원봉사'를 모든 대외활동이 그러하듯 지원, 심사, 활동, 평가라는 유사한 통과의례를 갖는 한 '건'의 프로젝트로 인식하고 있었다. 여기서는 선택의 결핍이 아닌 과잉이 문제가 된다. 2012년 한 기업자원봉사단에 지원했던 A는 "대학생 신분이어서 신청할 수 있는 게 굉장히 많아졌다"며 이를 긍정적으로 평가했다. "경쟁률이 높긴 해도 이런 활동들이 너무 많아서 사실 여기 지원하고 저기 지원하는 식이에요. 자기가 맘만 먹으면 문이 다 열려 있어요." 한바탕 뷔페를 차려놓고 대학생들한테 골라먹을

22) http://cafe.naver.com/dokchi/

23) http://cafe.naver.com/specup

수 있는 무한한 '기회'를 주는 것으로 인식되는 대외활동이란 일종의 중독이 된다는 점에서 바우만이 "모든 소비자 사회의 구성원들이 달리고 있는 특별한 경주의 원형"[24]으로 본 '쇼핑' 행위와 닮아 있다. 여러 해외탐방 기회에 지원해서 "5할의 승률"을 기록했다는 A는 웃으며 말했다. "문화교류, 자원봉사 조금씩 다르긴 해도 이런 활동이 무진장 많아서 저도 모르는 사이에 몸이 어디론가 이미 가고 있어요." 중독되는 것은 기실 결과가 아닌 과정에 대한 집착, 즉 "경주의 지속, 경기에 계속 참여하고 있다는 만족스러운 자각"[25]인 셈이다.

해외자원봉사 열풍을 지켜보거나 이에 관여하는 '어른들'은 청년들이 발 딛고 있는 폐허가 아니라 이들이 내건 깃발의 '진정성'을 놓고 왈가왈부하는 경향이 있는데, 이를 가장 먼저 파악하고 있는 건 청년들 자신이다. 해외자원봉사 지원서는 본인의 지원이 스펙을 쌓기 위한 것이 아님을 강조하는 선언문 형태를 띤다. 지원에 곧잘 등장하는 '소통', '어울림', '공존', '양보', '믿음', '감동', '즐거움', '배우는 삶', '감사하는 삶' 등의 단어들은 대학생들의 스펙추구를 둘러싼 담론에서 추출 가능한 또 다른 단어들, 가령 '개인주의', '이기심', '경쟁심', '속물성'과 정반대에 위치한다. A의 지원서는 이 이분법을 적나라하게 명시하고 있다.

> 해외봉사의 여러 동기에는 취업을 위한 스펙 쌓기, 남들이 한번 씩은 갔다 오기 때문에 등 주최 측의 본래 의도와는 전혀 다르게 참여하시는 분들이 있는 것으로 알고 있습니다. 저는 봉사활동 자체의 시작 동기부터가 이들과 다릅니다. 저의 어머님은 제가 어릴 적부터 급식소라는 직장에 다니시면서도 꾸준하게 XX이라는 후원단체에 기부를 하시며 근처 복지관에 가셔서 봉사를 하시는 분이십니다. 절대 누가 시켜서 하시는 게 아니라 사랑 나눔의 실천을 통해 본인의 물질적 풍요보다 사람들과의 나눔의

24) 바우만, 앞의 책, 118쪽.
25) 위의 책, 117쪽.

관계 형성으로 봉사를 해오셨습니다. 따라서 저는 자연스럽게 봉사활동의 제대로 된 의미를 알 수 있었고 현재 가까운 복지관에서 정기봉사 하나와 XX 봉사단원으로서 단기봉사 하나를 하고 있습니다.

봉사의 '순수함'과 '불순함'이라는 이분법의 강력함은 학생들을 심사하는 담당자들 자신이 '스펙을 좇는 애들'과 '순수한 애들'의 구분을 가정하고 있다는 데서도 어렵지 않게 드러난다. 2011년 한 기업의 해외봉사단원을 선발하는데 함께 참여한 NGO 활동가는 "애들이 정말 자신의 스펙을 보여주려고 거의 난리가 났어요. 그래서 우리는 가급적 그런 과장을 안 하는 친구를 뽑고자 했어요"라며 면접 과정에서 목도한 스펙 경쟁을 한탄조로 묘사했다. '순수한' 봉사와 '불순한' 봉사를 구분 짓고, 한쪽이 진실이고 다른 한쪽이 거짓인 양 가정하는 자의적 이분법은 반(反)빈곤 활동을 기획하고 이에 참여하는 모두에게 강력한 힘을 발휘하고 있다. 스펙경쟁에 몰두하는 사회를 야기한 구조적, 객관적 폭력에 대한 비판적 성찰 없이 행위자의 도덕성을 감정평가하고, 그(녀)의 불순한 의도를 까발리고, 그 행위자의 범주에서 자신을 빼내기에 급급한 형국이 전개되는 셈이다. 여전히 성장 '중'이고, 따라서 '철없고' '미숙하다'고 간주되는 청년이야말로 구조의 문제를 개인의 문제로, 정치적 문제를 도덕적 문제로 치환시키는 작업의 가장 손쉬운 대상이 된다. 국가와 기업은 이들 청년들을 '봉사자'라 명명하며 숭고한 세례를 베풀고, 아주 쉽게 이들을 '빈곤산업'의 말단 층에 편입시키고 있다.

III. '빈곤산업'에 편입되기

청년들이 정부, 기업, NGO, 학교, 종교기구 등 다자간 네트워크를 바탕으로 한 '빈곤산업(poverty industry)'에 편입되는 특정한 방식들을 검토하기

전에, 이들을 '빈자'로 명명하는 또 다른 이유를 첨언해야겠다. 자본-노동 간 타협으로 맺어진 생산관계의 상대적 안정성이 파괴되고 평생직장의 소멸로 불안정성이 극대화된 현 시기 자본주의에 대해, 앞서 소개한 지그문트 바우만을 비롯해 많은 사상가들은 묵시론적 전망을 내놓았다. 그러나 '공장'이라는 익숙한 표상을 넘어 생산과 노동의 관점을 삶정치의 영역으로 확대할 경우 현 시기 자본주의는 새로운 주체성의 창조를 가능케 하는 정치적 기획의 출발점으로 이해될 수도 있다. 안토니오 네그리(Antonio Negri)와 마이클 하트(Michael Hardt)는 오늘날의 자본주의적 생산이 점점 삶정치적이 되고 있음을, 즉 "사회적 협력과 신체들·욕망들의 상호작용을 통한 정동과 언어의 생산, 자신과 타자에 대한 새로운 형태의 관계의 발명 등"[26]을 포함한 이른바 '공통적인 것'을 생산하는 데 관여하고 있음을 강조한다. 소통과 협력, 정동적(affective) 네트워크를 바탕으로 한 비물질적 노동(immaterial labor)은 물질적 재화의 생산에서도 점점 더 중요한 위치를 차지하는 것은 물론, 생산과 재생산, 임금노동과 비임금노동의 경계를 무너뜨리면서 새로운 헤게모니를 획득하고 있다.[27]

이러한 관점에서 네그리·하트는 빈곤을 결핍이 아닌 가능성의 측면에서 재정의 한다. 우리 시대의 빈자 다중(multitude)은 경제 통계로 봤을 때 가진 게 없고, 사회학적으로 배제된 것으로 통상 간주되지만, 실제로는 "삶정치적 생산의 전 지구적인 리듬 속에" 완전히 들어와 있다는 것이다.[28] 특히 청년 빈자는 인터넷 테크놀로지의 혁신을 통해 가능해진 탈중심화된 네트워크를 이용해 삶정치적 생산에 가장 폭넓게 관여하고 있다. 전 지구적인 모금과 서명운동, 구인구직, 창업 활동은 블로그와 페이스북, 각종 동영상 사이트를 넘나들면서 근대적 모범생들이 상상도 못했던 방식으로

---

26) 네그리·하트, 앞의 책, 103쪽.

27) 위의 책, 197~199쪽 ; Negri, Antonio, and Michael Hardt, *Multitude: War and democracy in the Age of Empire*, New York: Penguin Press, 2004, pp.65~67.

28) 위의 책, 21쪽.

생산을 다양화 해내고 있으며, 이 과정에서 독창적인 젊은이들은 시인과 소설가, 웹툰 작가, 기자, 예술가, 기획자, 발명가가 되어 우리가 공유할 수 있는 '공통적인 것'의 영역을 확대하고 있다. 특히 글로벌화된 반(反)빈곤 활동에 주도적으로 참여하는 청년 빈자들은 제 가족, 제 이웃, 제 나라 등 고정된 정체성에 붙박힌 사랑이 아니라, 가장 먼 곳, 낯선 타자에 대한 사랑을 실천한다는 점에서 로베르 부아예(Robert Boyer)가 예견한 "인간에 의한 인간의 생산"[29] 모델을 전 지구적으로 구현해내는 주체임에 분명하다. 한 개발 NGO를 거쳐 대안학교에서 일하고 있는 B는 '전 지구적 빈곤'에 대한 관심이 낯선 곳에서의 우연한 만남을 통해 시작되었다고 말한다.

> (디자인 벤처기업을 사직하고) 인도에 갔을 때 티벳에서 온 난민 분들이 모여 있는 다람살라에 들른 적이 있어요. 너무 한적하고 좋아서 한 달을 눌러 있었죠. 그때 꽤 좋은 카메라를 가져갔는데 처음엔 제가 아이들을 찍었죠. 근데 어느 순간부턴가 애들이 카메라를 가지고 놀기 시작해요. 찍히는 것보다는 스스로 찍는 걸 좋아한단 걸 알게 되었어요. 그래서 즉흥적으로다 아이들 사진 찍는 거 가르쳐주는 모임을 만들었죠. 여행을 마치고 돌아왔는데 마침 티벳독립운동 하는 그룹에서 행사를 한다는 거예요. 그래서 내 사진을 전시해도 되겠냐 연락을 했죠. 실제로 일년 후에 티벳독립운동 하는 그룹이 당시 아이들이 직접 찍었던 사진들을 다람살라로 가져가서 전시를 해줬어요. 이때 만난 사람들의 부탁으로 공동 티셔츠를 디자인해 주기도 했어요.(2012년 9월 25일 인터뷰)

나는 개발 NGO의 실무자나 각종 단체의 해외자원봉사자로 반(反)빈곤 활동을 마치고 돌아온 청년들을 인터뷰하면서 이들이 타인의 가난에 귀 기울이게 된 계기나 과정들에 종종 매료되었다. 일탈을 죄악으로 간주하는 한국의 경쟁사회를 벗어나 자아를 찾기 위해 떠난 순례길은 타인의 아픔을 공감하는 계기를 제공했고, 인터넷을 통해 글과 사진, 영상을 널리 공유하면

29) 위의 책, 199쪽.

서 자연스럽게 제 삼자의 개입을 이끌어냈다. 그러나 낯선 마주침이 제공하는 삶정치적 생산의 풍요로움에 주목함에도 불구하고 이 청년들이 공공성의 깃발을 흔들고 있는 토대를 '폐허'로 묘사했던 앞서의 논의를 수정할 생각은 없다. 그 이유는 청년 빈자의 생산성과 가능성이 다중의 자치적 힘으로 전환되기 전에 개입하는 국가와 자본의 힘, 청년 빈자의 유목민적 창의성을 통해 생산되는 '공통적인 것'을 수탈하는 이들의 힘이 너무나 막강하기 때문이다.

우선, 청년들을 대상으로 한 한국 정부의 글로벌 반(反)빈곤 활동은 젊은이들을 해외로 임시 수출함으로써 고질적 사회현안인 청년실업률을 낮추겠다는 포석이 짙게 깔려 있다. 정부는 2008년 '글로벌청년리더양성계획'을 발표하고 그 일환으로 향후 5년간 해외자원봉사자 2만 명을 파견하겠다는 목표를 설정하면서 2009년부터 각 부처에서 수행하고 있는 해외봉사단 파견 사업을 'World Friends Korea'라는 하나의 브랜드로 통합했다.[30] 반(反)빈곤 활동이 청년실업해소책으로 수렴되는 양상은 정부가 외적인 체제 개편과 더불어 봉사자들의 향후 진로까지도 적극적으로 관여하기 시작했다는 데서 분명히 드러난다. 가령 2012년 한국협력단의 해외봉사 가이드북에서 1990년대의 자료집에서는 볼 수 없었던 '귀국 후 진로'라는 파트가 새롭게 등장한 것은 흥미로운 변화이다. 이 파트에서는 KOICA 해외봉사단의 귀국 후 지원 프로그램을 상세히 소개할 뿐 아니라 봉사단원들이 대학에서의 전공과 해외봉사에서의 경력을 어떻게 연계하여 취업에 성공했는지, 이들이 현지생활을 통해 익힌 현지어 실력과 현지의 인적 네트워크가 개발도상국에서 사업을 시작하는데 어떻게 도움을 주었는지 생생한 수기를 제공하고 있다.[31] 발전된 위상을 전 세계에 선전하겠다는 국가주의적 야심과 실업문제가 야기하는 사회적 불안을 외부로 돌리겠다는

30) 한국국제협력단, 앞의 책, 47쪽.

31) 정용우, 「귀국 후 진로」, 『해외봉사 바로알고가기』, 한국국제협력단, 2012, 204~217쪽.

꼼수가 결합된 정부의 반(反)빈곤 프로젝트는 결국 낯선 타인에 대한 사랑을 동일자에 대한 집착으로, 청년 빈자가 갖는 생산적 힘을 좁은 의미의 고용문제로 축소시킨다.

정부와의 민관 파트너십을 통해 급속히 성장한 해외 개발 NGO 역시 청년 빈자들을 특정한 방식으로 '빈곤산업' 내에 포섭하고 있다. 하트와 네그리는 삶정치적 생산을 "지휘자 없이 박자를 맞추는 오케스트라"[32]로 표현했지만, 오늘날 '빈곤산업'이라는 거대한 오케스트라는 수많은 지휘자들의 겹치기 출연으로 아수라장이 되고 있다. 가령 4000여 개 International NGO가 등록된 케냐에서는 "아무 것도 하지 않는" 개발 NGO를 풍자하는 코미디 <The Samaritans>(2013)[33]가 제작될 만큼 '빈곤산업'이 연주해내는 불협화음에 대해 비난과 회의, 냉소가 팽배해 있다. 한국사회의 수많은 민간단체들 역시 정부 각 부 부처와 기업, 종교단체, 대학과 서로 연계하는 가운데 전 지구적 빈곤을 지휘하겠다는 열망을 갖고 동아프리카의 '원조천국'으로 달려갔다. 2014년 2월 기준으로 케냐에서 활동하는 한국의 개발 NGO[34]는 15개 단체에 달하며, 이들의 사업은 단기 봉사단 파견, 지역개발, 의료보건, 학교 및 농장 지원, 말라리아 퇴치, 아동결연, 젠더역량 강화 등 28개나 된다.[35]

청년 빈자들은 이 개발 NGO의 민간단체 해외봉사단원이 되어 '빈곤산업'의 피라미드 하부를 담당하고 있다. 전 세계적으로 진행되는 대규모

32) 네그리·하트, 앞의 책, 254쪽.

33) http://www.aidforaid.org/

34) 한국사회에서 민간차원의 해외자원봉사는 정부지원과 연계하여 급속히 성장했는데, 1990년대 중반 이후 본격적으로 등장한 개발 NGO들은 자체 모금 활동과 정부기관의 공적 자금(ODA)을 통한 수입을 합하여 긴급구호, 개발원조사업 등 '전 세계적 빈곤' 퇴치의 선봉 역할을 자임해 왔다(cf. 한국해외원조단체협의회, 2010). 이들과 정부 지원을 연결하는 한국 개발NGO의 협의체로서 1999년 창설된 국제개발협력민간협의회(전 한국해외원조단체협의회)에 가입된 단체만 해도 2000년 25개에서 2014년 2월 기준 108개로 급격히 증가했다(www.ngokcoc.or.kr).

35) 국제개발협력민간위원회(www.ngokcoc.or.kr) 홈페이지 참조.

개발원조 프로젝트가 빈자들 뿐 아니라 국제기구와 각국 정부, NGO, 대학 등 개발의 녹을 먹고 살아가는 수많은 전문가들, 봉사자들, 기관들을 양성한 탓에 개발원조의 반복된 실패가 오히려 당연한 '규범(norm)'이 되고, 정책의 설계-집행-평가로 이루어지는 개발 사이클의 한 고리로 정형화되는 현상이 벌어졌다는 제임스 퍼거슨(James Ferguson)의 비판[36]은 현 시기 빈곤산업에 대한 분석에도 여전히 유효하다. 내가 만난, 대학을 갓 졸업하고 민간단체의 해외봉사단원으로 파견되어 2~3년간 최빈국에서 활동하다 돌아온 청년들은 "열정이 노동이 되는" 딜레마[37]를 이구동성으로 토로했다. 전 세계 빈곤 문제를 개선하는데 약간의 도움이라도 보태고 싶다는 이들의 소박한 '열정'은 현지 주민들의 삶의 사이클과 상관없는 개발원조 사이클에 맞춰 활동을 마름질하는 과정에서, 정부가 요구하는 프레임에 맞춰 신청과 시행, 평가를 반복하는 과정에서, 지속적인 후원을 위해 글과 사진, 영상으로 끊임없이 감동 수기를 연출해야 하는 작업 속에서 결국 소모적인 '노동'으로 전락하는 경우가 다반사였다. 한 개발 NGO의 해외봉사단원으로 2년 간 동티모르에서 생활환경개선사업, 소득증대사업을 수행하고 돌아온 C는 현지에서의 노력을 나름 인정받아 대학과 NGO로부터 '우수 사례' 강연자로 빈번히 초대되었으나, 가난을 상품화하는 작업에 공모하게 되면서 자책감에 빠졌다고 술회했다.

> 당시 MBC <일요일 일요일 밤에>에 '단비'라는 프로가 있었어요. 아시아, 아프리카 7~8 지역에 한국 연예인들이 가서 깜짝쇼를 하는 거죠. 학교 짓고 애들 데리고 소풍 가고. 버라이어티 쇼를 해외에서 로케하는 방식인데 그걸 동티모르에서 찍게 되었어요. 프로그램도 찍고 단체 홍보를 한 거죠. 제가 그 준비를 맡았는데.… 결국은 동티모르 사람들을 팔아먹은

36) Ferguson, James, *Anti-Politics Machine: Development, Depoliticization, and Bureaucratic Power in Lesotho*, Minneapolis: University of Minnesota Press, 1994, p.8.

37) 한윤형·최태섭·김정근, 『열정은 어떻게 노동이 되는가 : 한국사회를 움직이는 새로운 명령』, 파주: 웅진지식하우스, 2011.

것으로 정리가 되었어요. 거기서 동티모르 주민들은 그냥 배경이었고, 동정의 대상, 웃음거리밖에 되지 못했어요. 그 설정들에 제가 일조를 한 것이기도 했고. 그래서 자책감이 컸고… 결국 그 프로그램은 없어졌지만 안에서도 비판이 많았어요.(2012년 8월 22일 인터뷰)

이러한 '공모'는 사실 '빈곤'을 팔릴만한 가치재로 끊임없이 순환시켜야 하는 빈곤산업의 당연한 결과이기도 하다. 특정 사회의 빈곤은 거대한 전 지구적 지식-권력 체계에 편입되는 순간 사라지기보다는 끊임없이 형태를 달리하며 유통될 뿐인데, 비판은 언제나 이 빈곤산업의 작동 과정에서 맨 얼굴을 드러내야 하는 기층의 청년 봉사자들에게 향하기 일쑤이다. 결함이 외화되는 순간 젊은 패기는 '미숙함', '무책임'으로 비난 받고, '진정성'을 둘러싼 앞서의 논의에서 지적했듯이 빈곤산업의 구조적 문제는 개인의 도덕적 문제로 쉽게 치환된다.

구조적 폭력의 소멸을 가장 적나라하게 보여주는 것은 기업 주도 하의 글로벌 반(反)빈곤 활동이다. 기업이 갖는 강력한 힘은 가장 현실적인 고리를 가장 도덕적인 문법으로 재편해내는 능력에 있는데, 사회 전반에 걸쳐 유행어가 되어버린 '기업의 사회적 책임(Corporate Social Responsibility, CSR)'은 '전 지구적 빈곤'의 퇴마사 역할을 기업이 자임하게 되었음을, 기업 활동이 빈곤과 저발전의 '원인'이 아니라 가장 유능한 '해결책'이 될 수 있음을 선포하는 것이기도 하다. 한 다국적 기업의 CSR을 실제 에스노그라피 작업을 통해 해부한 디나 라잭(Dinah Rajak)은 사람들이 인생에서 추구하는 의미를 단순히 왜곡, 날조하는 게 아니라 새롭게 재편성해내는 능력, 그래서 한때 기업에 맞섰던 진보 진영의 언어와 문법까지도 제 것으로 만들어버리는 능력에서 최근 기업 공익 활동이 갖는 위력을 발견했다. "의례적, 수행적(performative)으로 진행되는 CSR 활동은 다국적 기업을 사회적 진보의 대리자로 찬양하는 것을 넘어, 전 지구적 거버넌스의 영역에서 참여의 규칙들을 제 스스로 확립하고 조정해내고 있다."[38] 즉,

기업의 사회적 책임은 단순히 거대 기업의 권력을 정당화하는 이데올로기가 아니라 "그 자체가 경영활동의 본질로 통합"된 것이다.[39]

한국사회에서 CSR은 1997년 IMF 구조조정 이후 본격적으로 소개되기 시작했는데, 처음에는 금융위기와 부패, 양극화의 주범으로 몰린 기업들이 부정적 여론의 확산을 막기 위해 사용한 보조 장치에 불과했다가[40] 점차 사회적 가치와 도덕적 권위를 직접 창출해내는 '생산적' 권력으로 전환되어 왔다.[41] 한국의 대기업들 사이에서 경쟁적으로 진행되고 있는 청년해외자원봉사활동 역시 CSR의 한 사례로서, '도덕성(morality)'이 시장 질서에 적대적인 외부가 아니라 그 내부에서 필수적인 덕목이 되었음을, 신자유주의가 도구적, 공리적 주체들만 생산하는 것이 아니라 정동적(affective) 자아를 동시에 요구함[42]을 보여준다. 현재 기업에서 직접 주관하거나 NGO와의 파트너십을 통해 시행하는 청년해외봉사단의 소개 문구들을 살펴보면 "대한민국의 미래를 책임질 가슴 따뜻한 글로벌 청년리더", "이웃과 사회에 관심을 가지고 자신의 재능을 발휘해 나누면 커지는 행복의 가치를 실천하고, 나눔의 방식을 혁신하려는 새로운 도전을 즐기는 대학생", "내가 아닌 다른 사람을 위해 땀을 흘리는 즐거움을 배우고 나눔을 실천할 줄 아는 새 시대의 진정한 리더"와 같이 사회적 돌봄(care)의 내러티브를 강하게

---

38) Rajak, Dinah, *In Good Company: An Anatomy of Corporate Social Responsibility*, Stanford: Stanford University Press, 2011, p.62.

39) 김주환, 「신자유주의 사회적 책임화의 계보학 : 기업의 사회책임경영과 윤리적 소비를 중심으로」, 『경제와 사회』 96, 2012, 218쪽.

40) 안경환, 「한국기업의 CSR과 정부의 CSR정책에 대한 비판적 고찰」, 연세대학교 정경대학원 석사논문, 2012, 2~4쪽.

41) 하지만 이 경우에도 한국의 기업들은 CSR을 사회공헌활동으로 축소시켜왔다는 점을 안경환은 지적하고 있다. 한국 기업들의 경우 노동자와 같은 1차적 이해당사자보다는 2차적 이해당사자에 초점을 맞춘 활동이 지배적이어서, 기업의 봉사활동, 기부금, 자선사업, 공익재단 등은 확산되고 있으나 인권, 노동, 지배구조 등의 사회적 책임 영역은 경시되는 특성을 보인다는 것이다(안경환, 위의 글, 51쪽).

42) Muehlebach, Andrea, *The Moral Neoliberal: Welfare and Citizenship in Italy*, Chicago: The University of Chicago Press, 2012, pp.6~8.

구축하고 있다. 기업은 무자비한 이윤추구로 현재 청년들이 갖는 사회적 고통을 심화시킨 장본인이 아니라 불안한 세대의 상처를 보듬고 희망을 되찾도록 이끌어주는 도덕적 멘토로, NGO나 사회적 기업의 적대자가 아니라 그들을 후원하고 이끄는 자비로운 중개자로 거듭나는 셈이다.

그러나 이 '도덕적 멘토'는 청년 봉사자에게 예비 기업인으로서의 자질을 갖출 것을 동시에 요구한다. 2011~2012년 내가 참여관찰했던 한 대기업의 대학생 해외자원봉사활동은 준비와 연습, 리허설의 반복을 거쳐 각각 독립적인 결과물을 완성하는 것을 목표로 했다. 한국에서의 사전 워크숍부터 참가자들은 현지 주민들을 위한 각종 퍼포먼스를 담당하는 '공연팀', 현지 아이들을 위한 각종 프로그램을 만드는 '교육팀', 현지 대학생들 간의 교류와 친선을 도모하는 '액티비팀' 등으로 나뉘어 본격적인 기획안 준비 작업에 돌입했고, 각 기획안에 프로그램명, 담당자, 목표, 활동일시, 참가인원, 주요내용, 준비물, 세부사항, 예산 등 매 항목을 빠짐없이 기입해 나갔다. "태어나서 잠을 그렇게 적게 자본 것도, 그렇게 일을 급박하게 한 것도 처음"이었다며 참가자 D는 들뜬 표정으로 당시를 회고했다. "사람이 정말 닥치면 안되는 게 없어요. 지금이 밤 12시인데 내일 아침 9시까지 기획안 다 어떻게 만들지? 이렇게 닥치니까 그것도 해 이것도 해 점점 나오는 거예요. 상황이 닥치니까 못할 게 없는 것 같아요." D가 참여했던 워크숍은 사실 기업이 바라는 인재상이 배양되는 장이라고도 할 수 있다.[43] 기획안 아이템은 '창의적'이어야 하며, 주제를 '전문적'으로 살릴 수 있어야 한다. 팀원들은 (한 참가자의 회고담에서 보듯) "무에서 유를 창조한다는 심정으로" '도전적'으로 임해야 하며, 낯선 만남에도 불구하고 하나의 목표를 향해 돌진할 수 있도록 '팀워크'를 길러야 한다. 또한 준비된 기획안

---

43) 2008년도에 대한상공회의소는 국내 100대 기업이 표방하는 인재상을 취합하여 발표했는데, 인재상의 주요 속성은 창의성, 전문성, 도전정신, 팀워크, 글로벌 역량, 열정, 주인의식, 실행력의 9가지로 집약된다.
(http://blog.naver.com/ssh7807?Redirect=Log&logNo=30069193305)

을 현지 대학생들과 영어로 조율할 수 있을 만큼의 '글로벌 역량'을 갖춰야 하고, '열정'과 '주인의식'으로 무장한 뒤 새벽까지 자지 않고 기획안을 완성해 낼 수 있는 '추진력'을 발휘해야 한다. 참가했던 학생들이 나와의 인터뷰에서 자신의 해외자원봉사 경험과 인턴십 경험을 종종 혼동했던 것도 이 같은 맥락에서 이해 가능할 것이다.

Ⅳ. "그 모든 것이 웃음에 묻히게 될 것이다"

결국 국가와 자본, 심지어 NGO를 통한 글로벌 반(反)빈곤 활동은 지식과 정보, 감정, 사회적 관계 등 한국사회 청년 빈자들이 생산하는 '공통적인 것'을 적극적으로 동원해내지만, 한편으로는 그 '공통적인 것'을 수탈하고 특정한 방식으로 재편해내고 있다. 그리고 구조적 폭력이 더 이상 의제가 되지 못하는 빈곤산업의 세계에서 문화인류학자는 대개 비서구 세계로 진출하는 청년 봉사자들에게 문화 다양성과 문화 상대주의, 관용의 중요성을 가르치기 위해 초대된다. 이때의 문화란 구조와 분리된, 불평등이나 착취와 무관한 생활양식 정도로 축약되는데, 지젝이 "왜 오늘날에는 그토록 많은 문제들이 불평등이나 착취나 불의의 문제가 아니라 불관용의 문제로 인식되는 것일까"[44]를 문제제기 하면서 자유주의적 다문화주의에 내재된 이데올로기를 "정치가 문화화되는" 것으로 표현한 것 역시 문화에 대한 이 같은 통념을 반영한다. 장기간의 참여관찰을 바탕으로 한 인류학의 현지조사방법 또한 현지 주민들에 대한 깊이 있는 이해가 원조의 질을 끌어올릴 것이라는 이유로 국제개발협력 분야에서 각광 받고 있다. 하지만 구조를 문화에 선행하는 외적 체계로 사고해 본 적이 없는 나 같은 문화인류학자에게 이 같은 찬사가 꼭 반가운 것은 아니다.

44) 지젝, 앞의 책, 199쪽.

사정이 이러하다면 글로벌 반(反)빈곤 활동을 모두 접어야 할까? 불평등에 말미암은 적대를 차이의 공존으로 바꾸는 놀음을 접고, 이미 재생산의 위기에 봉착한 자본주의를 연명 치료하는 자선행위의 중단을 제안하고, 빈곤산업을 키우는 방향으로 빈곤을 온존시키는 모든 단체들의 사업을 철회하도록 요구해야 할까? 지젝은 "예, 바로 그겁니다!"라고 대답했다. "그럼 우리가 아무 것도 하지 말아야 한다는 건가요?"란 가상의 질문에 대해 "즉각 참여하고자 하는 충동에 저항하는 것, 끈기 있고 비판적인 분석을 사용하여 '일단 기다리면서 두고 보는' 것이 유일하게 할 수 있는, 진정으로 '실제적인' 일일 때도 있음"을 강조했다.[45]

가시적 폭력에만 조급하게 반응하지 말자는 지젝의 충고는 중요하지만 우려스러운 것은 비판적 기다림이 곧잘 무기력과 냉소로 귀결된다는 점이다. 그리고 빈곤산업의 종언을 선언하기 전에 좀 더 곱씹어봐야 할 것은 원조 수혜자로 일방적으로 위치 지어진 소위 '저개발국' 주민들의 빈곤만큼이나 빈곤산업의 밑바닥에서 부단히 열정과 소통의 네트워크를 생산해내는 전 세계 청년 프레카리아트(precariat)들의 빈곤이다. 자본과 노동의 동거가 절단 난 세상에서 안정의 결핍을 호소하고 영혼이 비인간적 노동에 저당 잡힌 세상에서 실존의 빈곤을 경험하는, 그럼에도 글로벌 빈곤의 퇴마사를 자처하고 나선 청년 빈자들은 누가, 어떻게 구원할 것인가?

나는 청년들의 자원봉사활동 중에서도 단기간의 쇼맨쉽으로 가장 비난의 대상이 되는 대기업 반(反)빈곤 활동 조차 참가자들에게 일시적인 구원이 되고 있음을 보아 왔다. 서울의 한 여대에 다니는 E는 입학한 지 얼마 안 되어 휴학을 하고 공인회계사를 준비했다. 학원 근처 고시텔에서 하루 세 끼를 빵이나 라면으로 때우다보니 체력은 바닥이 났고, "자는 시간까지 죄로 느낄" 만큼 강박과 고립감을 견디기 힘들었다고 한다. 시험을 실패한 후 다른 경험을 찾았으나 이마저도 녹록하지 않았다. "내가 잘하는 거라도

45) 위의 책, 31쪽.

발견해야 이 휴학 생활의 후회가 없을 거 같아서 애들이 뭘 하나 보기 시작했어요. 대부분 대외활동을 하길래 아 그럼 나도 지원을 해볼까 했죠. 근데 뭐 내세울 게 없는 거예요. 영어도 요구하고. 근데 전 아무 것도 할 줄 아는 게 없고. 자괴감이 들고. 그때는 길을 걸어가는데 사람들이 다 저를 쳐다보는 것 같은 거예요. 넌 한심해, 넌 실패자야 다 이렇게 쳐다보는 것 같고. 그래서 안 나가고 그냥 고시텔에서 가만히 앉아 먹기만 했어요." 운동으로 간신히 거식증을 치료한 후 친구의 소개로 지원한 게 한 대기업의 대학생 봉사단이었다. 사흘간 농사일을 돕고 농촌 아이들과 함께 활동한 경험은 잃어버린 자신감, 사회로부터의 고립감을 극복하도록 도왔다. "(농촌에서) 애들이 저를 중심으로 모이게 되니까 전 그게 너무 행복한 거예요. 내가 이런 걸 잘 하는구나 하는 걸 깨닫고 회계사에 대한 생각이 바뀌었어요. 내가 의식하지 않고 애쓰지 않아도 잘 할 수 있는 일이 있는데, 내가 발악하면서까지 나를 깎으면서까지 투자하고 싶지는 않다는 생각이 들었어요. 그래서 완전히 고시를 접고 사람들한테 나 이제 안 해 하고 선언했어요. 그담부터 열심히 봉사 다녔어요."

E를 포함하여 해외봉사활동을 끝내고 귀국한 대학생들을 다시 만나 인터뷰 하면서 내가 확인한 것은 대기업의 해외자원봉사를 비롯한 각종 대외활동이 단순히 스펙을 쌓기 위한 용도도, "자신들을 도덕적 인재, 공감능력과 책임감을 지닌 인재로 계발하기 위한 자기의 테크놀로지"[46]에 국한된 것도 아니었다는 점이다. 학생들 대다수가 휴학을 하고 고시나 각종 자격증 시험을 준비한 경험이 있었는데, 이들에게 봉사단은 일종의 심리치료제, 심지어 한 학생의 말을 빌면 "암흑 속에 살던 내가 만난 새로운 희망"이었다. 전국 각지에서 모여든 같은 또래 학생들과의 교류를 통해 고시원과 학원만 드나들다 결국 닫혀 버린 사회적 관계를 회복하고, 나에게 감사하다며 손을 붙잡아주는 어르신과의 만남을 통해 "사는 이유"를

46) 김주환, 앞의 글, 234쪽.

발견했다는 이야기는 이들의 인터뷰에서 빈번히 등장하는 주제였다. 즉, 해외자원봉사는 대학생 참가자들이 '글로벌 인재'라는 요구에 기꺼이 퍼포먼스로 화답하는 장인 동시에 오랜 기간 쌓아온 마음의 결핍을 일시적으로 메우는 '공공'이란 이름의 '치유' 기제로 작용하고 있다.

물론 사회적 관계의 부재와 심리적 불안이 야기한 결핍을 일시적으로만 봉합할 뿐인 이 같은 빈곤산업을 적극 옹호할 생각은 없다. 다만 빈곤산업의 핵심 주체로 호명된 청년들이 정부나 기업의 의도와는 다른 방식으로 활동을 수행하고 의미를 부여해가는 과정은 앞서 청년 빈자의 생산적 힘으로 주목했던 '공통적인 것', 즉 언어와 정동, 네트워크를 발산하고 공유함으로써 얻게 되는 기쁨이 얼마나 중요한가를 상기시켜준다. 이 '공통적인 것'을 수탈하고 구획화하는 힘에 맞서 보다 급진적인 방식으로 전 지구적 빈곤을 고민하는 움직임이 소수의 청년들 사이에서 때로는 외롭게, 때로는 즐겁게 진행되고 있다. 앞서 소개한 C는 동티모르에서 귀국한 후 1, 2년간 현지에서 개발 NGO 현장의 모순을 몸소 체험한 또래 친구들과 모임을 만들었고, 주민조직화의 꿈을 해외 현장에서 펼치길 소망하는 한국의 주민운동가가 이 모임에 활력을 불어넣었다. 개발 NGO의 업무 사이클에 종속되지 않은 상태에서 글로벌 빈곤의 문제를 이해하고 새로운 개입방식을 모색하기 위해 C와 다른 세 청년들은 넉 달간 캄보디아, 필리핀, 케냐, 우간다의 주민운동 현장을 방문했다. 정부나 기업의 지원을 거부한 채 일일호프 수익금과 자부담을 합쳐 자금을 마련했고, 현지 주민이 수혜 대상이 아닌 활동의 주체가 되는 현장을 체험하며 빈곤'산업'에 가려진 나와 그들의 가난을 결핍이자 동시에 가능성으로 바라보게 되었다.[47]

빈자의 조직적 힘과 가능성을 강조하는 이 청년들의 움직임은 구조적 폭력에 대한 문제제기와 연계되지 않는다면 빈자의 '의존성'을 의심하는

---

47) 코빌로드, 『COVIL STORY』(미출간), 2013.

우파의 논리만큼이나 도덕적 신자유주의의 함정으로 빠지기 쉽다. 그리고 이들 대부분이 넉 달간의 '외유'를 끝내고 다시 정부에 의해 제도화된 개발 현장으로 되돌아간 점은 반란을 끌어안는 빈곤산업의 마력을 실감케 한다. 그러나 내가 만나온 이들이 빈곤산업의 부품으로 자족하기보다는 활동의 장을 바꿔가며 새롭게 고민하고, 새롭게 개입할 수 있는 여지를 만들어가는 것 또한 사실이다. 신자유주의의 '안티'로 자족하며 세상에 대한 분노와 적개심으로 마음의 결핍을 재생산하는 대신, "우리는 무엇을 원하는가(What do we want?)"로 문제의 지형을 바꿔내고,[48] 동시에 "우리가 활동할 때 진정 행하는 것은 무엇인가"[49]를 서로에게 반문하고 곱씹으면서 가능성의 정치를 실험하는 중이다.

하트와 네그리는 이 시대 지배 권력의 오만함에 대한 가장 적절한 대응은 우울과 냉소라기보다 "웃는 것"이라 강조하면서 푸코를 인용했다. "설혹 싸움이 끔찍하더라도, 투사가 되기 위해서는 슬퍼해야 한다고 생각하지 말라. 혁명적 힘은 욕망이 (재현의 형식들로 후퇴하는 것이 아니라) 실재와 연결되는 데 있다."[50] "현실을 아는 웃음", 국가와 자본의 허약함을 간파하는 웃음, 우리를 규정당하기 전에 만들어내는 웃음, 타인과의 교감을 통해 자기 삶의 감성을 키우는 웃음은 이 시대를 벼랑으로 내모는 공동세계의 빈곤을 결핍과 무력감에서 가능성으로 전화시켜내는 힘일 것이다. 함께 웃을 때, 우리는 비로소 폐허를 딛고 부유한 빈자로 다시 태어날 것이다.

---

48) Ferguson, "The Uses of Neoliberalism," *Antipode* 41(s1), 2009, p.167.

49) 아렌트, 앞의 책, 34쪽.

50) 네그리·하트, 앞의 책, 521~522쪽.

치유 문화로부터 페미니즘 정치학 구해내기

미국 페미니즘 논의를 중심으로

정승화

I. 치유 문화의 형성

치유(therapy)와 힐링(healing), 웰빙(well-being) 등과 같은 말은 최근 한국 사회에서 가장 유행하고 있는 단어들이다. 각종 심리상담과 치유서를 비롯하여 명상과 요가, 마음수련 등의 양생과 관련한 다양한 서비스 산업이 빠르게 성장하고 있을 뿐만 아니라 미술치료, 음악치료, 무용치료 등의 예술분야와 문학치료, 철학치료 등 인문학 분야에서도 치유적 효과를 강조하는 전문영역이 급속도로 확장되고 있다. 마음의 평화와 치유, 웰빙 등은 21세기 주요한 소비자 욕망이자 가장 성장 가능성이 큰 서비스 산업으로 주목받고 있다.[1] 한편으로 20여 년간 한국사회의 높은 자살률은 심각한 사회 문제로 대두하였고 우울증과 같은 개인들의 심리적 증상과 고통은 그 어느 때보다도 개인들이 혼자 감당해야할 문제가 아니라 전문가의 도움과 치료를 필요로 하는 질환이자 정부의 정책적 개입과 치료 서비스가 제공되어야 할 사회적 문제로 논의되고 있다.

---

* 이 글은 「치유적인 것은 정치적인가 : 치유 문화에 대한 미국 페미니즘의 비판적 성찰을 중심으로」, 『페미니즘연구』 14권 1호(2014)를 수정하여 수록한 것이다.

1) 데이비스, 멜린다, 박윤식 역, 『욕망의 진화』, 서울: 21세기 북스, 2003.

전세계적인 금융위기를 비롯하여 예측할 수 없는 자연 재해와 방사능 유출 등 위험사회의 공포와 불안이 시대적 정조가 된 시기에 고통과 치유가 유행하고 개인들이 심리적 안정과 정신건강을 돌보는 치유적인 것에 몰두하게 되는 것은 당연한 현상으로 보인다. 하지만 사람들이 필요로 하는 치유가 치유상품에 대한 소비로 대체되고 있고 개인들의 정신과 감정을 일상적인 관리와 돌봄이 필요한 문제로, 즉 치유적 관리의 대상으로 표상되는 경향은 치유 문화(therapeutic culture)[2]의 형성이라는 측면에서 살펴볼 필요가 있다.

치유 문화는 일차적으로는 '치유'(healing, cure, therapy)라는 문화코드를 상품과 서비스로 판매하는 치유 산업의 양적 확대 경향 속에서 개인들이 자신의 감정과 정신을 응시하고 마음의 상처와 우울을 극복하기 위한 다양한 치유 활동에 전념하는 현상을 지칭한다. 보다 이론적으로는 개인들이 자아와 사회를 인식하고 자신의 고통을 해석하는 언어가 심리학의 어휘와 치유적(therapeutic) 양식으로 전개되고 있는 문화적 양상을 지칭하는 개념이다.[3]

---

2) 치유 문화는 연구자들에 따라 "치유적 담론"(therapeutic discourses)(Cloud, D., *Control and Consolation in American Culture and Politics: Rhetorics of Therapy*, Thousand Oaks, CA: SAGE, 1998), "치유적 문화"(therapeutic culture)(Nolan, J., *The Therapeutic State: Justifying Government at Century's End*, New York: New York University Press, 1998), "치료학적 감정양식"(일루즈, 에바, 김정아 역, 『감정 자본주의』, 서울: 돌베개, 2010, 24쪽), "치유적 정조"(therapeutic ethos), "치유 문화"(therapy culture)(Furedi, F., *Therapy Culture: Cultivating Vulnerability in an Uncertain Age*. London: Routledge, 2004) 등으로 불리는데, 이 글에서는 포괄적으로 '치유 문화'(therapeutic culture)로 지칭하고자 한다. 한국에서 '치유'라는 용어는 질병과 상처의 치료에서부터 테라피와 같은 심리치료요법을 포괄하는 용어로 사용되고 있다. 치유의 한국어 어감이 긍정적 의미의 힐링을 포괄하는 용어로 사용되고 있어 치유/치료 담론에 대한 비판적인 인식이나 논의가 정교화되기 어려웠던 것으로 보인다. 역자에 따라 healing을 치유로 therapy를 치료 혹은 요법으로 번역하기도 하지만 심리치료, 심리치유 등과 같이 therapy를 지칭할 때 치료와 치유는 자주 혼용되어 사용된다. 본 논문에서 사용하는 therapy와 therapeutic에 대한 번역어는 요법적 의미가 강한 치료, 혹은 심리상담 등의 의미로서의 치유를 지칭하는 것이지만 최근 긍정적 의미의 치유(healing)가 수사적으로 사용되는 경우가 많고 이것이 치유 문화와 연관되어 있다는 문제의식에서 치료와 치유를 구분하지 않고 포괄적으로 치유로 사용하였다. Therapy는 문맥에 따라 치유, 심리상담, 요법, 테라피로 번역하였다.

한국사회에서 IMF 경제위기 이후 급증했던 다양한 정신적 질환과 신드롬에 대한 미디어 담론이 보여주듯이 경제 위기의 문제는 가족의 위기와 정신건강의 위기로 두드러지게 재현되기 시작하였다.[4] 실직과 빈곤 등의 경제적 위기의 문제도 종종 사람들의 우울증을 비롯한 자아 존중감과 자기평가의 실추 등의 정신건강의 문제로 감지된다. 실직으로 인한 자아 존중감 회복 프로그램에 참여하는 것은 실업급여를 받기 위한 구직활동의 일부로 간주된다. 우울증, 알코올중독 등 정신건강에 관한 다양한 자가진단 척도들이 미디어와 전문가 담론을 통해 유포되고 이를 통해 그들이 얼마나 고통받고 있는지를 스스로 진단하고 전문가의 도움을 받도록 촉구하고 있다.

개인들이 직면한 다양한 문제들이 치유적인 모델 속에서 사유되는 양식은 고객이나 환자를 상담하는 치유 전문가들뿐만 아니라 교육자와 부모, 사회사업가와 정책입안자 사이에까지 확대되고 있다.[5] 개인들의 행동을 지도하고 관리하는 사회적 방식이 치유적인 틀을 따르는 이와 같은 치유적 사유 양식의 사회적 확산을 치유 문화라고 할 수 있다. 퓨레디(Frank Furedi)에 따르면, 치유 문화는 치유적 관계와 치유적 패러다임이 다양한 사회적 관계로 확장되어 사회문제를 사유하는 양식이자 개인들의 행위를 통솔하는 주체성에 대한 통치 테크닉으로 기능하는 문화적 양상을 지칭한다.[6] 이와 같은 치유 문화는 미국의 치료 산업의 성장 속에서 형성된 미국 문화의 현저한 특성으로 논의되지만,[7] 전세계적인 치유 담론의 급증 속에서 국가의

---

3) Nolan, 1998 ; Cloud, D., 1998 ; Furedi, 2004 ; Illouz, E., *Saving the Modern Soul: Therapy, Emotions, and the Culture of Self-Help*, Berkeley and Los Angeles: University of California Press, 2008.

4) 박혜경, 「경제위기시 가족주의 담론의 재구성과 성평등 담론의 한계」, 『한국여성학』 27(3), 2011, 71~106쪽.

5) Rose, R., *Governing the Soul: The Shaping of the Private Self*, London: Routledge, 1990 ; Nolan, 1998 ; Furedi, 2004.

6) Furedi, 2004.

7) Lasch, C., *The Culture of Narcissism: American Life in an Age of Diminishing Expectations*,

모델 자체가 치유적 국가의 형상으로 변화되고 있다는 인식으로 발전하여 미국뿐만 아니라 영국을 비롯한 유럽에서도 비판적으로 논의되고 있다.[8)]

치유 문화의 부상에 대해 비판적인 입장을 가진 이론가들은 대부분 심리학적 지식과 치유적 실천이 현대 사회의 새로운 주체성에 대한 규제와 관리의 지식권력으로 작동하고 있다는 푸코(Michel Foucault)의 통치성에 관한 분석적 관심을 공유하고 있다. 정치, 경제적 위기 속에서 개인들이 당면하는 문제와 감정적 곤란은 치유 전문가 담론을 통해 치유적 지도의 개입과 도움이 필요한 문제로 번역되고 그 결과 사회문제 자체가 개인들의 정신건강과 심리적 회복의 문제로 환원되는 경향을 낳고 있다는 진단이다. 이와 같이 치유적인 개입을 바탕으로 한 통치기술의 변화는 '치유적 국가'(therapeutic state) 혹은 '치유적 통치'(therapeutic governance)로 설명된다.[9)]

치유적 통치는 생명의 보호, 건강의 증진, 삶의 질의 향상 등을 내세우며 개인들에 대한 개입의 통로를 다양화하고 시민과 국가 사이의 정치적 관계를 재구성하고 있는 것으로 보인다. 공적 생활에서 감정의 정치학이, 교육 분야에서는 지적 이해를 향상하는 문제에서 자기 평가나 자존감 증진이 중요한 교육적 목표로 등장하였고, 가족 정책에서는 가족관계에 대한 상담과 부모되기의 전문화 훈련이 도입되고, 경제 영역에서는 실업자에 대한 치유적 지지와 자존감 회복이 실직을 벗어나는 가장 중요한 문제로 인식되는 경향이

New York: W.W. Norton and Co., 1979 ; Cushman. P., *Constructing the Self, Constructing America*, MA: Addison Wesley, 1995 ; Cloud, 1998 ; Moskowitz, E., *In Therapy We Trust: America's Obsession with Self-fulfilment*, Baltimore, MD: Johns Hopkins University Press, 2001 ; Sommers, C. & S. Satel, *One Nation Under Therapy: How the Helping Culture is Eroding Self-reliance*, New York: St Martin's Press, 2005.

8) Polsky, A., *The Rise of the Therapeutic State*, Princeton, NJ: Princeton University Press, 1991 ; Nolan, 1998 ; Furedi, 2004.

9) Nolan, 1998 ; Pupavac, V., "Therapeutic governance: psycho-social intervention and trauma risk management", *Disasters* 25(4), 2001, pp.358~372 ; 정승화, 「자살과 통치성 : 한국사회 자살 담론의 계보학」, 연세대학교 사회학과 박사학위논문(미간행), 2012.

관찰되고 있다.[10] 또한 공중보건과 위험관리의 시스템도 치료적 개입과 중재의 형태로 변화하고 있다.[11]

1990년대 초반 정치학자 폴스키(Andrew J. polsky)는 근대 복지국가의 정책에서 치유적 섹터가 확대되고 치유 전문가들의 공공적 대민지원사업(human service)이 중심적인 활동이 되면서 저소득 빈곤층이나 가정폭력피해자, 알콜중독자나, 청소년 비행 등 사회의 주변으로 내몰린 사람들을 교정하고 정상화(normalizing)하는 전략이 치유적인 방식으로 변화되었음을 분석하였다. 그는 이를 "치유적 국가의 부상"(the rise of therapeutic state)으로 정의하고 비행 문제나 아동 복지 영역에서 두드러지게 치유적인 접근이 확대되고 있음을 관찰하였다.[12]

국제정치에서 전쟁 피해를 입은 국가에 대한 사회적 위험관리의 방식에 있어서도 심리 사회적 개입이라는 치유적 거버넌스의 형태가 전면적으로 등장하고 있다.[13] 푸파벡(Vanessa Pupavac)은 치유적 거버넌스를 "일차적으로 제도화된 기율 테크놀로지에 의지하는 것이 아니라, 자기실현에 호소하는 지도의 과정과 네트워크를 통해 산포된 규제적 테크놀로지를 통해 실행되는 통치"라고 정의하였다.[14] 치유적 개입은 현대 정치제도와 사회 조직 전반의 특징적인 형상으로 점차 확장되고 있다.

문화로서의 치유적 정조와 실천에 우리가 관심을 가져야 하는 것은 그것이 심리적 장애를 치료하는 것과 관련된 문제에 국한된 것이 아니라 개인과 사회를 이해하는 사유의 방식과 관련된 것이기 때문이다. 치유담론의 확산 속에서 양극화와 빈곤의 문제, 사회적 갈등과 소외의 문제는 개인의 심리적 상처의 언어로 표상되는 경향이 있다. 또한 사회문제의

---

10) Polsky, 1991 ; Nolan, 1998 ; Furedi, 2004.
11) Pupavac, 2001 ; 정승화, 2012.
12) Polsky, 1991.
13) Pupavac, 2001.
14) Pupavac, 2001, pp.360~361.

해결의 방향도 개인의 책임과 자기개발의 논리로 수렴되고는 한다. 치유가 개인의 고통과 불행한 삶의 조건에 대한 정치적 사유를 가로막고 개인들에게 손쉬운 위로만을 전하는 문화상품으로 소비되는 현실과 사회문제의 해결이나 사회를 변화시키려는 운동의 언어가 치유라는 말로 수렴되거나 대체되고 있는 현상은 확산되고 있는 치유 문화의 형성과 밀접한 관련이 있다.[15)]

치유 문화의 유행은 단순히 치유산업의 성장이나 심리학의 대중화에 머무르지 않고 정치학에 대한 우리의 사유를 치유적인 정조로 물들게 한다는 점에서 정치적인 것과 치유적인 것의 경계를 구체적으로 점검해볼 필요가 있다. 이 글에서는 치유 담론, 보다 구체적으로 요법적(therapeutic)인 의미가 강한 치유 담론과 치유 문화에 대한 미국 페미니즘의 비판적 논의를 정리해보고 페미니즘 정치학과 치유 문화의 관계를 검토하고자 한다. 이 글은 미국사회에서 1960년대 말이래 전개된 여성운동 제2물결의 의식고양(consiousness-raising)운동과 여성주의 심리상담(feminist therapy)[16)]의 발달 과정에서 치유적인 것과 정치적인 것을 둘러싸고 전개된 논쟁을 중심으로 미국 여성운동의 역사에서 정치적인 것과 치유적인 것 사이의 관계설정이 어떻게 다루어져 왔는지 살펴보면서 치유 담론이 페미니즘에 미친 영향을 보다 정밀하게 검토하고자 한다.

치유 담론과 테라피(therapy)는 사람들이 겪는 개인적인 트라우마나 고통

---

15) 정승화, 「감정 자본주의와 치유문화」, 김현미 외, 『친밀학 적 : 신자유주의는 어떻게 일상이 되었나』, 서울: 이후, 2010 ; 류한소, 「자살예방담론에 나타난 질병으로서의 자살과 치유문화」, 중앙대학교 문화연구학과 석사학위논문(미간행), 2012.

16) 한국의 여성운동에서 여성주의 상담을 비롯하여 상담이 여성운동의 양식이거나 매개가 되는 경우가 증가하고 있다. 이때의 상담이 이 글에서 논의하는 치유 담론으로서의 심리상담과 무관하지는 않으나, 그 실천 양식이 다양하기 때문에 일괄적으로 치유 문화로 비판하는 것은 적절하지 않다. 다만 치유 담론이 세계관이나 이데올로기적으로 작용하고 있는 부분에 대해서는 상당 부분 성찰의 여지가 있다고 여겨진다. 한국 여성운동에서 '상담'의 이론적·실천적 의미에 대한 본격적 연구는 차후의 과제로 남겨둔다.

을 치유하고 회복하는 데 많은 도움을 주고 있고, 많은 사람들이 대인관계의 갈등을 해소하고 심리적이고 감정적인 문제를 해결하는 데 치유 전문가로부터 도움을 받고 있다. 이 글의 초점은 치유 산업이 확장되고 치유 담론이 개인의 고통을 설명하는 문화적인 해석과 세계관으로 확장되었을 때, 사회문제는 개인의 문제이자 심리의 문제로 탈정치화된다는 점이다. 치유 담론의 자장 안에 있는 여성주의 실천은 고통을 호소하는 여성 개인들의 심리적 내면에 집중함으로써, 여성주의 본래의 정치적 기획의 의미가 약화될 우려가 있기 때문이다. 이 글은 최근 널리 확산되고 있는 치유 문화가 발휘하는 정치적 효과를 비판하는 관점에서, 미국 페미니즘 내부에서의 치유적 접근을 둘러싼 논쟁을 중심으로 페미니즘 정치학의 이론적 쇄신을 위한 쟁점들을 점검해보려고 한다.

II. 치유 문화에 대한 기존 페미니스트 관점의 평가

치유 문화가 주체성에 대한 새로운 통치의 테크놀로지로 작용하고 있다는 비판적 이론가들의 진단이 있지만 한편으로 치유 문화 속에서 개인들의 심리적 고통은 단순히 개인적인 것이 아니라 사회적인 문제로 논의되고 있고 감정적, 정신적 고통을 호소하는 개인들의 고통 자체에 대해서는 사회적으로 인정하는 경향이 확산되고 있다. 예를 들어 베트남 참전 군인들의 전쟁피해 보상과 관련하여 고엽제나 육체적 상해뿐만 아니라 외상후 스트레스장애와 같은 정신적 상처와 후유증도 중요하게 치유되어야 할 문제로 논의되었다. 또한 성폭력 피해자의 고통 역시 섹슈얼리티의 자율성을 비롯한 노동권이나 교육권 등의 제반 사회적 권리를 침해당하는 문제뿐만 아니라 성폭력이 유발하는 정신적 트라우마와 외상후 스트레스 등의 심리적 고통의 문제가 심각한 것이라는 인식을 사회적으로 확산시켰다. 몇몇 페미니스트들은 고통 받는 여성들의 억압의 경험에 대한 사회적

인정을 증진했다는 점에서 치유 문화에 대해 긍정적으로 평가하였다.[17] 하지만 치유 문화가 여성들의 고통에 대한 사회적 인정을 증진하였다면 그 인정의 효과가 페미니즘 정치학에 이로운 것인지는 보다 세밀하게 살펴볼 필요가 있다.

우리에게 『감정 자본주의』의 저자로 알려진 일루즈(Eva Illouz)는 치유 문화가 감정의 대상화와 합리화를 촉진하였지만 페미니즘과 관련해서는 개인의 심리적, 감정적 고통에 집중하는 논의가 증가하면서 여성의 고통을 사회적으로 논의하는 장을 확장하였다고 평가하였다.[18] 공적 문제에 대한 개인주의적 퇴보나 사회적인 문제를 사사화(私事化, privatization)함으로써 정치적 영역을 개인화한다는 치유 문화에 대한 문화연구자들의 비판[19]과 관련하여 라이트(Katie Wright)는 치유 문화의 확산이 개인적 고통에 대한 사회적 인정과 토론의 공간을 확장함으로써 공적 영역과 사적 영역이 전통적으로 젠더화된 방식으로 구성되었던 경계를 해체하는 데 기여했다고 긍정적으로 평가하였다.[20] 라이트는 오스트레일리아의 가정폭력에 관한 전화상담의 역사를 살펴보면서, 치유 문화가 한편으로는 사회통제의 새로운 형식이면서 공허한 개인주의를 부양하는 측면이 있다고 경계하지만 다른 한편으로는 전통적인 권위나 가부장제적 억압의 시선에 도전하면서 개인들의 고통에 대한 사회적 관심을 확장하고 이에 대한 공적인 인정의 확장에 기여하였다는 양가적 평가를 내렸다.

여성은 남성보다 더 감정에 집중하고 감정을 언어로 표현하는 데 능숙하다고 평가되는데 이런 의미에서 치유 문화는 개인이 자아와 맺고 있는 관계에서

---

17) Illouz, 2008 ; Wright, K., "Theorizing therapeutic culture: past influences, future directions", *Journal of Sociology* 44(4), 2008, pp.321~336.

18) Illouz, 2008 ; 일루즈, 2010.

19) Rieff, P., *The Triumph of the Therapeutic: Uses of Faith after Freud*, New York: Harper and Row, 1966 ; Lasch, 1979 ; Sennett, R., *The Fall of Public Man*, New York: Vintage, 1978.

20) Wright, 2008, p.333.

사회적으로 규정된 여성적 태도를 합법화한다고 논의된다.[21] 즉 감정에 집중하고 자신의 연약함을 인정하고 언어로 감정을 소통하도록 고무하는 것은 여성성의 특징으로 논의되는데 치유 문화가 이러한 여성성에 높은 가치를 부여한다는 것이다. 일루즈는 이를 "감정문화의 여성화"라고 명명하였다.[22] 젠더 역할 지향성과 건강 위험 요소의 상관성을 분석한 한 연구에 따르면, 생물학적 속성이 아닌 여성성의 문화적 코드가 정신건강을 비롯한 건강의 위험을 평가하는 데 있어서도 남성성보다 더 건강하다고 평가된다.[23] 치유 담론의 영향력 확대는 한편으로 남성성에 대한 가치를 부식시키면서 성적 차이에 관한 문화적 경계 설정을 유연하게 만드는 데 기여하기도 한다.[24] 치유 문화가 연약한 주체성을 부양한다는 퓨레디의 주장에 대해 한 페미니스트는 퓨레디의 이론적 논의가 남성성에 대한 위기와 불안의식을 반영하고 있다고 비판하였다.[25] 스완(Elaine Swan)은 치유 문화가 추동하는 주체성의 취약함에 대한 불안이 치유 문화가 부양하는 여성성에 대한 긍정적 평가와 여성적 자아를 이상적 자아로 표상하는 것과 관련되어 남성 지식인이 느끼는 남성성에 대한 불안을 반영한 것이고 그러한 무의식의 그의 이론적 프레임을 형성하게 되었다고 비판하기도 하였다.[26]

한편으로 치유 문화가 부양하는 감정주의는 여성성의 새로운 재생산 담론으로 기능한다고 비판되기도 한다. 베커(Dana Becker)는 리프(Philip Rieff)의 '심리적 인간'의 탄생에 빗대어 '심리적 여성'의 탄생을 분석하면서 치유 담론이 미국 백인 중산층 여성들의 새로운 여성성의 세련화(洗鍊化)

---

21) Illouz, 2008 ; Swan, E., "'You make me feel like a woman': therapeutic cultures and the contagion of femininity", *Gender, Work and Organization* 15(1), 2008, pp.88~107.

22) Illouz, 2008, p.126.

23) Kaplan, M. S. & G. Marks, "Appraisal of health risks: the role of masculinity, femininity and sex", *Sociology of Health & Illness* 17(2), 1995, pp.206~221.

24) Illouz, 2008.

25) Swan, 2008.

26) Swan, 2008.

담론으로 치유자로서의 모성과 여성상을 새로운 여성 젠더의 이미지로 재구성하고 있음을 분석하였다.[27]

유물론적 페미니스트 시각에서 치유 문화는 '정치적인 것'(the political)에 관한 사유를 '치유적인 것'(the therapeutic)으로 대체하는 경향을 강화시켰다는 부정적인 평가를 받기도 한다.[28] 페미니스트 문화연구자인 클라우드(Dana L. Cloud)는 치유적인 담론은 개인들의 고통이 배태된 사회적 권력의 체계를 개혁하려는 시도보다는 수사적인 위로를 제공하면서 사람들로 하여금 개인의 자아와 사적인 삶의 정교화에 몰두하게 만들기 때문에 보수적으로 기능한다고 비판하였다.[29]

이 글은 치유 담론이 여성의 억압과 고통을 사회적으로 논의하는 장을 확장하였다는 평가를 재고하면서 여성문제를 사유하고 문제화하는 방식에서 치유 담론이 페미니즘 정치학에 끼친 영향을 비판적으로 살펴보고자 한다. 또한 치유적 통치의 실행과 관련해서 치유 문화가 담론적으로 구성하는 주체의 성격과 치유적 세계관이 페미니즘의 정치학에 미치는 영향이 무엇인지 검토하고자 한다. 치유 담론은 여성들이 경험하는 고통을 사회적으로 인정받을 수 있는 공적 언어를 제공하기도 하지만 한편으로 여성들이 자신의 고통을 인식하고 해석하는 '사유의 양식'과 '세계관'을 형성하기도 하기 때문이다.

페미니즘 시각에서 치유 문화를 비판적으로 점검해야 하는 이유는 치유의 패러다임이 주체성과 사회를 관리하는 새로운 통치의 형식으로 변화되고 있고 개인들의 고통에 대한 치유적 인정과 위로가 권력의 새로운 테크놀로지로 기능하고 있기 때문이다. 또한 치유적인 프레임 속에서는 사회변화를 위한 정치적 주체성을 사유하기 어렵기 때문이기도 하다. 치유적인

---

27) Becker, D., *The Myth of Empowerment: Women and the Therapeutic Culture in America*, New York: New York University Press, 2005 ; Rieff, 1966.

28) Cloud, 1998.

29) Cloud, 1998, p.xiv.

것과 정치적인 것의 관계 설정은 페미니즘 정치학에 중요한 이론적 함의를 갖는다. 삶의 고통을 호소하고 변화를 갈망하는 개인들의 열망과 노력을 개인 자존감의 증진으로 대체하면서 개인적인 문제 해결능력을 고양하는 문제로 환원하는 치유적 사유가 사회 전체의 변화를 위한 정치적이고 집합적인 주체성에 대한 사유를 어떻게 가로막고 있는지 비판적으로 점검해보는 것은 페미니즘의 정치적 주체성에 대한 새로운 가능성을 탐색하는 데에 중요한 출발점이 될 수 있기 때문이다.

III. 개인적인 것은 정치적이다 : 개인적인 것과 치유적인 것, 그리고 정치적인 것의 관계

1. 페미니즘 제2물결과 심리학

'개인적인 것은 정치적이다'라는 구호는 페미니즘 제2물결을 대표하는 상징적 슬로건으로 여성의 경험을 사적인 것으로 치부해왔던 정치적인 것과 사적인 것 사이의 이분법 자체를 문제시하면서 여성이 경험하는 매일의 일상적 활동이 정치적인 의미를 갖는다는 주장을 담고 있다. 이는 전통적으로 정치적이라고 여겨진 통치와 법, 연설과 선거운동, 데모행진과 같은 공적인 정치적 영역뿐만 아니라 사적 영역, 특히 가족관계와 섹슈얼리티의 문제 등에서 성별위계와 가부장제적 폭력이 어떻게 실행되는지 파악하고 단지 개인적이고 사적인 문제라고 여겨진 영역에서 성별에 따른 권력과 위계가 작동한다는 점을 비판적으로 인식해야 한다고 주장하였다.

페미니즘은 근대사회의 공적 영역과 사적 영역에 대한 이분법이 어떻게 공적인 삶을 남성에게 배분하고 여성은 가정과 사생활과 연관된 존재로 규정하면서 근대의 성별이분법과 성역할 고정관념을 강화해왔는지 비판해왔다. 정치적인 영역과 사적인 영역 사이의 이분법에 기반한 근대의 사유체계에서 여성문제는 사생활의 영역, 즉 공적인 영역에서 배제된 가정과 친밀성의 영역과 관련된 것으로 여겨졌고 이러한 영역에서 발생하는 문제는 공적인 의제가 아닌 개인들 간의 사적인 문제나 사생활의 문제라고 간주되었기 때문이다. 페미니즘 제2물결은 가정폭력과 성폭력, 피임과 낙태의 권리 등 친밀성에 내재한 권력관계와 섹슈얼리티 영역에서의 폭력과 권력관계를 비판적으로 사고하면서 기존의 공적 영역이라고 여겨진 시민권이나 교육과 직업에서의 기회균등의 문제뿐만 아니라, 일상과 사생활, 여성들의 개인적 경험을 둘러싼 사적 영역 속에서 어떻게 가부장제적 권력관계가 뿌리 깊게 작용하는가를 인식하는 것으로부터 페미니즘 인식을 확대하고자 하였다.

급진 페미니스트들은 정신분석학이나 심리학은 사회적 병리의 일차적인 생산의 책임을 모성과 관련지어 비난할 뿐만 아니라 여성의 종속적 지위와 여성의 역할을 가정에 한정하는 관념을 재생산한다고 비판하였다.[30] 한편으로 페미니즘은 심리학적인 프레임을 활용하여 사생활과 관련된 문제를 공적인 토론의 문제로 만들었다는 점에서 여성문제에 대한 사회적 인식의 확산에 치유 문화가 기여하였음을 긍정적으로 평가한다.[31] 이와 같이 페미니즘과 심리학이 적대적 관계와 동시에 동맹적 관계를 맺어온 역사에 대해 역사학자 허만(Ellen Herman)은 "신기한 구애관계"(curious courtship)라고 평하기도 했다.[32] 페미니즘과 치유 담론은 공통적으로 남녀관계와 친밀성, 가족과 섹슈얼리티 등 사적인 영역이 개인들의 젠더 정체성과 인성 형성의 핵심적인 장소라는 문제 설정을 공유하였다. 페미니즘은 여성의 억압과 성별위계의 문제를 사회적인 의제로 제기하면서 심리학적 담론이 자아를 점검하고 검토하는 방식을 차용하였고 이것을 억압에 대한

30) 밀레트, 케이트, 정의숙·조정호 역, 『성의 정치학』, 서울: 현대사상사, 1976 ; 파이어스톤, 슐라미스, 김예숙 역, 『성의 변증법』, 서울: 풀빛, 1983.

31) Illouz, 2008 ; Wright, 2008.

32) Herman, E., *The Romance of American Psychology: Political Culture in the Age of Experts*, Berkeley: University of California Press, 1995, p.276.

해결방안의 기초로 간주하였다. 또한 사적 영역을 객관적인 평가의 대상이 되게 하는 감정의 합리화와 공론화의 과정에 동참하였다.[33] 사적인 문제로 여겨진 가족, 섹슈얼리티, 성별 관계에서의 위계와 폭력 등을 공적인 이슈로 만들면서 페미니즘과 치유 담론은 개인적인 것을 공적이고 사회적인 문제로 제기하는 프레임을 공유하였다. 페미니즘 제2물결에서 정치적인 것과 치유적인 것의 구분이 페미니즘 운동의 중요한 화두가 되었던 배경에는 치유적인 프레임을 통해 사적인 문제를 정치적인 의제로 제기한 페미니즘과 심리학의 공모 관계가 존재했기 때문이다.

2. 치유적인 것과 정치적인 것을 구분한 의식고양 운동

'개인적인 것은 정치적이다'라는 문장을 처음 사용한 사람은 1969년 해니쉬(Carol Hanisch)였다.[34] 해니쉬 글의 초고는 의식고양 운동이 단지 치유 요법(therapy)에 불과한 것이라고 반대하며 새로운 여성해방운동이 정말로 '정치적인가'하는 의문을 제기한 민권운동가 젤르너(Dottie Zellner)의 문제제기에 대한 응답 형식의 메모로 작성되었다는 점[35]에서 치유 담론과 페미니즘 사이의 관계를 성찰하는 데 유용한 출발점을 제공한다.

초기 여성 의식고양 운동은 소모임 집단 토론의 활성화를 통해 여성주의 의식의 각성을 도모하였다. '의식고양'(consciousness-raising)이라는 용어의 고안자인 사라차일드(Kathie Sarachild)에 따르면, "의식고양은 모든 여성들이 우리의 억압에 관해 가지고 있는 잠재적인 의식을 일깨우기 위한 것"이다.

---

33) Illouz, 2008, pp.120~122.

34) 해니쉬는 「두 번째 해로부터의 노트 : 1970년 여성해방」에서 자신의 글에 "개인적인 것은 정치적이다"라는 제목을 붙인 것은 편집자였던 파이어스톤(Shulie Firestone)과 코엣(Anne Koedt)이라고 회상하였다(Hanisch, C., "Introduction", 2006, http://www.carolhanisch.org/CHwritings/PIP.html).

35) 초고의 제목은 「여성해방운동에 관해 도티가 제기한 문제에 응답하는 몇 가지 단상(Some Thoughts in Response to Dottie's Thoughts on a Women's Liberation Movement)」이었다(Hanisch, 2006).

의식고양 운동은 여성들이 "개인적인 문제를 사회적 이슈가 되어야만 하는 사회적 문제이자 함께 투쟁해야 하는 문제로 이해하는 것을 돕는 것"을 목표로 하였다.[36] 의식고양 운동은 여성들이 자신들의 고통과 경험을 서로 공유하면서 각자의 개인적인 고통의 경험이 여성이라는 젠더의 사회적 삶을 구성하는 질서에 의해 야기되는 것이라는 분석을 통해 남성중심적인 사회를 비판하는 집합적 실천으로 이어질 수 있다는 신념에 기반한 것이었다.

하지만 여성운동 안에서 의식고양에 초점을 맞추는 집단은 페미니즘 실천의 문제와 관련하여 비판에 직면하였다. 몇몇 여성들은 의식고양이 단지 테라피의 형식이라고 부정적으로 평가했다. 페미니스트 저널 미즈에서 의식고양이 토론될 때마다 집단 토론은 여성들의 자아의 개선을 강조하는 집단 테라피처럼 묘사되곤 하였다.[37]

해니쉬는 개인적인 것을 치유적인 것으로 연결짓는 사유의 방식을 비판하고 '치유적인 것'(the therapeutic)과 '정치적인 것'(the political)의 구분을 명확히 하고자 하였다. 그녀의 구분에 따르면, '치유적인 것'은 억압된 여성의 경험을 아픈 것으로 규정하여 치유가 필요한 질병으로 바라보기 때문에 개인을 변화시켜 사회에 적응시키려는 사고체계이다. 이에 비해 '정치적인 것'은 여성들이 속한 사회경제적 조건을 변화시키려는 노력이다.[38] 해니쉬가 정의하는 의식고양 운동은 집단 소모임 활동을 통해 여성들이 토로하는 개인적인 문제를 즉각적으로 해결하는 것을 목적으로 한 활동은 아니었다. 의식고양을 위한 집단 토론은 모임에 토론 주제를 제안하고 질문에 대한 답을 찾는 과정에서 여러 여성들이 그 문제에 대한 자신들의 경험과 생각을 각자 말하고 토론한 후에 마지막에 가서 여성들의 경험을

36) Becker, 2005, p.142.
37) Becker, 2005, pp.142~143.
38) Hanisch. C., "The Personal is political", 1969.
http://www.carolhanisch.org/CHwritings/PIP.html

일반화할 수 있는 지점을 정리하고 사회구조와 개인들의 경험의 연관성을 풀어서 해석하는 작업으로 진행되었다. 해니쉬는 이러한 분석적인 과정이 정치적인 형식일 수 있다고 주장하였다. 해니쉬는 자신은 자신이 해결할 수 없는 개인적인 문제를 가지고 있고 이것을 해결하기 위해서 모임에 참여하는 것이 아님을 분명히 했다. 의식고양 모임의 목표는 개인들이 직면한 문제가 여성 개개인의 사적인 문제가 아니라 정치적인 문제임을 자각하는 것이고, 이 지점에서 여성주의적 정치적 행위로서 집단 토론이 기능하게 된다고 보았다. 의식고양 모임은 개인적인 문제 해결이 아니라 "집합적인 여성들을 위한 집합적인 해결"을 도모하는 것임을 강조하였다.[39)]

급진 여성운동 <레드스타킹(Redstockings)>의 선언문에서도 치유적인 것과의 거리두기가 분명하게 표명되었다.

> 우리의 주된 임무는 경험을 공유하고 우리의 제도의 성차별주의적 토대를 공적으로 노출시킴으로써 여성 계급의식을 발전시키는 것이다. 의식고양은 테라피가 아니다. 테라피는 개인적인 해결을 도모하고 남성과 여성의 관계가 순전히 개인적이라는 가정을 담고 있기 때문이다.[40)]

여성해방운동가들은 의식고양 모임을 치유적인 자조모임과는 다른 정치적 소모임 활동으로 정체화하였지만 실제 집단 토론에서 둘 사이의 관계를 분명하게 나누는 것은 쉬운 일이 아니었다. 의식고양 운동에 참여했던 한 페미니스트는 집단 토론이 테라피는 아니지만 실제적으로 여성들이 자아를 비난하는 경향을 줄이고 기분을 더 나아지게 만든다는 점에서 치유적인 성격을 가졌다고 평가했다. 다른 참여자는 무조건적으로 동료들의 경험을 수용해주는 자조 집단과 같은 성격도 있었다고 회상했다.[41)]

---

39) Hanisch, 1969.

40) Shreve, 1989 : Cloud, 1998, p.110에서 재인용.

여성들의 개인적인 문제를 통해 집단으로서의 여성의 억압을 인식하고 집합적인 실천을 통해 개인적인 문제를 정치적인 의제로 제기한 의식고양 운동의 문제의식은 실천 속에서 치유적인 것과 뒤섞이게 되었다.

3. 의식고양 운동의 한계와 정치적 주체화의 어려움

개인적인 문제를 통해 여성 억압의 공통적인 경험을 도출하고 이를 통해 집합적인 여성들의 정치적 행동으로 이어질 수 있다는 의식고양 운동의 신념은 실제적인 집단 토론의 과정에서 많은 난관에 부딪혔다. 개인적인 것과 정치적인 것 사이의 연결고리를 분석해내는 것은 생각보다 쉽지 않은 작업이었다. 의식고양에 참여했던 페미니스트 페인(Carol Payne)은 집단 토론 과정에서 개인적이고 심리적인 것에 중점을 두길 선호하는 사람들과 개인적인 문제 해결보다는 사회적인 집합적 행동으로 이어질 수 있는 연결점을 찾고자 하는 사람들 사이에 갈등이 항상 존재했다고 회상하였다. 그리고 의식고양 운동 참여자들은 모임에서 실질적으로 여성해방운동이 무엇을 해야 하는가에 대한 질문에 대해 모임의 성원들이 쉽게 대답하지 못했음을 인정하기도 하였다.[42] 대부분의 실제적인 의식고양 집단 토론에서는 명백하게 정치적인 분석이나 종합적 추상화나 다른 사람들의 분석이나 경험에 대해 논평을 하기를 회피하는 경향이 존재했다. 이와 같은 집단 토론에서 일관된 정치적 의제가 산출되기는 어려운 환경이었다.[43]

미국 여성해방운동에서 여성들이 자기 삶에 대해 불만을 가지고 변화를 원한다는 사실은 정치적 이해를 공유하는 하나의 계급으로서 여성을 정치적 주체로 구성하는 문제와 혼동되었다. 미국 심리학의 역사에서 페미니즘

---

41) Becker, 2005, p.143.

42) Payne, W. C., "Consciousness raising: a dead end?", A. Koedt et al. (Eds.), *Radical Feminism,* New York: Quadrangle, 1973, p.283.

43) Cloud, 1998, p.111.

과 심리학의 관계를 연구한 허만은 페미니즘 제2물결에서 정치적인 것으로부터 개인적인 것을 분리하지 않을 수 있었던 이유를 "여성들이 개인적으로 경험하는 고통에 공통된 억압의 토대가 있다는 전제를 가지고 있었기 때문"이었다고 설명하였다.44) 즉 미국의 1960~70년대 여성해방운동은 여성을 정치적인 주체로 이미 전제함으로써 여성들의 고통의 경험 자체를 정치적 억압을 증언하는 자료로 간주했다는 것이다. 페미니즘 제2물결에서 치유적인 것과 정치적인 것을 대립적으로 사유하면서 개인적인 것과 정치적인 것을 통합할 수 있었던 것은 이와 같은 대문자 여성(Woman)이라는 정치적 주체를 가정할 수 있었기 때문이었다. 페미니즘 제2물결은 백인 중산층의 교육받은 여성들의 '경험'을 페미니즘의 정치적 분석이나 정치적 행동의 공통된 전제로 삼았고 여성의 고통을 표현하는 것과 정치적 주체화를 동일시했다.

클라우드는 페미니즘 제2물결에서 많은 페미니스트들이 의식고양을 급진주의 페미니즘에 의해 고안된 인식론적인 방법으로 주장하였음에도 불구하고 의식고양 운동은 여성을 치유와 위안의 사적 영역에 속하는 존재로 개념화하는 전제를 암묵적으로 수용하고 확산하는 데 기여했다고 평가하였다.45) 실제적으로 의식고양은 사회의 근본적인 변화에는 관심이 덜한 중산층과 상류층 여성들에게 호소력을 가지고 있었다.

1970년대 중반 이후 여성들 내부의 차이, 즉, 계급과 인종, 성정체성 등에 따라 여성들의 경험은 다양할 수 있다는 차이의 문제가 본격적으로 대두하였고 집합적인 여성 경험의 공통성에 대한 가정은 백인, 중산층, 이성애 중심적인 페미니즘이라고 도전받기 시작하였다. 또한 1970년대 이후 젠더 불평등에 대한 인식이 미국 사회 전반으로 확산되고 페미니즘이 학제적 연구와 이론으로 발전하면서 여성주의 의식의 형성과 여성의 자아 발견이라는 문제는 여성주의 심리상담의 전문화와 자조 문헌, TV 드라마

---

44) Herman, 1995, p.300.

45) Cloud, 1998, p.110.

등의 다양한 대중문화 속으로 흡수되었다.

Ⅳ. 여성주의 심리상담의 전문화와 탈정치화

1. 테라피와 페미니즘의 행복한 만남 : 여성주의 심리상담

의식고양 운동의 치유적 가치는 몇몇 여성해방운동가들에 의해서는 문제적인 것으로 비판되었지만 여성주의 심리학자와 심리상담가들에게는 대안적인 심리치유의 모델로 여겨졌다. 의식고양 운동에 참여했던 여성들 중에서 여성문제에 대한 전문 상담의 필요성을 인식한 사람들은 인도자 없이 진행되었던 집단 상담의 한계를 인식하였다. 여성들이 겪는 개인적인 문제들을 해결하기 위해서는 전문적인 여성 심리상담가가 주관하는 개인적 상담이나 집단 상담이 필요하다는 문제의식이 확산되면서 여성주의 심리상담의 필요성이 제기되었다. 또한 많은 의식고양 운동의 참여자들이 동시에 심리 전문가들이기도 했다는 점에서 여성주의 심리상담의 발전은 자연스러운 것이었다.

페미니즘 정치학과 여성주의 심리상담이 행복하게 결합할 수 있다고 강력하게 주장한 여성주의 심리상담가 브라운(Laura Brown)은 "여성주의 심리상담은 단지 개인의 고통에 주목하는 것이 아니라 고통과 치유 둘 다의 사회적이고 정치적인 의미에 관심을 두는 것"이라고 보았다. 그녀는 여성주의 심리상담의 목표를 "페미니스트 행동을 향한 의식과 운동의 창조"에 있다고 보았고 여성주의 심리상담의 가장 중요하고 일차적인 '고객'은 문화이고 여성주의 심리상담가가 가장 헌신해야 할 임무는 '급진적인 사회변화'라고 주장하였다.[46]

---

46) Brown, L., *Subversive Dialogues: Theory in Feminist Therapy*, New York: HarperCollins, 1994, p.17.

여성주의 심리상담은 치유적인 것 자체를 정치적인 것을 포괄하는 의미로 받아들이기도 했다. "치유로서의 페미니즘"(Feminism as Therapy)을 제안한 저자 중 한 사람인 러쉬(Anne K. Rush)는 페미니즘은 테라피가 아니라 정치적 독트린이라는 주장으로 여성주의 심리상담의 이념에 비판적으로 반응하는 사람들에 대해 다음과 같이 반박하였다.

> 페미니즘은 엄밀하게는 정치적인 것을 **포함하기** 때문에 치유적인 것이다. 개인적인 것과 정치적인 것을 통합하는 것은 치유적인 것이다. 여성들이 사적인 체계뿐만 아니라 공적인 체계에 스스로가 연결되어 있다는 것을 인식하고 영향력을 행사하는 것의 중요성을 깨닫는 것은 특히 중요하다.[47]

러쉬는 정치학에 대한 페미니스트의 정의가 "권력과의 관계"라고 봤을 때 모든 테라피는 명백하게 또는 간접적으로 우리가 권력과 관계하는 방식에 대해 가르쳐 준다고 주장하였다.[48] 러쉬는 "개인적인 것과 정치적인 것의 윤리적 분열을 삭제하고 여성들에게 그들의 억압과 아픔의 사회적 뿌리를 지적해주는 것을 여성주의 심리상담의 중요한 역할"로 간주하였다.[49] 그녀는 여성주의 심리상담가로 자신을 정체화한 이유를 "독트린으로서의 페미니즘은 나에게 심리치료의 인간 상호작용을 위해 '가장 건강한'(healthiest) 모델을 체화한 것으로 여겨졌기 때문"이라고 답변하였다.[50] 이와 같은 러쉬의 주장이 가능했던 것은 1960년대의 성해방운동과 심리학의 발전이 교차하면서 "해방된 섹슈얼리티가 정서적 건강과 정치적 해방을 동시에 의미"하게 되었고 치유 담론과 페미니즘은 친숙하게 서로의 언어를 차용할 수 있는 토대가 형성되었기 때문이었다.[51]

---

47) Rush, A. K., "What is feminist therapy?", A. V. Mander & A. K. Rush, *Feminism as Therapy*, New York: Random House, 1974, p.49.

48) Rush, 1974, pp.50~51.

49) Rush, 1974, p.50.

50) Rush, 1974, pp.38~39.

미국사회에서 여성주의 심리상담은 심리학의 가부장제적 편견을 비판하고 젠더의 차이에 대한 인식을 포함하여 인종과 문화, 성정체성 등의 다양한 차이에 대한 인식을 포함하는 여성주의적 심리상담의 발전에 기여하였다. 치유 전문가 중 여성의 비율이 높아지고 여성들이 치유 산업의 주된 소비자로 등장하면서 심리학계에서도 페미니스트들의 심리학에 대한 비판–남성과 여성에 대한 프로이드학파의 본질주의적 가정, 분석적 관계에 대한 젠더맹목성, 행동주의 심리학에 대한 비판–등에 귀를 기울이게 되었고 여성주의 심리학과 여성주의 심리상담의 제도화의 공간이 확장되었다. 여성주의 심리상담은 양성평등의 상담가 윤리를 주장하고 분석가와 피분석자 사이의 수직적 위계관계를 수평적인 방식으로 바꾸려고 노력하였다. 또한 구체적인 여성들이 겪는 삶의 맥락에서 여성들의 경험을 이해하기 위해 인종과 계급, 종교, 문화, 섹슈얼리티 등의 차이를 예민하고 포괄적으로 고려하는 심리상담을 발전시키고자 노력하였다.[52]

2. 내면으로부터의 혁명 : 자존감을 증진하라는 치유적 명령

의식고양의 과정과 테라피를 동일한 것으로 간주하였던 초기 여성주의 심리상담가들과 몇몇 급진적인 여성주의 상담가들은 치유의 정치적인 역할을 강조하면서 여성주의적 주체 형성에 심리상담이 기여할 수 있는 바에 대한 고민을 이어갔다. 하지만 대체로 여성주의 심리상담은 심리학과 상담이론에 내재한 가부장적 편견과 성역할 고정관념에 저항하고 양성성(androgynous)에 대해 유연하고 여성의 삶의 질을 향상 시키는 문제에 집중하였다. 즉, 여성주의 심리상담은 여성들이 처한 고통과 개인적 경험의

---

51) 일루즈, 2010: 62.

52) Enns, C. Z., "Twenty years of feminist counseling and therapy: From naming biases to implementing multifaceted practice", *The Counseling Psychologist* 21, 1993, pp.3~87 ; 김민예숙, 「미국과 한국의 여성주의상담 역사 비교 분석」, 『한국심리학회지 : 여성』 16(2), 2011, 197~218쪽.

사회적 맥락을 분석적으로 접근하면서 여성들의 문제 해결을 돕고 여성들의 개인적인 자각과 자부심을 증진하는 '여성을 위한' 심리상담을 주된 목적으로 삼았다.

여성주의 심리상담에서 강조된 페미니즘적 관점에서의 치유적 효과는 여성들이 테라피를 통해 자기비난이나 혐오를 극복하고 자신감을 증진하게 된다는 점이다. 증상의 개선이나 감소에 강조점을 두는 전통적인 심리상담의 효과를 측정하는 기존 논의를 비판한 여성주의 심리상담가들은 "여성의 최적의 정신건강과 안녕의 상태"로 상담의 성과를 측정하는 기준을 변경하기도 하였다.[53] 워렐과 챈들러는 "자신을 자각하면서 확신을 가지고 여성이 가지는 문화적 강제력, 불평등한 성으로부터 강요되는 제약을 인식·자각하는 여성을 건강한 여성이라고 정의"하였다.[54] 스트레스를 다루는 능력과 자존감, 자기 신뢰, 적응유연성 등은 여성주의 심리상담이 지향하는 건강한 여성의 상이었고 심리상담의 목표는 여성의 내적인 힘을 기르고 적응유연성을 높이는 것이었다. 기존의 치유적 모델에 대해 거리를 두고 있지만 여성주의 심리상담가들이 제안한 대안적인 치유적 효과는 개인적인 자아존중감(self-esteem)의 향상에 중점을 둔 것이었다.

미국사회에서 전개된 대중적인 여성주의 담론과 여성주의 심리상담은 사회 안에서 체계적으로 존재하는 성차별과 여성 억압에 대해 비판하면서도 여성 개인이 능력개발과 공정한 경쟁을 통해 남성과 동등한 지위에 도달할 수 있다는 자유주의적 페미니즘의 성격을 내포하였다.[55]

스타이넘(Gloria Steinem)의 『내면으로부터의 혁명(*Revolution From Within*)』은 자조 심리학 운동의 언어로 자유주의적 페미니스트 프로젝트를 대중화한 대표적인 저작이라고 할 수 있다. 스타이넘은 1991년 페미니스트

---

53) 이지연, 「여성주의 상담의 적용실제와 방향」, 『한국심리학회지 : 상담 및 심리치료』 16(4), 2004, 773~791쪽.

54) Worell & Chandler, 1996 : 이지연, 2004, 776쪽에서 재인용.

55) Cloud, 1998, p.113.

잡지 『미즈(*Ms.*)』에서 자신의 책을 소개하면서 다음과 같이 말했다. "70년대와 80년대 우리는 개인적인 것은 정치적이라고 배웠다. 90년대에 세계는 '정치적인 것은 개인적인 것이다'라는 것을 배워야만 한다."56) 스타이넘은 여성들의 낮은 자존감(self-esteem)을 어린 시절의 경험에 기인하는 것으로 바라보면서 내면의 어린아이를 치유하고 돌봄으로써 자아 존중감을 증진시킬 수 있다고 보았다. 스타이넘은 사회적으로 만연한 가정폭력과 10대 임신, 마약과 알코올 중독 등 자기 파괴적이거나 타인에게 폭력을 가하는 행위들에 대한 해결책으로 자존감 회복을 강조한 캘리포니아의 자존감 향상 프로젝트를 소개하면서 우리 자신의 자연적이고 내적인 지혜가 내면으로부터 혁명을 성취할 수 있다고 주장하였다.57)

1980년대에 캘리포니아에서는 자존감과 개인적, 사회적 책임감을 증진하기 위한 위원회를 구성하였는데, 위원회는 사람들이 높은 자존감을 갖는 것을 개인적, 사회적 책임을 인식하는 행위와 동일한 것이라고 주장하였다. 그리고 자아 존중감이라는 개념은 개인적인 심리적 안녕감의 증진뿐만 아니라 범죄와 폭력을 비롯한 학대와 10대 임신, 만성 복지 의존자들과 교육적 실패 등의 사회 전체의 문제를 극복할 수 있는 "사회적 백신"(social vaccine)이 될 수 있다고 논의하였다.58) 최근 미국사회 치유 담론 속에서 자아 존중감은 개인에게 사회 전체의 질병과 문제를 극복할 수 있는 힘을 줄 수 있는(empower) 감정 혹은 역량으로, 개인이 연마하고 증진시켜야 하는 가장 핵심적인 자아의 테크놀로지로 논의되고 있다.59)

---

56) Cloud, 1998, p.113에서 재인용.

57) Steinem, G., *Revolution From Within: A Book of Self-Esteem*, Boston: Little, Brown, 1992, pp.26~33.

58) Cruikshank, D., *Will to Empower: Democratic Citizens and Other Subjects*, Ithaca and New York: Cornell University Press, 1999, p.102.

59) Becker, 2005, pp.31~35.

3. 여성주의 심리상담에 대한 페미니스트의 내부 비판

심리학에 대한 급진적 비판을 전개하고 있는 페미니스트 키징거(Celia Kitzinger)는 여성주의 심리상담이 '개인적인 것은 정치적이다'라는 페미니스트 슬로건의 문제의식을 탈정치화하고 있다고 비판하였다. 그녀는 여성주의 심리학 문헌들을 검토하면서 '개인적인 것은 정치적이다'라는 말의 의미가 다음의 네 가지로 구분되어 사용되고 있음을 분석하였다. 첫째, 정치적이고 사회경제적이고 환경적인 관심을 개인적인 심리의 문제로 사사화(私事化)하는 경향이 있다. 둘째, 외부의 실제적인 혁명보다는 '내면으로부터의 혁명'의 문제에 천착한다. 셋째, 무비판적으로 여성의 경험을 인준한다. 이는 여성들이 공통의 경험을 하게 되는 사회적·정치적 요소를 무시하게 된다. 넷째, 심리학 담론에서 사용되는 임파워먼트(empowerment) 개념은 개인적인 것과 정치적인 것을 근본적으로 구분되는 것으로 바라보는 시각에 의지하여 형성된 것이다.[60]

키징거는 미국사회의 여성주의 심리학과 여성주의 심리상담이 여성들의 경험에 대한 정치적 분석이나 실제적인 정치적 권력의 문제에는 관심을 두지 않고 "내면으로부터의 혁명"과 여성 경험의 "유효화"(validation)에 집중하여 임파워먼트에만 집중함으로써 개인적인 것을 정치화하기보다는 정치적인 것을 개인화하는 경향이 있다고 비판하였다.[61] 그녀의 주된 비판의 논점은 여성주의 심리상담가들은 종종 여성들이 자신의 "진실한 감정"(true feeling)을 무비판적으로 수용하고 심리학자들의 용어로 여성의 삶을 '교묘히'(manipulative) "재해석"(reinterpretations)하는 것으로 사회 변화가 자동적으로 성취될 수 있다는 '순진한'(naive) 관념을 가지고 있다는

60) Kitzinger, C., "Depoliticising the personal: a feminist slogan in feminist therapy", *Women's Studies International Forum* 16(5), 1993, p.488.

61) Kitzinger, C., "Therapy and how it undermines the practice of radical feminism", D. Bell and R. Klein (eds.), *Radically Speaking: Feminism Reclaimed*, Melbourne: Spinifex Press, 1996, p.100.

것이다.[62] 키징거는 "페미니즘과 심리학이 상호 배타적인 것은 아니고 때로 정말로 훌륭한 여성주의자인 심리학자들이 존재하지만 페미니즘과 심리학은 논리적으로 윤리적으로, 그리고 정치적으로 양립가능하지 않다"고 평가하면서 개인적인 것이 정말로 정치적이기 위해서는 심리학을 거부해야 한다고 주장하였다.[63]

키징거의 이와 같은 심리학에 대한 급진적 비판은 미국 사회에서 대중적으로 수용되고 정착된 심리학의 성격에 대한 비판적 성찰과 연관된 것이다. 미국사회의 치유 담론은 개인의 사회정치적 맥락을 고려하는 것보다 주어진 사회적 환경에 개인을 적응하는 문제에 더 치중하는 경향이 있었다. 정신분석학은 다양한 해석과 응용이 가능한 학문이지만 미국사회에서 수용되면서 사회적 적응을 강조하는 자아심리학으로 발전하였다. 대표적으로 프로이트의 자아 개념은 근대 핵가족 관계와 더 넓은 사회적 맥락 속에 위치해 있는 개념임에도 미국사회에 수용되면서 사적인 내면의 영역에 위치하는 것으로 개념화되었다.[64]

페미니즘 제2물결에서 의식고양은 여성억압적인 가부장제 하에서 여성의 피해를 인식하고 여성들 사이의 고통의 공통성을 공유함으로써 계급의식이나 연대의식을 바탕으로 한 페미니스트 정체성을 형성하는 과정을 포함하는 것이었다. 또한 가부장적인 사회 구조로 인해 발생하는 억압과 고통의 문제에 대한 해결은 사회 자체의 변화를 도모하는 실제적인 여성들의 정치적 행동을 필요로 하는 것이었다. 미국의 여성주의 심리학과 여성주의 심리상담 내에서 페미니스트 의식고양은 점차 자존감 증진과 임파워먼트라는 용어로 대체되고 있는 양상이다. 초기 사회 변화를 위한 여성주의 심리상담의 페미니즘 운동적 관점은 점차 희석되고 여성 고객들을 위한 양성평등 관점에서의 서비스 제공과 분과학문체계의 전문화를 위한 노력에

62) Kitzinger, 1996, p.100.
63) Kitzinger, 1996, pp.100~101.
64) Cushman, 1995, p.148.

주력하는 양상이다. 최근 미국사회의 여성주의 심리상담은 여성을 사회 변화의 주체로 보기보다는 기존의 가부장적 사회에 여성이 잘 적응할 수 있도록 돕고 상담의 목표 역시 개인주의적인 성공과 성취의 모델에 치중하고 있다는 여성주의 심리상담가들의 내부로부터의 성찰과 비판에 직면하고 있다.[65]

V. 치유 문화가 부양하는 취약성(vulnerability)과 치유적 자아(therapeutic self)

1. 매맞는 여성운동에서의 치유상담에 관한 성찰

가정폭력, 성폭력 등 가부장제적 폭력의 문제를 제기하면서 페미니스트 활동가들은 치유적인 프레임을 많이 활용해왔고 이와 같은 폭력이 여성의 육체에 가하는 피해뿐만 아니라 심리와 자아에 미치는 치명적 손상의 문제도 제기하였다. 또한 폭력을 당한 여성들을 위한 다양한 심리상담과

65) Enns, 1993, p.16 ; Becker, 2005, p.145 ; 김민예숙, 2011, 212~213쪽. 미국과 한국의 여성주의 상담의 역사를 비교 연구한 김민예숙에 따르면, 미국의 여성주의 상담은 전문성은 향상되었지만 여성주의 정신이 지켜지고 있는지를 성찰하는 단계에 있는 반면, 한국의 여성주의 상담은 상담활동가 중심으로 발전하여 여성주의의 실천적인 정신을 바탕으로 하지만 여성주의 상담을 원하는 사람들의 요구에 비해 전문인력이 부족하기 때문에 여성주의 상담전문가의 양성이 필요한 단계라고 진단하였다(김민예숙, 2011, 212~213쪽). 여성주의 의식을 가진 전문 상담가조차 부족하고 여성주의 상담이 전문적으로 발전하지도 못한 한국적 상황에 비추어 여성주의 상담에 대한 비판은 시기상조일 수도 있다. 하지만 여성주의 상담이 미국과 같은 전문화의 모델을 따라야 하는지, 여성주의 실천성을 기반으로 한 여성주의 심리상담의 발전은 어떤 방향이어야 하는지에 대한 고민과 토론이 필요한 시점이라고 할 수 있다. 김민예숙은 여성주의 상담을 위한 교육기관의 필요성과 함께 여성주의 철학에 기반한 상담전문가의 양성, 여성주의 운동의 실천으로서의 여성주의 상담이라는 모델의 개발, 그리고 여성상담가의 작업 조건의 향상을 위한 제도적 노력 등을 앞으로의 과제로 제언하였다(김민예숙, 2011, 213~214쪽).

치유 프로그램을 제공하며 폭력 피해 여성들의 회복을 돕는 활동을 활발히 전개하고 있다.

심리상담이 내포하는 치유적 세계관이 고통을 겪는 여성들과 폭력의 피해자를 지원하는 여성 활동가들에게 미치는 영향에 대해서는 만(Bonnie Mann)의 『매맞는 여성과 작업하기 : 급진적 교육인가 혹은 테라피인가?(*Working with Battered Women: Radical Education or Therapy?*)』를 통해 살펴볼 수 있다. 1981년부터 여성들의 자조 모임을 지원하던 운동을 확대하여 '교육 모임'을 지원하기 시작하였고 이 활동의 결과물을 1987년 자료집 형태의 책으로 발간하였다. 이 책에서 만은 매맞는 여성운동과 페미니스트 활동가 집단에서 여성들의 육체적·정신적 고통을 치유하기 위한 테라피가 적극적으로 활용되고 있는 현실과 관련하여 치유상담과 치유적 세계관의 만연의 위험성을 비판적으로 검토하였다.[66]

치유 집단에서 치유자들은 여성에게 무엇보다도 그녀의 감정에 관해서 말하도록 고무하는데 치유의 과정 속에서 여성들은 자신의 내면의 상처에 집중하도록 요구받는다. 만은 심리상담을 받는 여성이 치유 과정에서 놓이게 되는 위치와 맥락 속에서 '치유적 세계관'을 내면화하게 된다고 분석하였는데, 이때 치유적인 세계관은 여성이 친구나 가족과 맺는 관계를 단지 어떻게 그들이 그녀를 희생양화하는지 혹은 어떻게 그들이 그녀의 치유에 기여할 수 있는지와 관련해서만 보도록 만든다고 비판하였다.

> 테라피를 받는 여성은 특정하게 처방된 렌즈를 통해서 세계를 보게 되는데 이러한 렌즈는 그들을 둘러싼 세계를 그녀 자신의 사적인 **치유(healing)**의 과정이라는 관점에서 보게 만든다. 그녀의 삶 속의 사람들은 그녀의 치유적 각본 안에서의 역할들이 조명되는 한에서만 가치평가가 된다.[67]

---

66) Mann B., "Working with battered women: radical education or therapy?", E. Pence (ed.), *In Our Best Interest: A Process for Personal and Social Change*, Minnesota Program Development, Inc., 1987.

감정과 개인의 주관성에 집중하도록 고무하는 치유 담론은 감정에 대해 과도하게 가치를 부여한다. 만은 가정 폭력 피해자의 치유의 맥락에서 감정에 집중하도록 하는 실천이 현저하게 감정을 대상화한다는 점에서 위험하다고 경고하였다.

> 치유 담론 속에서 우리의 열정(passion)은 우리를 행위하도록 작용하는 힘이나 존재를 가능하게 하는 권력이 아니라, 우리의 내면에서 흘러나오는 사물화된 어떤 감정(feeling-things)처럼 이해된다. … 그래서 마치 여성의 자아는 어떤 숨겨진 감정의 징후처럼 이해된다.[68]

치유 담론은 감정을 그 맥락에서 분리해내고 그것을 검토하고 평가하도록 이끈다. 테라피가 정치적으로 불온한 이유는 감정이 처음 발생했던 상황에서 고통의 감정을 분리시키고 맥락을 무의미하게 만듦으로써 고통을 야기한 상황에 대한 정치적 각성이나 사회 변화를 위한 구조적 비판을 단절시키기 때문이다.

2. 고통에 대한 인정과 치유적 자아의 형성

고통을 사회적으로 '인정'(recognition)한다는 것과 그 고통의 물질성에 대한 '유효화를 승인'(validation)한다는 것은 다른 의미이다. 치유적 맥락에서 인정은 각각의 사람들의 분리된 현실이 유효하다는 것이고 각각의 개인들의 인지와 감정, 의견과 경험이 동등하게 합법적임을 승인하는 것이 도덕적으로 적절한 행위라고 간주된다. 일루즈가 "고통의 민주주의"라고 표현했듯이,[69] 누구나 저마다의 고통이 있다고 인정된다면 그 고통이 구조적으로 발생하는 사회에 대한 성찰과 변화를 위한 행동은 어떻게

---

67) Mann, 1987, p.105.
68) Mann, 1987, p.108.
69) 일루즈, 2010, p.115.

구성할 수가 있는가? 고통의 물질성에 대한 사회적 인정은 때로 보상이나 치료 등과 같은 제도화된 사회적 책임을 요구함으로써 고통을 산출하는 사회적 조건에 대한 반성을 촉구하는 정치적 결과를 만들어내기도 하지만, 그 과정에서 고통에 대한 인정을 요구하는 주체는 치유가 필요한 환자로 정체화된다.

미국에서 자조 모임의 폭발적인 성장은 중독의 문제가 정신건강의 문제를 넘어서 하나의 정체성으로 확산되는 경향을 보여준다. 1930년대 중반에 시작된 알코올 중독자의 회복을 위한 12단계 회복 프로그램은 1980년대에 미국에서 널리 확산되기 시작하여 1990년대에는 뉴욕에서는 한 주당 평균 사천 개 이상의 자조 모임이 운영되고, 로스앤젤레스에서는 오천 개 이상의 여성을 위한 자조 모임이 운영되고 있다.[70] 자조 모임은 근친강간의 피해자, 섹스 혹은 연예 중독자, 마약중독자, 자기학대자를 비롯하여 이와 같은 중독의 문제를 갖고 있는 사람들의 파트너나 부모 등의 모임 등으로 다양하게 운영되고 있는데, 다양한 중독으로 자신을 정체화하는 사람들은 치유 문화가 만들어내는 주체의 모습을 단적으로 보여준다고 할 수 있다.

치유 문화는 사람들이 감정적 결함을 가지고 취약성에 대한 영구한 의식을 소유하면서 고통받고 있다는 축소된 자아 감각을 구성하는 데 기여한다.[71] 일루즈는 심리적 고통을 주장하는 고통의 서사가 현재의 정체성 서사에서 중심적이 되었음을 분석하면서 개인들이 자기실현의 욕구를 표현하고 심리적 고통을 주장하는 고통의 서사가 대단히 제도화된 형태라고 설명하였다.[72] 치유적 이데올로기는 특히 여성에게 허약함의 감각을 실어나른다. 여성은 반복적으로 지지가 필요하고 양육이 필요하고 우리의 의존성을 탐험할 필요가 있다고 말해진다. 만일 어떤 여성이 그녀 자신을 강하다고 말한다면 그녀는 자신의 취약성을 공적으로 노출하는

70) Room, 1992 : Moskowitz, 2001, pp.247~248에서 재인용.

71) Furedi, 2004 ; 일루즈, 2010, p.57.

72) 일루즈, 2010, pp.115~116.

것을 두려워하는 여성으로 간주된다. 치유 문화 속에서는 취약성을 노출시키는 것만이 용기있는 행위가 된다. 치유 문화는 취약성의 독특한 감각을 부양하고 있는데, 퓨레디는 이를 불확실성이 증대하는 사회적 환경 속에서 개인들이 느끼는 불안, 무기력감 등이 쉽게 우울증과 같은 질병으로 번역되거나 개인들이 고통받고 있다는 희생자 정체성이 강화되는 경향에 기인한 것으로 설명하였다.[73] 퓨레디는 치유적 언어 속에서 인정에 대한 요구를 틀짓는 것을 통해 인정에 대한 욕구는 정신건강과 관련된 진단과 혼동되기 쉽다고 지적하였다.[74] 특히 여성들은 더 쉽게 사회적 인정에 대한 욕구와 자기 삶의 불행과 고통에 대한 호소를 우울증과 같은 질병으로 번안하여 환자 정체성을 수용하는 것으로 대체하곤 한다.

사람들의 연약함을 위로하며 확산되고 있는 치유 산업의 성장 속에서 안녕과 안전에 대한 기대, 사회의 불평등과 삶의 조건을 변화시키기 위한 실제적인 노력은 치유 문화가 제공하는 일시적인 안녕감으로 대체되고 있다.

피해자와 중독자는 치유적 프레임 속에서 상처의 극복과 자아의 개선을 통해 누구나 영웅으로 재탄생할 수 있는 "치유적 서사"(therapeutic narrative)를 제공받는다.[75] 개인들은 고통받는 자아가 치료되는 자아의 변화의 경험을 통해 그 자신을 도덕적이고 사회적으로 유능한 존재로 경험하게 되고 치유적인 자기계발에 몰두하게 된다. 하지만 개인주의와 능력주의의 신화는 낙오와 실패의 책임을 또한 개인들에게 지운다. 치유적 프레임은 고통받는 사람들의 상처를 위무하지만 동시에 고통받는 사람들 스스로가 자신의 고통에 책임이 있고 자아의 개조와 자존감 향상을 통해 개인들이 직면한 모든 인간관계와 사회적 갈등을 해결할 수 있다는 메시지를 전달하고 있다. 이러한 치유적 프레임은 사회를 변화시키기 보다는 사람들에게

73) Furedi, 2004.
74) Furedi, 2004, p.174.
75) 일루즈, 2010, p.45.

자아를 변화시켜 사회에 대한 적응성을 높일 것을 주장함으로써 기존의 사회질서를 유지하려는 시각에 기여하게 된다.

심리학의 유용성은 우리가 우리 자신이 처한 문제에 대한 개인적 해결의 테크닉을 증진하는 데 도움을 준다는 것이다. 이는 행복과 감정적 웰빙을 증진하는 개인들의 삶의 기술과 쉽게 결합할 수 있다. 이 지점에서 심리학과 치유 문화는 처세술, 시간관리법, 재테크노하우 등과 함께 개인들의 성공과 행복을 증진하고자 하는 자기계발문화의 논리와 쉽게 결합하게 된다. 자존감 증진에 관한 치유 담론은 치유전문가를 매개로 개인들 스스로가 자기를 통치하게 하는 치유학적 통치와 자기계발적 주체화가 접합되는 핵심적인 장소라고 할 수 있다. 치유 문화는 개인들의 고통과 감정을 위무하는 한편 개인의 고통은 치유 전문가들의 일상적인 개입과 관리가 필요한 영역임을 주장하며 사적인 영역에 대한 통제와 일상생활의 실천에 필요한 자기 관리, 행위에 대한 관리에 자발적으로 응하거나 혹은 스스로 예속되는 주체를 만들어 낸다.

VI. 결론

치유 담론과 페미니즘은 둘 다 개인의 심리와 정체성의 변화에 초점을 맞춰서 개인들의 의식의 변화와 각성을 도모했다. 초기 의식고양 운동에서 여성 억압에 대한 인식과 각성은 정치적 주체가 되기 위한 출발점이지 그 자체가 목적은 아니었다. 페미니즘 제2물결은 여성해방을 위한 정치적 사고와 행동이 치유적인 것에 한정되어서는 안 된다는 문제의식을 고수하였지만 페미니스트 실천 속에서 치유적인 것에 머무르는 한계를 보이곤 하였다. 그리고 미국사회 여성주의 심리상담은 페미니즘 제2물결의 의식고양의 실천을 이어갔지만 치유적인 것과 정치적인 것을 동일시하고 치유적인 것으로 정치적인 것을 대체함으로써 페미니즘적 실천에 자유주의적 개인주의의 요소를 내면화하는 데 일조하였다.

개인적인 것이 정말로 정치적이기 위해서는 치유적인 것을 넘어서야 한다. 치유 담론은 성별위계와 권력관계, 성적 차이가 사회적이고 구조적으로 작동하는 방식에 대한 비판을 진전시키기 보다는 남녀 간의 갈등이나 부부갈등을 공의존성(codependency) 등과 관련된 개인들의 심리적 문제로 환원하는 경향이 있다. 또한 치유라고 하는 문제 설정은 자유주의적 개인의 자기계발적인 에토스와 결합됨으로써 젠더에 기반한 억압을 비판하는 정치학으로 수렴되지 못하고 신자유주의적 자아 개선의 논리에 포섭되어 버릴 위험이 있기 때문이다.

최근 치유 산업의 성장과 치유 문화의 확산 속에서 그 어느 때보다 개인들에게 자기를 개선하라는 문화적 압력과 자존감의 증진이 성공을 위한 인성학으로 논의되고 있다. 여성들에 대한 치유가 개인들이 처한 어려움을 극복하고 여성들의 자존감의 향상을 통해 성평등한 사회를 만드는 데 기여할 수 있다는 치유 담론은 치유 산업의 확대 속에서 페미니즘 정치학에 기여하기보다는 신자유주의적인 자기계발의 논리에 포섭될 위험이 더 크다. 치유 문화는 근본적으로 정치적인 문제에 대해서 사람들이 정치적으로 사유하려는 시도를 가로막고 개인들에게 위로와 정서관리의 필요성만 강조하고 치유에 대한 사람들의 욕구를 치유 상품과 서비스에 대한 소비로 대체하는 경향을 강화시키기 때문이다.

고통에 대한 사회적 인정이 여성해방을 위한 정치적 기획으로 이어지지 못하고 개인들에게 심리적 위안과 치유적 예속을 확대하는 신자유주의적 주체화의 담론적 효과를 발휘하고 있다는 성찰은 페미니즘 정치학이 여성의 억압과 해방에 관해 보다 물적 조건과 구조의 변화에 관심을 가져야 함을 되돌아보게 한다.

사회인문학총서 책임기획위원 백영서·김성보·김현주
이 저서는 2008년도 정부재원(교육과학기술부 학술연구조성사업비)으로 한국연구재단의 지원을 받아 연구되었음(NRF-2008-361-A00003)

필자_ 가나다순

김예림 | 연세대학교 학부대학 교수
김 원 | 한국학중앙연구원 사회과학부 교수
김 항 | 연세대학교 국학연구원 HK교수
김홍중 | 서울대학교 사회학과 교수
소영현 | 연세대학교 국학연구원 HK연구교수
심보선 | 경희사이버대학교 문화예술경영학과 교수
정승화 | 연세대학교 사회발전연구소 전문연구원
조문영 | 연세대학교 문화인류학과 교수

사회인문학총서

정치의 임계, 공공성의 모험

김예림/김원/김항/김홍중/소영현/심보선/정승화/조문영 공저

2014년 5월 30일 초판 1쇄 발행

펴낸이 · 오일주
펴낸곳 · 도서출판 혜안
등록번호 · 제22-471호
등록일자 · 1993년 7월 30일
㊇ 121-836 서울시 마포구 서교동 326-26번지 102호
전화 · 3141-3711~2 / 팩시밀리 · 3141-3710
E-Mail hyeanpub@hanmail.net

ISBN 978-89-8494-508-1 93300
값 25,000 원